FAIS CE QUE PEUX

Gérard Filion

FAIS CE QUE PEUX

En guise de mémoires

Boréal

Photo de la couverture: André Larose

Dépôt légal: 1er trimestre 1989
Bibliothèque nationale du Québec

Diffusion au Canada: Dimedia
Distribution en France: Distique

Données de catalogage avant publication (Canada)

Filion, Gérard, 1909-
Fais ce que peux
ISBN 2-89052-280-6
1. Filion, Gérard, 1909- . 2. Journalistes – Québec (Province) – Biographies. 3. Administrateurs de société – Québec (Province) – Biographies. I. Titre.
PN4913.F54A3 1989 070'.92'4 C89-096055-0

AVANT-PROPOS

J'avais à peine pris ma retraite, le premier juin 1974, que plusieurs amis se mirent à me poser la même question: «Quand vas-tu publier tes mémoires?» J'avais préparé une réponse passe-partout: «Je publierai mes mémoires, quand je serai vieux.»

Les années passèrent vite, très vite, à faire un peu de tout: voyager, lire, bricoler, chasser et pêcher. Soudainement, j'ai vu mes quatre-vingts ans fondre sur moi comme une mécanique emballée. Je me suis dit: «C'est tout de suite ou jamais.»

Alors je me suis assis à ma table de travail et j'ai rédigé de mémoire ce qui suit.

J'allais avoir cinq ans dans quelques jours, quand éclata la guerre de 1914. Ce fut d'abord une rumeur qui remonta du village vers le premier rang jusqu'au bois des Belles. On racontait que le télégraphiste de la gare avait capté une dépêche qui disait, en anglais bien entendu, que l'Allemagne avait déclaré la guerre à la France et que l'Angleterre — on ne disait jamais la Grande-Bretagne — s'était rangée du côté de celle-ci, ce qui faisait que, le Canada appartenant à l'Angleterre, nous étions, nous aussi, en guerre. Mais des paroles qui voyagent sur le fil et en anglais par-dessus le marché, c'est pas très sûr. Peut-être que le télégraphiste, qui est un Canadien et pas un Anglais, a mal compris. On en saura davantage dimanche quand Alfred Filion recevra sa gazette.

Donc, ils sont tous au rendez-vous ce deuxième dimanche d'août 1914. Eux, ce sont les vieux du rang, les fils ou les petits-fils des défricheurs. Ils sont nés avant 1850, quand il n'y avait pas encore d'écoles. Ils sont tous analphabètes.

Il y a Majorique Pelletier, surnommé Péti, barbe de bouc et yeux de chèvre, sec de corps et tranchant de parole. Il fait la vie dure à sa bru, mais pour l'époque, c'est dans l'ordre des choses.

Il y a Achille Marquis, massif de corps et de tête, barbe de patriarche sur poitrine d'athlète, lent de gestes et de paroles, facilement sentencieux, réfractaire à toute nouveauté. Il tient pour certain que les jeunes sont incapables de découvrir des choses que les vieux n'ont pas déjà inventées. En cela il n'est pas différent de ce Prix Nobel de physique qui affirmait au début du siècle que presque tout avait été découvert et qu'il ne fallait pas s'attendre à de grandes trouvailles dans les décennies à venir.

Il y a Olivier Bastille, un vieux satyre, dont les femmes du voisinage redoutent les entreprises. Il a épousé une héritière de dix ans son aînée, s'est donné à rente à cinquante ans, ce qui fait qu'il n'a pratiquement jamais travaillé.

Il y a Alfred Pelletier, pour qui l'avarice est une vertu théologale et la charité, un vice impuni. À l'entendre, «c'est sur la table qu'on ramasse l'argent». Chez lui, on reste sur son appétit.

Il y a même, ce dimanche-là, Georges Beaulieu, passé au protestantisme au siècle précédent, probablement à cause de Chiniquy. Dans ce milieu si densément catholique, on ne s'en formalise pas. Ses relations de voisinage sont restées cordiales, même s'il lui arrive de manger du curé.

— Alfred, lis-nous la gazette.

Alfred s'installe près de la fenêtre, nettoie et ajuste ses lunettes, se racle la gorge et se met à lire. Le journal raconte qu'à la frontière franco-allemande une première escarmouche a fait quelque chose comme cinq morts et dix blessés du côté allemand. Ailleurs, l'ennemi a perdu une vingtaine d'hommes, tués, blessés ou faits prisonniers. Plus loin, les pertes du côté allemand se sont élevées à une douzaine environ. Le père Olivier Bastille, qui écoute religieusement depuis le début, éclate:

— Coudonc, Alfred, y en a donc ben de ces maudits Allemands-là!

Pour le père Olivier Bastille comme pour les autres auditeurs, c'était un peu comme si L'Isle-Verte avait envahi Cacouna. On était en guerre bien sûr, mais on ne voyait pas très bien ce que cela pouvait signifier. Car comment être en guerre quand il n'y a pas d'ennemi! On n'en a jamais vu d'Allemands. Ils sont de l'autre côté de l'océan et ce n'est pas demain qu'ils débarqueront en Amérique. S'ils s'avisaient de venir de ce côté-ci de la mer, les Américains ne les laisseraient pas faire. Après tout, si la guerre fait mieux vendre le beurre, le porc et les patates, on n'est pas contre.

C'est avec la conscription de 1917 que la guerre éclatera pour vrai au village des Frisés.

À cette époque, les nouvelles du monde extérieur — et le monde extérieur, c'est tout ce qui n'est pas la paroisse et le comté — arrivent avec des jours, voire des semaines de retard et se déforment par le cheminement du bouche à oreille. À part les journaux dont les abonnés sont clairsemés, les moyens de communication avec l'extérieur sont le chemin de fer et le télégraphe. Mais ce n'est pas tous les jours qu'on prend le train. Il sert surtout aux gros bonnets qui vont traiter leurs affaires à Québec, aux émigrants qui vont aux États ou qui en reviennent, et aux gars de chantiers. On ne voyage pas par plaisir. Le tourisme, qui ne porte pas encore ce nom, est à sens unique: les parents de la ville qui viennent passer quelques jours de vacances gratuites chez l'habitant. Quant à l'automobile, elle est encore un objet de curiosité. Un soir, la conversation à table avait porté sur le grand événement de la journée: il était passé trois automobiles ce jour-là, et pourtant nous habitions en bordure de la route dite nationale. C'est par un phénomène d'osmose que les événements du monde extérieur finissaient par pénétrer dans cette société repliée sur elle-même qu'était la paroisse. Celle de L'Isle-Verte n'échappait pas à la règle commune.

Comme source d'information, il y avait en premier lieu le magasin général. L'habitant des rangs se rendait au village — mon père disait toujours le faubourg — au moins une fois par semaine pour aller aux affaires, les commerces étant rigoureusement fermés le dimanche. Le marchand qui aurait eu l'audace de servir la clientèle avant ou après la grand-messe aurait encouru les foudres du curé. Les magasins généraux étaient donc des lieux de rassemblement où circulaient les nouvelles de toute la paroisse tous les jours de la semaine. On y était à l'abri en été et au chaud en hiver. La place était sommairement meublée de chaises et de tabourets, plus un grand crachoir de bois à moitié rempli de bran de scie. On fumait, on causait, on blaguait, on reluquait les jolies femmes venues aux provisions. L'aubaine hautement convoitée était l'apparition du voyageur de commerce. Alors là, c'était la grande représentation; car le voyageur de commerce était un conteur d'histoires intarissable. Il en avait pour tous les goûts, pour tous les âges et pour les deux sexes. Raconter des histoires drôles ou salées, selon les exigences de son auditoire, contribuait à créer un climat favorable à la vente de sa camelote. Le voyageur de commerce était aussi un colporteur de nouvelles. Habitant généralement Québec, plus rarement Montréal, il était, s'il fallait l'en croire, à tu et à toi avec ministres et députés. Il connaissait comme pas un la marche des affaires, se disant capable de prédire une hausse prochaine du beurre et une baisse probable du bœuf, tout en étant circonspect sur le comportement toujours capricieux de la pomme de terre. L'habitant qui avait eu la veine d'assister au numéro du voyageur de commerce revenait dans le rang avec une masse de certitudes politiques et économiques qu'il distribuait généreusement à son entourage.

Les quêteux ne jouissaient pas du même prestige, mais ils exerçaient une influence presque égale à celle des voyageurs de commerce. Ils étaient de deux sortes: les réguliers, qui revenaient à intervalles fixes visiter une clientèle stable. C'étaient des quêteux connus, qui savaient d'avance où manger et où coucher, qui avaient un nom, presque une carte de visite. Ils s'appelaient Madore ou Joncas. Ils disaient venir de Saint-Pacôme ou de Sainte-Louise et se vantaient d'avoir femme et enfants. Quelques-uns, en plus de mendier, offraient en vente des menus articles: aiguilles, fil, peignes. Joncas, lui, avait une spécialité populaire: il vendait des ciroines, sortes d'emplâtres de gomme d'épinette guérissant les tours de reins. C'est Madore, je crois, qui offrait aux mères de famille «de la poudre pour les enfants qui ont des poux qui vont à l'école». Ces quêteux de qualité, mi-mendiants, mi-colporteurs, égrenaient leurs commérages de maison en maison. Généralement habiles raconteurs, ils jouaient le rôle de gazettes vivantes. Par eux, on apprenait ce qui se passait dans les paroisses et les comtés voisins. D'autres quêteux, fraîchement hissés au niveau de cette dignité ou ayant des motifs pour ne pas passer deux fois dans le même rang, étaient tenus en suspicion. En été, on les faisait manger sur la galerie et gîter à l'étable ou au fenil. En hiver, ils couchaient près du poêle de cuisine enroulés dans une peau de carriole. On osait rarement leur refuser le gîte ou le couvert, car ils avaient la réputation de jeter des sorts, le plus redouté étant les poux, supplice des écoliers et désespoir des mères. Ces survenants de quêteux disparaissaient aussi mystérieusement qu'ils étaient venus, au grand soulagement des habitants du rang.

Le grand rassemblement de la semaine se faisait à l'occasion de la grand-messe du dimanche. Les rangs se vidaient pour se retrouver sur le parvis de l'église. C'est là qu'on apprenait ce qui s'était passé au cours de la semaine précédente et ce qui s'annonçait pour les prochains jours. Le prône du curé, aussi long que le sermon, était un bulletin de nouvelles mi-sacrées mi-profanes. On y annonçait les messes et les cérémonies de la semaine, l'heure des confessions, les réunions des congrégations pieuses, les assemblées des associations agricoles, les séances à la salle paroissiale. Au sortir de l'église, le crieur, toujours un Dubé, de père en fils ou en neveu, s'installait sur la haute marche du perron pour déballer son sac d'annonces publicitaires, d'avis publics et d'admonestations.

Assez souvent, les annonces sont suivies, surtout l'automne, d'une criée pour les âmes du purgatoire: un cochon de lait, un coq ou un lapin, avec livraison séance tenante. À travers la cacophonie des voix et le flot des femmes qui sortent toujours après les hommes et ne s'attardent jamais sur le parvis, on s'échange des nouvelles et on bâcle des marchés. Pendant que les hommes musardent une bonne demi-heure, les femmes vont faire le pied de grue près des écuries de dételage où les chevaux ont été mis à l'abri. En hiver, elles restent au chaud à l'église ou sont invitées à rentrer un moment chez le propriétaire de l'écurie, en attendant que le mari soit lesté de nouvelles pour la semaine.

Dans cette société de cultivateurs, d'artisans et de marchands, l'écrit tient peu de place. La parole règne en maîtresse pour les transactions d'affaires, pour la relation des événements, pour le discours politique. On croit peu aux journaux qu'on lit rarement et qui ont la réputation d'être menteurs. Mais la promesse d'un politicien, l'engagement d'un voisin, le propos d'un prétendant sont affaires sérieuses. Dire de quelqu'un qu'il n'a pas de parole, c'est le déshonorer. C'est aussi grave que de l'accuser d'être voleur. D'ailleurs, on emploie rarement ce mot; on dira plutôt de quelqu'un qu'il a la main légère.

C'est dans cette société fermée mais nullement hostile au monde extérieur que je suis né et que j'ai grandi. C'est parmi ces gens que j'ai appris le sens et le prix de la vie, l'utilité plus que la poésie de la nature, la rigueur du travail, la valeur du temps, l'art de la patience. Quand j'en sortirai, je serai presque devenu un homme. Je m'adapterai, mais je ne changerai pas.

1

UNE ERRANCE DE QUARANTE ANS

Grand-père Thomas Filion vit au village. Malgré ses quatre-vingts ans, il est solide comme l'orme qui couvre de son parasol la maisonnette qu'il habite. Il n'est pas du pays: c'est un étranger, un «rapporté». Sa famille est originaire de La Malbaie, au pays de Charlevoix. C'est son métier de navigateur qui le déporta sur la Rive-Sud, à Rimouski plus précisément. Il était encore adolescent, quand il s'engagea à bord de *La Canadienne*, goélette garde-côte du gouvernement du Canada-Uni. C'est comme simple matelot qu'il apprit à naviguer sur le fleuve. Marin déchu, réduit à la triste condition de terrien par la chienne de vie, il posséda toujours, chaque fois qu'il vécut à portée d'un plan d'eau, une modeste embarcation à bord de laquelle il allait rêver de lointaines aventures. Pour le taquiner, ses amis lui demandaient s'il était capable de pisser ailleurs que dans le fleuve. J'avais à peine cinq ans quand on me montra au quai de la rivière des Vases une toute petite embarcation connue sous l'appellation pompeuse de chaloupe à grand-père.

Sa carrière de navigateur trouva une fin aussi prématurée que tragique une nuit de septembre 1865 sur les récifs de l'île du Bic. Voici ce qu'on m'en a raconté.

De simple matelot, grand-père s'était hissé, par des prodiges de travail et d'économie, à la dignité d'armateur. Rien pour se gonfler le torse: une toute petite goélette achetée d'occasion et radoubée avec soin. Le port d'attache est Rimouski et la famille vit dans une maisonnette perchée sur un piton dominant le lieu qui deviendra plus tard le village du Sacré-Cœur. Il fait du cabotage entre la Gaspésie et Québec. Il est commandant et son frère Timothée, matelot.

Donc, ce soir-là, le deux-mâts vogue allègrement vers Québec, toutes voiles dehors, porté par une brise de nordet. Thomas confie le gouvernail à son matelot de frère, en lui donnant des instructions précises sur le cap à tenir durant le premier quart, puis descend faire un roupillon au coqueron. Pour le malheur de l'armateur et de sa descendance, le frère tombe endormi, le deux-mâts dévie vers la gauche et va s'écraser sur les récifs de l'île du Bic. La goélette avec son gréement, la cargaison de morue, les effets personnels de l'équipage, tout est une avarie totale. Les deux hommes se sauvent de justesse et gagnent la rive sud dans une chaloupe de sauvetage.

Le naufrage en soi est une catastrophe, mais ce

qui s'ensuit est une tragédie. Le négociant de Matane réclame le paiement de la cargaison de morue. Comme l'assurance maritime n'est pas de pratique courante chez les petits armateurs de l'époque, chacun naviguant à ses risques et périls, grand-père est acculé à la ruine. Un tribunal civil prononce contre lui un jugement exécutoire contre ses biens durant les trente années à venir. C'est pourquoi grand-père ne pourra posséder aucun bien à son nom durant sa vie active. Dès que l'aîné de la famille, Alfred, mon père, sera devenu majeur, les quelques biens que grand-père finira par acquérir seront inscrits au nom de son fils.

Grand-père ne connaissait rien au travail de la terre. Quel mauvais génie lui mit dans la tête d'aller enterrer sa misère sur un lot de colonisation impropre à l'agriculture au troisième rang de Matane? On ne le sut jamais. Toujours est-il qu'il y vivote une dizaine d'années à faire un peu de tout, sauf défricher et cultiver. Il passe les étés dans la vallée de la Matapédia à travailler comme terrassier à la construction du chemin de fer reliant Rivière-du-Loup à Halifax. Cette liaison ferroviaire faisait partie des conditions posées par les Provinces maritimes pour adhérer à la Confédération canadienne. Dès que mon père fut assez grand pour conduire un cheval, soit à l'âge de dix ou onze ans, il fut mis, lui aussi, au travail. À la fonte des neiges, les deux partent en tombereau pour la vallée. Il n'y a pas de route directe entre les deux points. Il faut faire de longs détours en longeant le fleuve, puis traverser les montagnes par des chemins à peine carrossables et rejoindre le chantier là où il a été fermé l'automne précédent. Le voyage prend trois ou quatre jours, on mange les provisions qu'on a apportées et on couche à la belle étoile par beau temps ou chez l'habitant par temps maussade. Un terrassier gagne la fabuleuse somme de un dollar par jour; un gamin conduisant le cheval attelé à un tombereau, le même montant. On passe l'été sous la tente et on retourne à Matane avec les premières neiges. Tout jeune, j'écouterai mon père raconter sa vie d'enfant de peine dans des lieux que je découvrirai plus tard: Sayebec, Amqui, Ceder Hall — aujourd'hui Val-Brillant.

En hiver, grand-père loue ses services aux marchands de Matane pour aller quérir à Rivière-du-Loup, terminus du chemin de fer, des effets en rupture de stock, principalement des futailles de rhum de la Jamaïque, dont on faisait, à ce qu'il paraît, une grande consommation. Six jours à l'aller, six jours au retour, à deux attelages. À l'aller, on a du mal à trouver un gîte chez l'habitant, mais au retour on est reçu à bras ouverts, car on offre de payer avec du rhum. On a eu la précaution de repérer une maison de bonne apparence avec un maître et une maîtresse hospitaliers et on leur propose d'inviter tout le voisinage à venir boire et danser. Comme on a eu la bonne idée d'apporter avec soi une vrille, on perce une barrique et on paie généreusement la traite à tout le monde. On danse au son du violon jusqu'aux petites heures du matin. Au revoir, au prochain voyage, et la fête continue le soir suivant et cela durant six jours. Quant au propriétaire de la barrique, il mettra au compte de l'évaporation les quelques gallons manquants, car on aura camouflé le trou de vrille avec une cheville couverte de sciure de bois et de vernis.

Puis, un beau jour, la famille prend la route des États, plus précisément les montagnes Blanches du New Hampshire. Là, on devient bûcheron. La pruche, dont l'écorce est en grande demande dans les tanneries, est abondante dans la région. Le travail est rude, mais au moins on mange à sa faim. À Matane, quand il n'y avait pas de quoi nourrir toute la maisonnée, les aînés descendaient à pieds à la Grande Anse pour manger des coquillages. À Sawyer et à Bartlett, on ne reste pas sur son appétit. Combien d'années a-t-on passées dans ce pays rude mais hospitalier? Probablement cinq ou six, car mon père a vingt ans quand il descend plus au sud, à Salem, Massachusetts, toujours suivi de la famille dont il est en quelque sorte le tuteur.

Le grand-père maternel, François Simard, lui, est un authentique pionnier de L'Isle-Verte. La famille est venue de Charlevoix, plus précisément de Baie-Saint-Paul, en faisant un crochet par Saint-Roch-des-Aulnaies. Elle s'est d'abord établie dans le rang du Bord-de-l'Eau, là où la rive pointe dans le fleuve entre la route à Basile et la rivière des Vases, sur une longueur d'environ six kilomètres. La vie y est facile, car le fleuve est grouillant de poissons et la grève regorge de gibier. Dans mon enfance, les vieux racontaient avoir entendu leurs grands-parents décrire des scènes incroyables. Par exemple, dans les pêches à fascines, en juin et juillet, les prises de saumon étaient tellement abondantes qu'on salait uniquement les «éventraiches» et qu'on jetait le reste aux cochons; et cela sans parler du hareng et de la sardine qui, à certaines marées, emplissaient les «ports» jusqu'à la ceinture. Venait-on à manquer de viande, la mère disait à un des fils: «Prends ton fusil et va nous chercher du gibier». Une heure ou deux plus tard, le garçon revenait chargé de canards et d'outardes.

Un jour arriva que le rang du Bord-de-l'Eau, surpeuplé, fut trop petit pour faire vivre les jeunes qui poussaient dru. Il fallut s'enfoncer dans la forêt de l'arrière-pays. Ma mère racontait que son grand-père, François Simard, fut le premier à traverser la montagne du Nord, la tourbière qui tapisse le fond de la vallée et à se bâtir un camp de bois rond en bordure de la montagne du Sud dans ce qui devait devenir le premier rang. Sa femme, Marie-Archange Thibault, suivait son mari à pieds, un enfant dans ses bras, un autre dans son ventre. En traversant la tourbière, elle s'enfonça dans une crevasse; incapable de se relever, elle s'accroupit et se mit à pleurer. Le mari dut décharger les effets qu'il portait sur son dos et aller dégager sa femme de sa fâcheuse position. Au pied de la montagne du Sud, le couple estima qu'il était rendu assez loin. Le mari défricha une clairière et bâtit un camp de rondins. D'autres colons suivirent le même chemin, des Beaulieu, des Pelletier, tous des blonds aux cheveux ondulés. C'est pourquoi le bout de rang compris entre le bois des Belles et la rivière des Vases, à cheval sur L'Isle-Verte et Cacouna, prit le nom de village des Frisés. Ma mère racontait encore que sa grand-mère, Marie-Archange Thibault, sortit un soir à la brunante pour aller traire sa vache. Elle avait beau l'appeler doucement, la vache s'esquivait en bordure de la forêt, qui était à cent pas du camp. Elle finit par se rendre compte de sa méprise: ce n'était pas sa vache, mais un ours qu'elle poursuivait.

Quand il fut en âge de s'établir, François fils de François, mon grand-père, entreprit de défricher un lot d'un arpent et demi, à quoi vint s'ajouter quelques années plus tard un autre arpent et demi hérité d'un vieux garçon qui s'était, selon le langage de l'époque, donné à rente. Ce fonds de terre de trois arpents sur quarante-deux constitue le domaine familial transmis d'une génération à l'autre depuis plus de cent cinquante ans. La première maison fut démolie en 1870, les pièces de charpente furent taillées pour servir à la construction d'un fournil avec cheminée et four à pain. La maison actuelle fut construite la même année. Extérieurement, elle n'a subi qu'une seule transformation: l'entrée principale, qui à l'origine donnait à l'est, fut condamnée vers 1905, remplacée par une porte au sud et ornée d'une galerie. C'est dans cette maison que le grand-père François Simard éleva ses seize enfants; ma mère, Philomène, née en 1864, était la cadette.

Comme dans toutes les familles nombreuses de l'époque, les enfants doivent se disperser aux quatre vents, dès qu'ils deviennent adultes. À l'époque de mon enfance, j'avais des oncles maternels vivant au New Hampshire, au Michigan, au Maine et jusqu'en Floride. Il en était ainsi dans la plupart des familles. On allait hiverner dans les chantiers, on revenait pour quelques mois, on repartait dans une autre direction où on espérait trouver du travail. Finalement on s'enracinait quelque part où on croyait pouvoir gagner sa vie. La famille recevait un mot de temps en temps, quand le fils émigré savait écrire, parfois jamais. L'oncle Georges Simard fit tout son règne quelque part au Michigan, sans donner signe de vie. On apprit un jour qu'il était décédé à quatre-vingt-seize ans. Laissait-il des descendants? On ne le sut jamais. L'oncle Joseph, de son côté, éleva une famille nombreuse au Massachusetts, mais ses enfants, bien qu'ils pussent s'exprimer convenablement en français, préféraient porter le nom de Seymour. On ne sut jamais ce qu'ils sont devenus, mais sans doute d'authentiques Américains.

Il est étrange qu'à cette époque il n'était nullement question pour les gens du Bas-Saint-Laurent de prendre la route de l'Ouest canadien. C'était pourtant le moment où le chemin de fer Canadien Pacifique complétait la traversée du continent, ouvrant ainsi à la colonisation les plaines de l'Ouest. Les immigrants en provenance des îles britanniques et de l'Europe centrale affluaient par pleins bateaux dans les ports de Halifax, de Québec et de Montréal. Les Québécois, eux, ne semblaient pas attirés par l'Ouest, qui pourtant était leur pays; ils semblaient préférer les villes de la Nouvelle-Angleterre, qui étaient tout à côté. Je crois qu'au fond d'eux-mêmes ils pensaient que l'émigration était une solution temporaire. Ils partaient avec l'intention de revenir, quand ils auraient ramassé assez d'argent pour s'établir. Le fait est que ce fut durant quelques générations une navette continuelle d'un côté à l'autre de la frontière. Un départ pour l'Ouest canadien eût signifié un exil définitif. Combien de Canadiens français sont rentrés au pays et combien sont restés au sud du quarante-cinquième parallèle? On ne le saura jamais. Ce qu'on sait, c'est que peu de familles québécoises peuvent se vanter de ne pas avoir quelques parents éloignés outre-frontière.

Ma mère n'avait pas encore dix-huit ans quand, avec quelques compagnes, elle prit à son tour le chemin des États, pour aller gagner sa vie dans une filature de coton à Salem, Massachusetts. C'est là qu'elle fit la connaissance de mon père, qui était devenu propriétaire d'une buvette. Ils contractèrent mariage en juillet 1884, en l'église canadienne-française de Salem.

Au pays, les affaires de grand-père, François Simard, étaient moins que prospères. Comme la plupart des habitants de l'époque, de L'Isle-Verte et des paroisses environnantes, le vieux transigeait ses affaires chez Bertrand & Cie, société commerciale et industrielle fondée par Louis Bertrand et transmise à son fils Charles. La maison Bertrand était à l'époque l'entreprise la plus importante du Bas-Saint-Laurent, avec succursales sur la côte Nord et jusqu'en Gaspésie. À L'Isle-Verte, elle gérait un magasin général, des ateliers de fabrication de voitures et d'instruments aratoires avec fonderie, forge, ébénisterie, carrosserie, une flotte de goélettes, etc. Les cultivateurs y trouvaient preneur pour leurs produits et s'y approvisionnaient en articles nécessaires à la culture et à la famille. On y pratiquait une forme de troc avec débits et crédits inscrits aux livres de la compagnie. Il y eut même une époque où Bertrand & Cie battait une espèce de monnaie, émise sur le crédit de la maison et échangeable contre des pièces d'or ou des billets. En fin d'année, les cultivateurs allaient régler leurs comptes. Il arrivait plus souvent qu'autrement que le compte débiteur fût plus élevé que le compte créditeur, de sorte qu'au bout de dix, quinze ou vingt ans, Bertrand & Cie forçait le créancier à remettre sa terre en paiement de ses dettes. Ruiné par son imprévoyance ou par la cupidité de Charles Bertrand, ou par les deux, l'habitant ramassait ce qui lui restait d'effets personnels et prenait le chemin des États.

François Simard en était réduit à cette nécessité en 1886, quand il eut l'idée que son gendre des États, qu'il ne connaissait pas, serait peut-être tenté de revenir au Canada. On écrit pour faire savoir que la ferme sera vendue par ordre de justice à une date donnée. Le jeune couple de Salem, qui n'a encore qu'un enfant, se laisse tenter par la proposition: il vend la buvette et reprend le chemin du Canada.

Au village des Frisés, la nouvelle court de bouche à oreille. Le gendre de François Simard rentre des États pour prendre la place du vieux. Il faut qu'il soit en moyens pour payer toutes les dettes, car on sait que Charles Bertrand est habile à faire le compte de ses créances en y ajoutant un intérêt composé que personne ne comprend. Au soir dit, tous les vieux du rang sont réunis dans la grande cuisine pour scruter l'allure de cet étranger qui vient s'installer parmi eux. François Simard, passablement vantard de nature et tout fier de se tirer d'une déconfiture honteuse, a clamé à tous vents que le gendre des États est riche, qu'il a beaucoup voyagé et surtout, attribut rare pour l'époque, qu'il lit et écrit couramment. Ce soir, il prend sa revanche. C'est vrai qu'il a mangé sa terre, mais au moins il s'est enrichi d'un gendre, et pas n'importe qui comme on le verra tout à l'heure.

À l'époque, on ne se promène pas avec des chèques de voyage dans la poche de son veston ou avec des traites dans un attaché-case. Sa fortune, on l'emporte avec soi dans une bourse plus ou moins gonflée de pièces d'or. Le beau-père insiste pour que le gendre fasse voir à ces culs-terreux qu'il n'est pas un va-nu-pieds. Après s'être fait prier pour la forme, le gendre étale sur la table de cuisine, faiblement éclairée par une lampe à pétrole, mais mangée par douze paires d'yeux, une traînée de pièces d'or qui scintillent outrageusement. Il y en a pour deux mille dollars, une fortune comme on n'en a jamais vu de mémoire de défricheur. Deux mille dollars, de quoi payer toutes les dettes et «renipper» tout le roulant de la ferme. C'est ainsi qu'Alfred Filion, né à Rimouski en 1860, élevé à Matane, devenu bûcheron par nécessité au New Hampshire, cabaretier au

Massachusetts, se retrouve cultivateur à L'Isle-Verte en 1886, sans apprentissage ni connaissance du métier. Il sait à peine atteler un cheval, il n'a jamais trait une vache, n'a jamais labouré, ni ensemencé, ni récolté. Il lui faudra tout apprendre de a à z. Comme d'habitude, le reste de la famille ne tarde pas à rappliquer, le grand-père Thomas, toujours sous le coup d'un jugement de cour, avec un fils et une fille adolescents et, un peu plus tard, un gendre. Alfred installe son père, devenu veuf, sur une terre à un mille à l'est. Plus tard, le vieux gagnera le village pour y finir paisiblement ses jours, mais toujours comme un navigateur échoué sur la terre des hommes.

La saga n'est pas terminée pour autant. La famille d'Alfred fera un deuxième séjour aux États, à Nashua, au New Hampshire, de 1896 à 1903, affermant l'exploitation agricole à un beau-frère. Le retour au pays, sous la pression des enfants qui refusent de vivre en ville et de travailler dans les «facteries», consacrera l'enracinement définitif dans l'humus de L'Isle-Verte. Ce sera la fin de l'instabilité chronique et de la transhumance canado-américaine provoquées par le naufrage de l'île du Bic. La saga aura duré quarante ans et provoqué huit déménagements.

2

LE VILLAGE DES FRISÉS

Aussi loin que je me rappelle, je n'ai qu'un ami; c'est Wilfrid, le fils du voisin. Il est mon ami, parce qu'il a mon âge et qu'il est petit, malingre et docile. Surtout docile: il fait tout ce que je lui ordonne. Nous n'avons pas cinq ans que nous rêvons à des exploits extravagants, par exemple que nous nous ferons pousser des ailes comme les oiseaux et les anges — pour nous ils sont de la même espèce — rien qu'à le vouloir avec détermination. Chaque matin, nous nous tâtons les épaules dans l'espoir de palper un embryon d'aile, car nous sommes convaincus qu'à force de volonté nous finirons par réaliser notre désir. Quand nos ailes seront assez puissantes, nous nous envolerons dans l'azur, au-delà des montagnes et des nuages, nous irons visiter des paroisses dont les grandes personnes parlent souvent en racontant des voyages au bout du monde, c'est-à-dire jusqu'à Rivière-du-Loup. En attendant que nos ailes soient assez fortes pour nous enlever dans le ciel, nous apprenons la géographie avec nos pieds. Les fossés, les clôtures, les arbres, les rochers deviennent rapidement des êtres familiers, dont nous connaissons les aspérités, les contours, les profondeurs, les pièges. Des oiseaux, nous ne pouvons identifier que les corneilles qui annoncent l'arrivée du printemps. Les autres sont trop petits pour qu'on puisse les distinguer; d'ailleurs ils se ressemblent tous. Bien sûr que tous les animaux domestiques nous sont familiers: nous savons distinguer une taure d'une vache, un cheval d'une jument, encore que nous n'arrivons pas à voir la différence entre un bœuf et un taureau. Pour ce qui est des bêtes sauvages, les grandes personnes en parlent souvent, surtout des ours dont nous avons une peur bleue, mais que personne n'a vus dans les parages depuis au moins cent ans.

Il nous arrive de nous aventurer dangereusement dans les champs, une fois entre autres jusqu'au bord du ruisseau, au moment de la crue du printemps. Revenu à la maison couvert d'écume cueillie au bord du torrent, j'en serai quitte pour une fessée, la seule que ma mère m'ait jamais donnée. Il paraît qu'à cinq ans, c'est à partir des joues inférieures que la sagesse remonte jusqu'au cerveau.

Wilfrid a six ans révolus, quand il commence à s'absenter de l'école. On parle d'un rhume mal guéri, qui aurait dégénéré en bronchite. Il est fiévreux et il a de fréquentes quintes de toux. Au retour de l'école, j'arrête chaque jour lui dire bonjour. Alité dans la chambre voisine de ses parents, il paraît indifférent à nos jeux et à nos rêves. Chez moi, on commence à chuchoter un mot terrible: consomption, qui signifie dans la langue du milieu tuberculose pulmonaire. On me donne la consigne de ne pas toucher à mon ami, de m'éloigner quand il tousse, car Wilfrid, m'explique-t-on, va mourir d'une maladie contagieuse. Je ne comprends pas le sens du mot, mais on me fait comprendre que cette maladie-là s'attrape, c'est-à-dire qu'elle peut passer d'une personne à une autre. Je continue donc à visiter mon ami, mais en me tenant à distance.

Wilfrid aura sept ans dans quelques mois, mais il n'a pas encore communié. Le curé Côté arrangera les choses: il fera communier Wilfrid avant les garçons de son âge en vue du grand rendez-vous. J'assiste à la cérémonie avec un brin de jalousie. Moi qui suis plus grand, plus fort, plus savant que mon ami, je devrai patienter jusqu'à ce que j'atteigne mes sept ans. C'est dommage que je ne sois pas malade, moi aussi.

Un beau matin, ma mère m'annonce que Wilfrid est décédé la nuit précédente. Je ne pleure pas, car j'ignore ce qu'est la mort. Des animaux mourir au temps des boucheries, j'en ai vu tant et plus. Abattre des animaux pour manger ou pour vendre, c'est dans l'ordre des choses; personne n'y trouve à redire. Mais du vrai monde mourir, surtout mon ami de six ans, je n'y comprends rien. On m'emmène dans la chambre mortuaire et on me fait toucher le front de mon ami. Il a froid. Pourquoi qu'on ne le réchauffe pas?

Pourquoi qu'on l'a laissé mourir de froid? Le deuxième jour, le corbillard de la fabrique vient chercher la dépouille mortelle, enfermée dans un petit cercueil tout blanc. On m'explique qu'il est allé rejoindre les anges. Il a donc réalisé le souhait d'avoir des ailes que nous avions formulé ensemble? Le chanceux! Comme je n'en ai pas, je suis condamné à vivre la vie des hommes.

À ma naissance, ma mère avait presque quarante-cinq ans et mon père déjà quarante-neuf. Ma venue au monde ne fut pas célébrée avec pompe et fanfare, car, le même jour, une petite sœur de six ans mourait du diabète. On ne me l'a jamais dit ni fait sentir, mais j'ai toujours pensé que les aînés ne devaient pas être fous de joie à l'arrivée d'un dix-septième rejeton dans une maisonnée déjà bien garnie. C'est ma sœur Rose, âgée de treize ans, qui me prit sous sa protection. Je suis resté son seul enfant, puisqu'elle devait, dix ans plus tard, entrer en religion à la suite de deux de ses aînées.

Sans être d'une sévérité excessive, mon père est un homme ferme. Il n'aime pas répéter deux fois la même chose. Quand il donne un ordre, il faut obéir. Il use rarement de corrections corporelles et uniquement quand on a dépassé les bornes. C'est un homme juste et foncièrement honnête. Sa parole vaut un contrat. Il fut, paraît-il, d'humeur joyeuse, mais au moment où je commence à le connaître, il est miné par la maladie: un ulcère d'estomac tenace qui finira, en se perforant, par provoquer sa mort. Un mal aussi insignifiant serait aujourd'hui rapidement guéri par une intervention chirurgicale de routine, mais au début du siècle ça ne se faisait pas. Ce qu'il en a visité des cabinets de médecin et des cliniques, ce qu'il en a bu des potions prescrites par les plus hautes autorités médicales de l'époque, jusqu'au docteur Rousseau de Québec. Je ne l'ai jamais vu absorber autre chose que des œufs battus dans du lait; une fois sur deux, il devait tout restituer. Sous-alimenté, miné par la douleur, il arrivait quand même à en faire presque autant qu'un homme en santé. Il devait être doué d'une constitution physique particulièrement vigoureuse. Il ne s'est jamais plaint, il n'a jamais eu un moment d'impatience au cours des vingt ans qu'a duré le supplice.

Ma mère corrige par sa bonté ce que mon père peut avoir d'un peu rigide. Avec elle, on sait qu'on peut abuser. «Attendez que votre père arrive», c'est la menace usuelle qu'elle profère sans que cela porte à conséquence, car à l'arrivée du justicier il y a longtemps que tout est oublié. Cette bonté sert de fondation à une foi simple et vive, qui s'exprime surtout par des actes de dévotion. Impossible d'échapper à sa comptabilité, qui calcule avec une sainte précision les semaines révolues depuis la dernière confession, les premiers vendredis du mois qu'on a séchés, les chapelets en famille qu'on a escamotés. Le grand livre du Père éternel n'est pas plus précis que le sien. Mais elle y met tellement de bonté et de douceur qu'on se soumet sans rechigner à cette sainte tyrannie.

Au moment où je commence à prendre connaissance des choses, la famille est déjà à moitié dispersée. Quelques-uns sont mariés, d'autres sont partis gagner leur vie au loin, jusque dans le nord de l'Ontario qui s'ouvre alors à la colonisation. On parle souvent à la maison de frères et de sœurs que j'ai à peine connus et dont je n'arrive pas à me rappeler le visage. Celui-ci écrit qu'il est devenu trappeur du côté de la baie James; celle-là, entrée en religion, nous entretient dans ses lettres de ses projets missionnaires. Pour moi, ce sont des noms, pas des visages. Quand plus tard ils reviendront en visite à la maison, ils seront presque des étrangers auxquels je devrai, avec hésitation, m'habituer.

L'événement le plus mémorable de ces premières années fut, pour moi, la construction d'une grange: un chantier énorme, quelque chose comme les installations olympiques de 1976, pour le garçonnet que je suis. Mais quelle aventure extraordinaire. J'ai à peine six ans, mais j'apprends vite à courir sur les sablières, à grimper sur les entraits, à dévaler les échelles, à sauter d'un échafaudage à l'autre. Le maître d'œuvre est Joseph Boucher, universellement connu sous le nom de Téteux Boucher. On lui a accolé ce sobriquet, parce qu'il est incapable de prononcer deux mots sans émettre le bruit d'un bébé qui tète. Dès la fonte des neiges, Téteux Boucher, assisté d'un apprenti, a commencé à préparer la charpente du bâtiment. Il est lent, passablement bavard, il perd un temps infini à rallumer une pipe toujours éteinte. Il compense cette perte de temps par la précision de ses plans et de ses gestes.

Téteux Boucher reçoit, en plus d'un salaire, le gîte et le couvert, selon la coutume de l'époque. Plusieurs années plus tôt, il avait séjourné dans une ferme de L'Isle-Verte, et les mauvaises langues faisaient courir des bruits au sujet des privautés qu'il se serait permises avec la fermière. Beaucoup plus tard, le fils de la famille, devenu adulte, voulut en avoir le cœur net. Au cours d'une veillée, alors qu'il était passablement éméché, il posa carrément la question à Téteux Boucher.

— Monsieur Boucher, c'est-y vrai ce que les gens disent, que vous êtes mon père?

— Teu, teu, y fallait que t'en aies un père, moé ou un autre, aussi bien moé qu'un autre.

Réponse normande, mais qui semblait confirmer les dires de tout un chacun.

Les travaux de maçonnerie sont confiés à Pascal, le maçon du rang. Quand on prononce le nom de Pascal, tout le monde sait qu'il s'agit de Pascal Lebreux. Il ressemble à un échassier, genre couac ou butor, maigre comme un pic à glace. Il vit avec son épouse Aglaé dite Laglaée, dans une maisonnette blanche avec jardinet, un cochon et douze poules. Autant Pascal est décharné, autant Laglaée est énorme. Il fait à peine cent livres, elle doit faire osciller l'aiguille à deux cent cinquante. Il gagne quelques dollars par-ci par-là à réparer des cheminées, à tirer les joints des solages. Les gens du rang le font travailler autant par compassion que par nécessité, car avec lui il ne faut pas être pressé. Alors Pascal passera une partie de l'été à exécuter des menus travaux de maçonnerie, au grand amusement de toute l'équipe. Car Pascal a la langue bien pendue. Il raconte avec verve, ajoutant le geste à la parole, les fredaines d'une jeunesse mouvementée passée aux États-Unis. Il se vante surtout des mauvais tours qu'il joue à Laglaée. Celle-ci, à ce qu'il raconte, porte sous sa jupe quatre ou cinq jupons, mais pas de culotte. Quand elle rentre du dehors par temps froid, elle retrousse tout ce fourbi pour se chauffer les fesses près du poêle de cuisine. Un jour, Pascal avait cassé un glaçon pendu au larmier du toit et l'avait glissé entre les cuisses de Laglaée.

— Oyoye! je me suis brûlée, aurait crié Laglaée.

Et Pascal d'ajouter:

— Vous voyez, le chaud pis le fret, c'est la même chose. C'est comme haïr et aimer quelqu'un, y a presque pas de différence.

L'érection de la charpente donna lieu au rassemblement coutumier de tous les hommes valides du rang, chacun contribuant selon son adresse et sa force, les uns faisant preuve de souplesse, les autres de force physique, les femmes apportant leur contribution sous forme de soupes, de ragoûts, de tartes, de beignets, dignes de figurer au menu d'un repas de Gargantua. Ce fut l'été le plus mémorable de ma petite enfance.

L'été suivant, c'est l'oncle Jos des États qui s'amène dans sa Peerless décapotable, avec la tante Dora, le fils Thomas et quatre filles: toute une invasion. Du New Hampshire à Rivière-du-Loup, il avait fallu y mettre trois jours et traîner avec soi tout un attirail de bidons d'essence, de pneus et de chambres à air. Les cartes routières n'avaient pas encore été dressées, les signalisations étaient inconnues. Il fallait s'orienter en s'informant de village en village sur l'état des chemins et sur la probabilité de trouver quelque part un dépôt d'essence. Il fallait voyager au jugé comme on navigue sur une mer inconnue, sans carte marine et sans boussole.

Ces cousins des États ont un drôle d'accent et emploient des mots dont nous ignorons le sens. Ils s'habillent étrangement, surtout les filles avec leurs jambes et leurs bras nus. A-t-on idée de s'exhiber ainsi devant le monde! Comme l'électricité est une denrée rare réservée aux villes, nous n'avons pas l'eau courante, donc pas de salle de toilette. C'est gênant de recevoir de la visite habituée à faire dans la porcelaine. Qu'à cela ne tienne, les foins de cette année-là sont les plus gais qu'on n'a pas eus depuis belle lurette.

L'année suivante, nous apprenons que le cousin Thomas est conscrit dans l'armée américaine. En 1918, il sera gazé par les Allemands au Bois-Belleau. Au retour du front, il viendra passer une longue convalescence au Canada. Ça nous fera drôle de voir un cousin américain engagé dans une guerre en Europe, alors que les jeunes de chez nous se sont cachés dans les bois pour se soustraire à l'enrôlement obligatoire. De part et d'autre, on s'explique. Lui, son pays s'est engagé librement dans la guerre, parce qu'il estimait ses intérêts menacés par l'impérialisme allemand et surtout parce que les Boches avaient fait la bêtise de couler le *Lusitania.* Sans être capables d'exprimer leur point de vue aussi clairement, les cousins du Canada rétorquaient qu'ils avaient été entraînés contre leur gré dans la guerre par un empire qui les avait conquis et qui voulait les contraindre à l'impôt du sang. En somme cela voulait dire: vous autres les Américains, vous habitez un pays libre; nous autres les Canadiens, nous sommes des coloniaux. Nous sommes des pionniers au Canada, mais nous ne sommes pas libres. Toi l'Américain, tu es un fils d'émigré, mais tu habites un pays souverain.

Au village des Frisés, la crise de la conscription s'était vécue d'une manière relativement paisible. Chaque cultivateur avait droit de faire exempter un fils, ce qui était autant de pris. Ceux qui n'en avaient pas trouvaient facilement à en adopter un de la parenté, grâce à la similitude des noms et des prénoms. Les laissés-pour-compte se débrouillaient avec des certificats de mariage d'emprunt ou en se cachant dans les bois. Comme les automobiles sont rares, on les entend venir de loin. On tend l'oreille et, dès qu'on perçoit un ronronnement de moteur, les déserteurs déguerpissent. Peu familiers avec les fourrés, les trous de fées, les cabanes camouflées derrière des massifs d'épinettes, les policiers militaires arrivent rarement à leur mettre le grappin dessus et doivent repartir bredouilles. L'alerte passée, les fuyards reviennent à la ferme et continuent à participer aux travaux, tout en se tenant sur leurs gardes. L'été et l'automne 1918 sont fertiles en anecdotes tragicocomiques, amplifiées par la rumeur. On raconte qu'on aurait échangé ici ou là des coups de feu, qu'il y aurait eu des bagarres sanglantes entre gendarmes militaires et déserteurs. Les femmes sont nerveuses et se rabattent sur le chapelet, tandis que les hommes, les jeunes surtout, ont plutôt l'impression de participer à une joute sportive. Au village des Frisés, sur une dizaine de déserteurs, pas un seul ne sera pincé. L'armistice du 11 novembre ne mettra pas fin instantanément à la razzia, mais l'hiver aidant et la grippe espagnole faisant des hécatombes, les sbires de Borden s'évanouiront dans la nature sans demander leur reste. Ce qui ne s'effacera pas, c'est une haine féroce des «Bleus» et de leur chef. Dans les fermes, on donnera le nom de Borden à un chien méchant ou à un taureau dangereux. Les enfants de ceux qui avaient voté bleu en 1911 porteront longtemps la honte du geste de leurs pères.

Mais pour le moment, il y a un ennemi plus terrible à combattre, la grippe espagnole. Elle se répand comme une traînée de poudre, apportée d'Europe par les soldats rentrés du front. Je suis le premier de la famille à subir l'attaque du virus. Je me vois encore assis dans mon lit et montrant à ma mère les bêtes hideuses qui se promènent sur le drap. Elle a beau essayer de me convaincre que j'ai des hallucinations, rien n'y fait: je vois des crapauds, des rats, des fourmis qui se promènent sur mon lit. Le bouillon de fièvre dure vingt-quatre heures, suivi d'une grande faiblesse et d'une immense courbature. Les enfants et les vieillards s'en tirent aisément, mais les personnes dans la force de l'âge frôlent la mort.

Mon père et ma mère sont les victimes suivantes, mais sans dommage sérieux. Mes frères et sœurs adultes sont terrassés par une fièvre de 40°, qui les cloue au lit une dizaine de jours. Le médecin de L'Isle-Verte est à la fois débordé et dépourvu. Il prescrit des remèdes de bonne femme: pieds dans l'eau tiède pour faire tomber la fièvre et mouches de moutarde pour dégager les voies respiratoires. Tombé le premier, je suis le premier à me relever. À neuf ans, je suis pratiquement le seul homme valide de la maisonnée; je m'improvise infirmier et cuisinier. Il y a bien mon frère Paul, quatorze ans, qui est valide, mais comme il est responsable de l'étable, il se pointe à peine le nez pour prendre un repas furtif et passe ses temps libres en forêt. Il échappera ainsi à l'épidémie. On ne peut compter sur le secours du voisinage, car tout le monde est malade en même temps.

Un bon jour, nous apprenons que la voisine est décédée, laissant quatre enfants en bas âge. La dépouille mortelle n'est pas exposée, car aucune des personnes valides de l'entourage n'irait risquer la contagion. Un voisin, épargné jusque-là, conduit le corps dans un cercueil de fabrication artisanale à l'église pour une bénédiction rapide et vite au cimetière. La tête appuyée à la fenêtre de la cuisine, je regarde passer la voiture funèbre, sans me rendre compte que, demain, ce pourrait être un membre de ma famille qui prendra le même chemin. Il y a trois ans, c'était mon ami Wilfrid qui partait; aujourd'hui, c'est sa mère. Une autre famille disloquée;

deux orphelins seront adoptés par une tante, les deux autres par un oncle. Le père affermera sa terre à un voisin et ira gagner sa vie quelque part dans la vallée de la Matapédia. Il reviendra une dizaine d'années plus tard reprendre son exploitation, quand l'aînée des orphelines sera capable de tenir maison. Une telle solution est dans l'ordre des choses. Les orphelins restent avec la mère, mais quand le père devient veuf, ce sont les proches parents qui les recueillent. On serait surpris et scandalisé qu'il en fût autrement.

La grippe espagnole a fait disparaître les chasseurs de conscrits; on peut dorénavant respirer à l'aise. Mais 1919 est à peine commencée que les soldats, engagés volontaires, rentrent du front. Ils sont, comme il se doit, accueillis en héros.

Ils sont peu nombreux, moins d'une dizaine pour une paroisse de 2500 habitants. Chose étrange, ils n'en veulent pas le moins du monde à leurs amis qui ont refusé d'être conscrits. Pour eux, la guerre était une aventure acceptée librement et qu'ils ne regrettent pas; s'ils avaient été contraints de porter les armes, ils auraient, eux aussi, été réfractaires.

Quand le cousin Achille Marquis rentre au pays après quatre ans de tranchées, c'est un événement extraordinaire. On vient des deux extrémités du rang pour l'entendre raconter ses aventures. Comme tous ceux qui ont connu la misère des tranchées dans les Flandres, il n'est guère bavard; il préférerait oublier. Ce qu'on veut savoir, c'est le nombre d'Allemands qu'Achille a tués et comment cela s'est passé. Car si on n'aime pas les Anglais, surtout ceux qui ressemblent à Borden, on a appris au cours des quatre années précédentes à haïr les Allemands. On n'en a jamais vu, on ignore l'air qu'ils peuvent avoir; tout au plus a-t-on entrevu dans les gazettes des caricatures de l'empereur Guillaume II portant le casque pointu et exhibant deux crocs de carnassier. C'en est assez pour rendre tous les Allemands odieux.

Alors Achille explique lentement que la guerre, c'est pas comme la chasse aux canards. Quand on tire un canard à la volée, on se rend compte tout de suite si le coup a porté. À la guerre, c'est plus difficile. Dans le feu de l'action, c'est pas facile d'être sûr que l'ennemi qui tombe a été frappé par la balle qu'on a tirée ou par celle d'un camarade. L'explication ne satisfait personne, car ce qu'on veut savoir, sans oser le dire, c'est la sensation qu'on éprouve à tuer son semblable.

Et puis, il y a les charges à la baïonnette. As-tu eu peur? En as-tu étripé, des Allemands? Et puis de quoi ont-ils l'air, les Allemands? C'est-y du monde comme nous autres? Sont-ils forts?

Naturellement, Achille fera le tour de la parenté, c'est-à-dire plus de la moitié des maisons du rang, et il devra à chaque visite raconter les mêmes histoires et répondre aux mêmes questions.

Comme la conscription, comme la grippe espagnole, le retour du héros ira rejoindre petit à petit dans la mémoire collective la trame des événements dont est faite la vie paysanne.

Mon père adore la forêt ou plutôt les arbres de la forêt, pas comme un artiste qui traduit leur poésie par des mots ou des couleurs, mais comme un bûcheron qui suppute ce qu'ils peuvent donner en planches ou en cordes de bois. Un arbre existe pour être abattu, lui et tout ce qui pousse autour. Pour être sûr qu'il ne laissera pas de rejeton, mon père fait de l'abattis, même là où le sol est inculte. Il a hérité des premiers colons des gènes qui ont développé des réflexes conditionnés, l'avertissant que derrière chaque tronc d'arbre se profile la silhouette d'un Iroquois.

Quand il se porte acquéreur de la terre de son beau-père, tout le sol arable est déjà en culture. Les quelques bosquets qui restent prennent racine dans un sol rocailleux sur lequel on ne peut rien faire pousser. Qu'à cela ne tienne, il faut tout nettoyer.

Il lui faut aussi une érablière pour occuper les temps morts de fin d'hiver. Comme les érables ne croissent que sur les collines de l'arrière-pays, il achètera une sucrerie à quarante kilomètres, au lieu-dit Pissemou, plus tard baptisé Saint-Pierre-Lamy.

La première moitié de mars, il ne tient pas en place; il s'affaire à préparer tout le fourbi pour aller faire les sucres: outils, raquettes, vêtements, batterie de cuisine, nourriture. Quand le temps s'adoucit et qu'il juge que le moment est venu d'entailler, il se fait conduire à la sucrerie avec deux de mes frères. On commence à déterrer la cabane enfouie sous la neige, on s'installe, on bat des sentiers à la raquette, on perce les érables au vilebrequin, on pose mille chalumeaux auxquels on pend autant de chaudières et on attend que le soleil fasse son travail. Il faut ensuite faire une provision de bois de chauffage, en abattant au godendart et en fendant à la hache des arbres improductifs: érables vieillis, hêtres, merisiers, rien que du bois franc, parce qu'ils produisent une flamme plus chaude et plus durable que les résineux. Quand il y a un coup d'eau, il faut se hâter de courir les érables et de faire bouillir jour et nuit. Malheur à celui qui s'endormirait à côté du foyer: la sève collerait au fond et brûlerait dans la casserole.

Les sucres durent généralement quatre semaines. Le père, qui piaffait d'impatience au départ, attrapera le mal de la maison avant la fin. Il laissera les jeunes «dégréer» la sucrerie et fera à pied le chemin du retour. En juin, quand les chemins seront devenus carrossables, il ira chercher les quelque mille livres de sucre et de sirop de la récolte, ainsi que tout le fourbi apporté en mars. En 1920, la main-d'œuvre familiale faisant défaut, la sucrerie sera vendue. Mais j'aurai eu la chance d'y faire un bref séjour à l'âge de dix ans et d'avoir appris les rudiments du métier.

À l'époque, on n'avait pas mélangé les saisons comme aujourd'hui. Les travaux de la ferme étaient liés au rythme de la nature. C'est au printemps que les vaches vêlaient, les brebis agnelaient, les truies cochonnaient, les juments poulinaient. L'astuce des hommes force de nos jours ces pauvres bêtes à modifier leur calendrier. Quand mon père rentrait de la sucrerie, les femelles arrivaient à leur terme et les champs commençaient à se dégourdir.

Comme de raison, les champs ont été labourés l'automne précédent, car le gel de l'hiver fait éclater les guérets et ameublit le sol. On cultive surtout des céréales, orge et avoine, pour la nourriture du bétail. On ne récolte plus de blé, car il paraît plus avantageux d'acheter la farine. La mécanisation des travaux vient à peine de commencer. Pas encore de tracteurs; il faudra attendre l'après-crise et l'après-guerre. Les moissonneuses commencent à peine à apparaître. Pas d'engrais chimiques avant 1920.

Mon père, qui connaît la chose, parce qu'il est abonné à quelques publications, est le premier du rang à en faire l'essai. Cette poussière s'appelle phosphate. Drôle de nom. Les voisins sont sceptiques. C'est à croire que de la poussière peut remplacer du vrai fumier d'étable. Mais les résultats sont là: le grain lève plus vite et plus dru, la croissance est plus rapide, les épis sont plus lourds. Après deux ou trois années d'observation sceptique, ils demandent à mon père d'ajouter quelques sacs d'engrais à sa commande. Un peu malgré lui, il devient le pourvoyeur d'engrais de tout le rang, moyennant un profit scandaleux d'un dollar la tonne pour ceux qui paieront au mois de juillet seulement. Pour ceux qui paient comptant, le service est gratuit.

C'est mon père qui sème le grain. J'ai des frères qui pourraient le faire. Mais la fonction est trop importante pour la laisser en des mains sans expérience. Quand un habitant cesse de semer, c'est qu'il est sur le point de céder le bien à son fils. Les travaux du printemps sont durs pour les hommes et les bêtes de somme. Celles-ci sortent fringantes de l'écurie, mais sont efflanquées quand les semences sont terminées.

Pas question pour un garçon de mon âge de participer à des travaux aussi harassants. Je ne crois pas avoir perdu une seule journée d'école pour aider aux travaux du printemps et de l'automne.

Mais l'été, c'est une autre affaire. La première récolte à laquelle il faut s'adonner est celle de la mousse de mer. J'y participerai deux étés, engagé par un grand frère qui veut se ramasser des sous.

À l'époque, la baie de L'Isle-Verte est le centre d'une industrie qui a pris naissance au début du siècle: la récolte de la mousse de mer qu'on appelle aussi herbe à bernache. Durant leur migration d'automne et de printemps, les bernaches du Canada, communément connues sous le nom d'outardes, font escale à L'Isle-Verte et se nourrissent de la racine de cette plante aquatique.

Au quai de la rivière des Vases, on ne compte pas moins d'une trentaine de chalands, qui font la navette entre l'estuaire de la rivière et les battures de l'îlet Rond. La récolte commence vers la mi-juillet, et finira avec la fin de septembre pour les plus tenaces. À raison de cinquante sous par marée, deux fois plus pour les marées doubles, je passe une partie de mes vacances à «enveillocher» la mousse, à conduire le bœuf, à participer aux manœuvres du chaland, à tâter du métier de «faiseur de mousse». Pour les marées simples, ça va, c'est même une activité agréable et pittoresque. Mais les marées doubles, c'est l'enfer.

Il faut faire des marées doubles quand les caprices de la lune font que la batture se découvre tard le soir et tôt le lendemain. Pour ne pas rentrer de nuit, on couche au large, comme on dit, et on revient avec la marée montante du lendemain. Mais coucher au large n'est pas une partie de plaisir. Les uns passent la nuit sur leur chaland à se rouler dans une humidité suffocante que dégage la cargaison dégoulinante. Les autres se réfugient dans deux cabanes grossièrement construites, l'une sur l'îlet Rond, l'autre sur le Petit Islet. Premiers arrivés, premiers servis! Les «beds», faits d'un assemblage de planches couvertes de mousses, sont accaparés par les aînés, qui prennent prétexte de leur âge pour occuper les meilleures places. Les adolescents que nous sommes arriment leur carcasse du mieux qu'ils peuvent sur le plancher avec une veste comme oreiller. Les grèves marécageuses de L'Isle-Verte sont la pire fabrique de maringouins qu'on puisse inventer. La nuit se passe en une lutte épique et sans espoir contre les nuées de moustiques.

N'empêche que la mousse de mer reste parmi les souvenirs les plus pittoresques de mon enfance. Le spectacle des trente chalands, toutes voiles dehors, portés par un léger suroît, les hommes s'interpellant d'une embarcation à l'autre pour se taquiner ou s'injurier, est resté une des images les plus tenaces de ma prime jeunesse. La mousse de mer fut emportée par un champignon en même temps que sévissait la grande dépression des années trente. Les vieux faiseurs de mousse se crurent ruinés. Cette calamité fut pour eux une bénédiction; ils se remirent à cultiver.

* * *

Comme tous les fils de cultivateurs, j'ai commencé très jeune à participer aux travaux des champs; c'était dans la tradition et c'est comme ça qu'on apprenait le métier. Selon mes capacités, bien sûr, et sans jamais, je le répète, sécher une seule journée d'école, car il était arrêté depuis toujours, semble-t-il, que j'irais aux études.

N'empêche que les jours de temps maussade, quand on devait faire relâche dans les champs, étaient accueillis avec une joie non dissimulée. Nous avions alors droit d'aller pêcher la truite dans la rivière des Vases. L'équipement était rudimentaire: une gaule, un fil noir, un petit hameçon et un écrou comme cale. Ce qu'il en fallait de l'astuce pour déjouer la défiance instinctive de la truite de ruisseau! Elle se dissimule, la bougresse, sous les matelas d'écume blanche, derrière les gros cailloux, à l'abri des massifs d'aulnes. Le moindre faux pas la fait détaler d'un coup de queue et deux coups de nageoires. Le ver doit être enfilé proprement, tout en laissant dépasser un bout qui se tord de douleur. On se faufile tout doucement près du repaire où elle se camoufle et on use sa patience: celle de la truite et celle du pêcheur. Une guerre d'usure qui finit par rapporter, avec un peu de chance, une demi-douzaine de monstres mesurant entre six et huit pouces. De nature plutôt agitée, c'est sur les berges de la rivière des

Vases que j'ai fini par acquérir un peu de patience et de sagesse.

L'autre étape importante des vacances, c'est l'exposition agricole. Beau temps, mauvais temps, c'est jour férié: les récoltes attendront. Ce n'est pas tellement les bêtes et les produits de la terre qui nous intéressent. On en voit tous les jours de ces choses-là. Nous, c'est les kiosques à boissons gazeuses et à hot-dogs, c'est la «merry-go-round», c'est le nègre qui esquive les balles, c'est les hommes forts venus d'on ne sait où et qui défient les boulés de L'Isle-Verte et autres paroisses environnantes au tir du poignet ou à la levée d'haltères. On aura reçu pour la circonstance quelques sous qu'on dépensera à se gaver de toutes sortes de cochonneries qu'on refuserait de manger à la maison. Avec un peu de chance, on assistera à quelques escarmouches entre des costauds réchauffés à la bagosse ou au miquelon.

Le retour à l'école en septembre ne met pas fin aux choses agréables de la vie campagnarde. Début octobre, on tend les pièges à rats musqués. Comme cette occupation ne doit empiéter ni sur le train de l'étable ni sur le temps de l'école, il faut se lever avant la barre du jour et dévaler au galop la pente qui mène au ruisseau du Nord. Avec un peu de chance, on reviendra avec une ou deux bêtes, souvent des petits bleus d'une valeur marchande douteuse. On, c'est-à-dire mes frères, Philippe et Paul, mes aînés de trois et cinq ans, qui me permettent de les suivre, à condition de ne pas chialer. Formé à leur rude école, j'apprendrai très tôt que, si on veut devenir un homme, il ne faut jamais pleurer.

Un peu plus tard, ce sera la chasse aux lièvres dans la montagne du Sud, au Roule-Billots et jusqu'au bois des Belles. Occupation moins contraignante que le trappage. Il suffit de visiter ses collets deux ou trois fois par semaine, obligatoirement le samedi et le dimanche, ce qui fait qu'on rogne moins sur le sommeil du matin. La récolte est généralement bonne avec, par-ci par-là, une perdrix prise au collet ou abattue au fusil. J'avais à peine onze ans quand je tirai mon premier coup de douze. Aussi, c'est profondément humilié que, cinquante ans plus tard, j'écoutai une journée entière les âneries d'un moniteur et passai un examen écrit sur le maniement des armes à feu, afin de solliciter humblement un certificat de chasseur.

Puis viennent les boucheries, toujours en novembre, quand le froid peut conserver la viande. Comme je suis le petit dernier de la maisonnée, c'est à moi qu'on confie la tâche de ramasser le sang. Armé d'une poêle et d'une chaudière, je me tiens tout près du cochon et je recueille le précieux liquide, pendant que l'animal pousse des cris stridents. Quand la poêle est remplie, le saigneur bouche la blessure un moment, juste le temps de vider la poêle dans la chaudière, et l'opération reprend jusqu'à ce que l'animal pousse un dernier gémissement. Pendant que je tiens la poêle d'une main, j'agite le sang dans la chaudière avec une louche pour l'empêcher de coaguler. Un cochon de moyenne taille donne entre six et huit litres de sang chaud, que je me hâte de porter à la cuisine où les femmes se préparent à faire du boudin.

Noël est une fête essentiellement religieuse. Le Père Noël n'est pas encore inventé et le petit Jésus n'a rien à voir avec les étrennes. C'est Santa Claus qui les apporte, au jour de l'An. Pour les gens des rangs, la messe de minuit est le grand événement religieux de l'année. Pour les enfants, c'est l'occasion de voir le village tout illuminé. La féerie n'a pourtant rien de grandiose, car la centrale électrique d'Eugène Côté arrive à peine à nourrir le réseau qui alimente le village. Quand il y a disette d'eau, on fonctionne par éclusées. Une heure de lumière, une heure de ténèbres. Quand l'écluse est remplie, on démarre la turbine et la dynamo se met à tourner. Quand elle est vide, on coupe le courant. Cette disette se produit parfois en été, quand il y a sécheresse; plus souvent vers la fin de l'hiver. Mais à Noël, la rivière Verte est assez généreuse pour ne pas priver les paroissiens d'une belle messe de minuit tout illuminée. Les campagnards quittent la maison tôt dans la soirée, car il faut passer par le confessionnal. Les files de pénitents sont longues, même si les confesseurs se montrent particulièrement expéditifs pour l'occasion. Avec un peu de chance et en resquillant un tantinet, on arrive à se défaire de ses crimes vers les neuf heures, ce qui laisse trois heures à flâner dans le village. Les aînés passent la soirée chez un parent ou une connaissance, à causer ou à jouer aux cartes. Pour les gamins que nous sommes, c'est l'aventure. Par groupes de quatre ou cinq, formés selon les affinités d'âge, de rang ou de parenté, on arpente le village de haut en bas et de bas en haut, on va fureter dans les magasins et dans les restaurants. Pour la circonstance, on aura quelques sous à dépenser en extravagances de toutes sortes: gomme, réglisse, crème glacée. Par une exégèse dont on ne saisit pas l'astuce, il est permis ce soir-là de manger et de boire jusqu'à minuit, puis d'aller communier tout de suite après, alors que le reste de l'année il faut rester douze heures à jeun pour aller «faire ses dévotions». Alors profitons-en et bouffons tout ce que des moyens plus que modestes autorisent. Il arrivera même que cette nuit de paix soit souillée par des escarmouches entre gangs de deux rangs différents ou d'un rang contre le village. Rien de tragique cependant; tout au plus un essuyage de morve avec des mitaines de laine. À onze heures trente, les cloches sonnent le premier rappel de la communauté chrétienne. Les femmes, plus dévotes, battent la marche vers l'église; les hommes suivront avec un quart d'heure de retard. Les gamins auront déjà rejoint les aînés dans le banc de famille. À L'Isle-Verte, la chorale n'entonne pas le *Minuit, Chrétiens*, chant profane qui, sans être interdit, n'est pas de mise, dit-on, dans une cérémonie religieuse. Mais tous les cantiques traditionnels y passent, en polyphonie, s'il vous plaît, avec les solos chantés par les meilleures voix. Trois messes d'affilée, c'est plus que n'en peut endurer un chrétien moyen, habitué à veiller à la lampe à pétrole et à se coucher vers les neuf heures. La deuxième messe est à peine engagée que les bancs commencent à se vider furtivement, les hommes devant, les femmes suivant avec un peu de rouge au visage. Seuls les dévots confirmés tiennent le coup jusqu'à la fin de la troisième messe, non sans faire d'héroïques efforts pour se tenir éveillés. Rentré à la maison, on file tout droit au lit. Il n'est pas question de réveillonner. Il paraît que quelques familles bourgeoises du village se livrent à cette pratique empruntée bien sûr aux mœurs de la ville. Pour les gens ordinaires, c'est la couchette tout de suite.

Au jour de l'An, il n'y a pas de messe de minuit, mais il y a, au cours de la nuit, visite de Santa Claus. Nous accueillerons avec joie ses modestes générosités. Le bas, pendu à la tête du lit au coucher, contiendra quelques bonbons, une orange, fruit qu'on ne voit qu'à ce temps-là de l'année, quelques pommes et, dans les bonnes années, un jouet. Dès l'âge de douze ou treize ans, il vaut mieux cesser de tendre son bas, car on risque de ne récolter qu'une patate, un avertissement qu'on est maintenant trop grand pour se livrer à ce jeu d'enfant.

Le premier de l'An est le seul jour de l'année où les enfants se lèvent avant les parents, à moins que ceux-ci n'aient couru la guignolée. Au temps de ma jeunesse, la coutume en est perdue, mais on raconte qu'il n'y a pas si longtemps encore des hommes du rang se rassemblaient au coup de minuit pour faire la tournée des maisons et célébrer, en prenant un coup, l'arrivée de l'an neuf. Quelques-uns rentraient à la maison dans un piteux état au grand désespoir des femmes qui commençaient l'année d'une humeur massacrante. La bénédiction paternelle ne paraît pas avoir été une pratique répandue, puisque je n'ai jamais entendu dire qu'elle eût été une tradition dans les familles du voisinage.

Dans ma famille, les aînés, déjà mariés, viennent déjeuner à la maison le matin du Nouvel An, avec les petits enfants, bien entendu. Avant de se mettre à table, tout le monde se donne la main et s'embrasse, en se souhaitant une bonne et heureuse année. Après quelques années, la cérémonie est reportée au repas du midi, et, quand les familles deviennent trop nombreuses, c'est le souper et la veillée qui rassemblent toute la tribu. Le premier de l'An est strictement une affaire de famille, sauf pour les voisins immédiats qui, plus jeunes que mon père, s'estiment obligés de venir présenter leurs vœux à leur voisin. Pour le reste du rang, ce sera le 2 janvier et les jours suivants qu'on se visitera. Ce sont surtout les jeunes, garçons et filles, qui se livrent à se sport d'endurance. Car il faut avoir la tête et le jarret solides pour tenir debout jusqu'à la dernière maison. Passe encore pour les filles qui ne toucheront pas à la boisson forte, sous peine d'être déshonorées; tout au plus se laisseront-elles tenter ici et là par un verre de vin de cassis. Mais les garçons, eux, se sentiraient humiliés s'ils levaient le nez devant la plus infecte bagosse. Les alambics, c'est connu, ont fonctionné à plein rendement pendant la dernière quinzaine de décembre avec une qualité fort variable d'une maison à l'autre. Cet alcool de blé a un goût de guenille brûlée qui fait grimacer les moins difficiles.

La tournée des maisons n'est que le début de festivités qui se prolongeront jusqu'au carême. Chaque famille donnera au moins une soirée où tous les gens du rang sont invités, les vieux pour jouer aux cartes, les jeunes pour danser au son du violon, de l'accordéon et du simple harmonica, qu'on appelle musique à bouche ou ruine-babines. Les musiciens sont des volontaires, qui jouent pour leur plaisir et pour un traitement de faveur du maître de la maison. Ils auront droit à double ration d'alcool. La soirée est loin d'être terminée que déjà ils trébuchent sur leurs notes, mais c'est sans importance, pourvu qu'ils continuent à frapper du pied en cadence. Au fond de mes souvenirs, je me rappelle avoir vu des personnes qui me paraissaient âgées danser des quadrilles, danse héritée des ancêtres français. Mais les «sets» dit américains, ramenés au pays par les retours des États, avaient déjà la faveur de la jeunesse. Ils étaient «câllés» en anglais par des garçons qui récitaient des commandements appris par cœur, mais dont ils ne comprenaient pas un traître mot. N'empêche que les danseurs, l'oreille habituée à ce jargon, obéissaient avec une précision toute mécanique.

Il arrivait qu'entre deux danses, l'assistance réclamât une chanson à un garçon ou à une fille doués d'un brin de voix. On commence par se faire prier puis on finit par s'exécuter debout les deux mains appuyées sur le dossier d'une chaise. On toussote un peu, on marmonne quelques notes, puis on attaque. Il arrive que le chanteur soit téméraire et s'étouffe dans les notes aiguës. Il s'arrête, s'excuse et recommence un ou deux tons plus bas. À la fin tout le monde applaudit avec chaleur. Puis la danse recommence.

À l'approche des jours gras, les veillées se font plus drues, on fait provision de bonne humeur pour le carême, car il en faudra une bonne dose pour passer à travers quarante jours de rigoureuse austérité. Du mercredi des Cendres au dimanche de Pâques, ce sera relâche; les réunions seront rares et n'auront aucun caractère mondain.

Le précepte du jeûne n'est guère observé, jamais par les hommes, un peu par les femmes, pas par les mères de famille écrasées de besogne, mais assez fréquemment par les jeunes filles. La règle, c'est deux onces le matin et huit le soir, qu'on mesure scrupuleusement, car la lettre l'emporte sur l'esprit. Quant aux hommes, ils invoquent le climat et leur travail pour se dispenser eux-mêmes de jeûner. Par contre, l'abstinence est observée avec une grande rigueur. On se croirait damné si on mangeait une bouchée de lard ou de cretons un jour maigre. D'ailleurs toutes les familles ont fait une abondante provision de poisson, surtout de harengs et de sardines salés pour les gens du bord de l'eau, de la morue salée pour les autres. On trouve cependant des accommodements avec la règle de l'abstinence, en décrétant par exemple que des fèves au lard sont un aliment maigre à condition de bien écraser le lard. Comme quoi les docteurs de la loi dont parlent les Évangiles ont engendré une progéniture qui se reproduit bien, la lettre étant tellement plus facile à comprendre et à observer que l'esprit.

L'austérité fera relâche pour la mi-carême. Ce jour-là, on mettra de côté les préceptes pour reprendre son souffle. On fera bombance et les jeunes s'habilleront en mi-carême. Comme pour le Mardi gras, on se déguisera en sortant des greniers des nippes rongées par les mites et en achetant pour dix sous un masque de papier mâché; on se fait brigand, bossu, charlot; les filles se travestissent en leveurs de poids, les garçons se donnent des formes de Mae West. L'astuce c'est de ne pas être reconnu. L'anonymat aidant, on se livre à des clowneries et parfois à quelques méchancetés contre les souffre-douleur du rang ou du village. Il y a quelques maisons où les portes se verrouillent le soir du Mardi gras et de la mi-carême pour éviter des sévices.

On ne se marie pas n'importe quand dans ce temps-là. Sans être formellement interdits, les mariages sont fortement déconseillés durant l'avent et le carême. Ceux qui passent outre à la coutume sont soupçonnés d'avoir des raisons cachés d'agir ainsi. Se marieraient-ils «obligés»? Dans ce cas, on dira du couple qu'il a fait du labour d'automne et on surveillera la date de naissance du premier-né. On se marie rarement durant les périodes de grands travaux. Les temps les plus propices vont du jour de l'An au carême, avant et après les semailles, entre les foins et les récoltes. Les fréquentations sont parfois longues, car le garçon n'est pas toujours prêt à prendre femme. Il y a les vieux à la maison, il y a les frères aînés, il y a, pour ceux qui ne cultivent pas, la précarité des emplois. Alors il faut attendre souvent plusieurs années avant de faire la grande demande. Les amours se nouent spontanément entre garçons et filles du même rang, à l'occasion des nombreuses veillées qui se déroulent tout le long de l'année. Si un soupirant a l'œil sur une jeune fille qu'il ne connaît pas, ni elle ni ses parents, il demandera peut-être à un parent ou à un ami d'intercéder pour lui auprès du père. Didace Côté avait comme ça reçu la visite d'un entremetteur venu lui vanter les mérites de tel jeune homme désireux de fréquenter sa fille. C'est un bon garçon, argumentait l'émissaire, bon travailleur, économe, prend pas un coup. «Y prend pas un coup, rétorque le père Didace, c'est un maudit fou!» Le père Didace, qui avait toujours un petit dix-onces de gin caché sous un chou de son jardin, ne voulait pas d'un abstinent pour gendre: il fut exaucé.

Les noces sont l'occasion de grandes festivités. On n'a pas encore pris l'habitude de retenir les services d'un traiteur, encore moins de convoquer les invités dans un hôtel ou une salle de danse. Tout se passe à la maison. On se marie au début de la semaine, le lundi ou le mardi, et assez tôt le matin. Les noces du samedi sont une invention de citadins. À l'église, il y a peu de monde; les parents proches et quelques commères venues juste pour voir et pour pouvoir en parler. Quelques semaines avant l'événement, les futurs conjoints mettent les bans au presbytère; il en faut trois en principe mais on peut s'en tirer avec un moyennant une modique redevance. S'ils ont entre eux un lien de parenté, les fiancés doivent aussi verser une somme symbolique pour obtenir la levée de l'interdit. Le dimanche de la publication des bans, ils n'assisteront pas à la messe; ce serait contraire aux bonnes manières. Donc, la messe de mariage célébrée et les promesses échangées, on se rend dare-dare au domicile de la mariée. C'est là que sera servi le repas de noce, auquel ont été conviés les parents des deux conjoints: frères et sœurs, oncles et tantes, on ira rarement jusqu'aux cousins, car alors l'assistance dépasserait les capacités de réception de la maison. Le repas de noce est entièrement préparé à la maison, assez souvent avec l'aide de quelques parentes et voisines. Les tables sont lourdement chargées de volailles, de rôtis, de ragoûts, de porc frais, de pâtisseries et de gâteaux. On sert deux, souvent trois tablées et il y en a toujours. On ne boit ni vin ni bière au repas; ce n'est pas la coutume. Mais l'alcool coule abondamment et les langues se délient facilement. On taquine les mariés par toutes sortes d'allusions à ce qui se passera la nuit prochaine. Les femmes rougissent et essaient vainement d'imposer le silence à leurs maris. Elles s'inquiètent surtout de ce que pourraient entendre et comprendre les petites oreilles. Entre chaque tablée, il faudra faire la vaisselle, changer les nappes et remettre la table. Les premiers servis, les aînés il va sans dire, passeront au salon et continueront la «jasette» pendant que les plus jeunes seront servis à leur tour.

Le voyage de noces est une pratique inconnue, sauf peut-être pour quelques familles bourgeoises du village. Sans automobile, ce serait d'ailleurs compliqué. Si on fait un voyage ce sera au bout de quelques semaines et pour visiter un frère ou une sœur éloignés. Pour la soirée de noces, tout le rang est invité, sans qu'il ait été nécessaire de le faire savoir à chacun. On vient même des autres rangs, sans que le maître de la maison se sente offusqué. Tout ce que les survenants risquent, c'est de ne pas être invités à danser aussi souvent que les autres. C'est le garçon d'honneur, généralement le frère de la mariée, qui conduit la veillée. Il invite les gens à participer à la danse selon une hiérarchie réglée par les convenances: les mariés et leurs parents d'abord, puis les frères et sœurs et ainsi de suite par ordre décroissant de parenté, de voisinage ou d'amitié. En été, les «vieux» veillent à la belle étoile, non sans s'être munis d'une provision suffisante d'alcool, la maison étant laissée entièrement à la disposition des danseurs. En hiver, ils se retireront volontiers dans les chambres à coucher où s'improviseront de bruyantes parties de cartes. Les gens de la noce se disperseront tard dans la nuit en se donnant rendez-vous le lendemain chez les parents du marié. Quant aux nouveaux époux, ils seront les derniers à se mettre au lit dans la meilleure chambre de la maison qui leur est réservée pour la circonstance. Et le lendemain, tout recommencera chez le père du marié où le nouveau couple devra dorénavant habiter. Au cours de la quinzaine qui suit, quelques proches parents du couple donneront à tour de rôle leur veillée, de sorte qu'une noce pourra facilement donner lieu, surtout en hiver, à cinq ou six réunions de famille.

La naissance est un événement presque banal. Elle ne donne lieu à aucune réjouissance particulière. L'accouchement se fait à domicile; aurait-on idée d'aller à l'hôpital pour une opération aussi naturelle? D'ailleurs la future maman n'a pas visité le médecin pendant sa grossesse; elle aura reçu quelques conseils de sa mère pour le premier enfant; ensuite elle se débrouillera seule. Le médecin viendra pour la délivrance, assisté d'une voisine. Pour la circonstance, les aînés sont envoyés chez le voisin, car on leur raconte que les sauvages vont passer. Quand ils rentrent à la maison, on leur fait voir le petit sauvage qu'on a acheté! Mais les enfants ne sont pas dupes pour autant. Élevés au contact de la nature, ils apprennent très jeunes, même sans éducation sexuelle, comment se font les bébés. On ne leur en fait pas accroire. La cérémonie du baptême a lieu le jour même ou au plus tard le lendemain de la naissance; l'Église est très stricte sur ce point. Les parrain et marraine sont choisis dans la parenté ou dans le voisinage. Il n'y a pas de cortège ni de réception, pas même de cadeau à la mère ni au nouveau-né. Tout au plus le père offrira-t-il une consommation aux parrain et marraine au retour de l'église. Puis chacun retourne à ses occupations.

3

L'ÉCOLE AU BOUT DU RANG

Le premier lundi de septembre 1914, j'entre à l'école numéro trois de la commission scolaire de Cacouna. Je viens d'avoir cinq ans. Le bâtiment n'est pas un chef-d'œuvre d'architecture: une boîte carrée d'environ trente pieds sur trente, assise sur un solage de pierres et recouvert d'un toit à pignon. Un seul matériau, le bois. Le rez-de-chaussée est divisé en trois pièces: le vestibule faisant office de vestiaire, la salle de classe et la chambre de l'institutrice. Un poêle à deux ponts arrive à chauffer le bâtiment tant bien que mal durant les grands froids d'hiver. L'eau est tirée d'un puits creusé dans le coin sud-ouest du terrain; c'est un grand garçon qui a la responsabilité de tenir remplie la chaudière de tôle suspendue à un crochet dans un coin de la salle. Les enfants boivent tous dans la même tasse. Comme lieux d'aisance, une bécosse (*back house*) derrière la maison d'école, un compartiment pour les filles, un autre pour les garçons. En hiver, on se retient tant qu'on peut, tandis que la maîtresse en est réduite à la fortune du pot.

Pourquoi fréquenter une école de Cacouna, quand on est de L'Isle-Verte? Cette anomalie demande explication. Le curé de L'Isle-Verte tolérait qu'une partie de ses ouailles tombent sous l'autorité de son confrère de la paroisse voisine, à condition qu'il y eût compensation. Au Bord-de-l'Eau, l'école est construite sur le territoire de L'Isle-Verte mais reçoit des enfants de Cacouna. En pratique, cela veut dire que la commission scolaire de L'Isle-Verte empiète sur le territoire de Cacouna au Bord-de-l'Eau, mais cède un coin de terrain au village des Frisés. Dans une société où paroisse, municipalité, commission scolaire, exercent leur autorité sur un territoire commun, un tel accroc à la coutume s'explique par le souci de rassembler un nombre suffisant de familles pour alimenter une école.

La commission scolaire de Cacouna est, selon la coutume, divisée en arrondissements portant le même numéro que l'école. Chaque arrondissement est responsable d'un certain nombre de services, notamment le chauffage du bâtiment. Pour éviter des frais aux parents et pour répartir équitablement le coût du chauffage, l'approvisionnement en bois est divisé entre les familles en fonction du nombre d'écoliers. Si ma mémoire est exacte, c'est une demi-corde par enfant. Mais la qualité du bois de chauffage est fort variable d'un fournisseur à l'autre: ceux qui respectent le savoir font pétiller le poêle avec de l'épinette bien sèche, les autres amortissent le feu avec des aulnes vertes.

C'est donc dans cette maison de haut savoir que j'ai fait mes études dites primaires. À cette époque, les institutrices viennent du rang, filles de cultivateurs vivant chez leurs parents ou dans une famille voisine de l'école. Leur préparation pédagogique avait été sommaire: une ou deux années d'internat au couvent de Cacouna, après quoi elles avaient passé l'examen de ce qu'on appelait à l'époque le Bureau central des examinateurs, un service du département de l'Instruction publique. Elles sont un peu plus instruites et de quelques années plus âgées que leurs élèves les plus avancés. Quand elles ont assez d'autorité pour exercer une discipline rigoureuse et qu'elles possèdent une pédagogie naturelle, elles arrivent à se débrouiller tant bien que mal. Dans le cas contraire, c'est la catastrophe. J'ai été victime durant deux ans d'une maîtresse qui accomplissait le tour de force peu commun de faire oublier à des écoliers le peu qu'ils savaient à son arrivée.

Le programme était simple mais centré sur l'essentiel. Avec une bonne maîtresse et un talent un peu au-dessus de la moyenne, on arrivait vers onze ou douze ans à écrire presque sans fautes, à se débrouiller avec les quatre règles simples, les fractions décimales et ordinaires, les escomptes en dedans et en dehors, à réciter ses prières et les réponses du catéchisme, plus quelques vagues notions de géographie, d'histoire du Canada et d'histoire sainte. Le matériel pédagogique était rudimentaire: un tableau noir, une mappemonde, une carte du Canada, un dictionnaire Larousse précieusement gardé sur le pupitre de la maîtresse. Avec une trentaine d'élèves répartis en six divisions, quelques sujets brillants, les autres bornés, des gosses dociles et d'autres dissipés, les pauvres institutrices sont débordées. Les débrouillardes arrivent à se tirer d'affaires en associant quelques aînés à leurs travaux: ils font réciter les leçons des petits et corrigent leurs devoirs. Ce travail d'équipe a la vertu de créer de l'émulation et de renforcer la discipline.

En entrant à l'école, on commençait par apprendre les lettres de l'alphabet, à la file indienne, a, b, c... jusqu'à z. Puis on apprenait à former des syllabes b-a, ba, b-e, be, et ainsi de suite. Pas de méthode globale, pas de trucs savants. Le travail à domicile compensait pour le peu de temps que l'institutrice pouvait consacrer à chaque division. Il appartenait à la mère de famille ou à une sœur aînée d'aider l'enfant à faire ses devoirs et à apprendre ses leçons. Vers les dix ou onze ans, nous commencions à rédiger ce qui s'appelait des compositions. C'était le pensum du vendredi soir. Il fallait remettre le lundi matin un texte d'environ une page portant sur un sujet familier: raconter quelque événement, un voyage de pêche ou une veillée de famille, ou décrire la maison paternelle ou l'église paroissiale. La rédaction de quelques paragraphes épuisait vite notre vocabulaire; il y avait bien dans la tête quelques idées et quelques images, mais il manquait des mots pour les exprimer. Les parents, qui en savaient moins que leur progéniture, auraient été bien en peine d'aider à rédiger des phrases comportant un sujet, un verbe et un complément. Quant à l'orthographe, comment voulez-vous la respecter quand il n'y a pas de dictionnaire à la maison? Le seul Larousse accessible reposait majestueusement sur le pupitre de l'institutrice; il fallait une permission spéciale pour le consulter. Encore fallait-il le faire sous son œil vigilant, histoire de ne pas froisser les feuilles. Et pourtant j'ai quitté l'école de rang à treize ans avec une orthographe sans défaillance et une maîtrise à peu près complète des règles de grammaire. Ce que j'ai appris par la suite n'a fait qu'étançonner ce qui reposait déjà sur des assises solides.

La visite du curé et celle de l'inspecteur constituaient les grands événements de notre vie scolaire. Les deux personnages arrivaient à l'improviste deux fois par année: une fois en hiver, une fois au printemps. Le curé Landry était un homme charmant, simple, familier, débonnaire. Il mettait à l'épreuve nos connaissances religieuses: prières, catéchisme, mais avec tellement de bonté que l'épreuve n'avait rien de pénible. Il suffisait d'avoir une mémoire ordinaire et de faire un peu d'effort pour arriver à se débrouiller. Quant à comprendre le sens de ce que nous récitions, c'était une autre affaire. Je me suis longtemps interrogé sur le sens de la réponse à la question: «Si Dieu est partout, pourquoi ne le voyons-nous pas? Nous ne voyons pas Dieu, parce que c'est un pur esprit qui ne peut être vu avec les yeux du corps.» Les yeux du corps, connais pas. Les yeux de la tête, oui. Mais sur mon corps, pas d'yeux. Il y a bien quelques cavités ici et là, dans des endroits obscurs, mais qui servent à autre chose qu'à voir. Je finis par conclure que je ne voyais pas Dieu parce que j'étais infirme, aveugle de mes yeux du corps.

Le curé Landry sondait aussi la profondeur de notre savoir en matières profanes et devait faire rapport de ses constatations, je suppose, au commissaire de l'arrondissement, que nous devions étonner par l'étendue et la profondeur de notre savoir. Comment en aurait-il été autrement puisqu'il était analphabète, ce qui n'était nullement étrange à l'époque. Pour récompense, nous recevions des images saintes que nous étions tout fiers d'apporter à la maison et d'épingler dans notre chambre. Il arrivait au saint visiteur, dans un excès de prodigalité, de faire tirer un livre, habituellement une vie de saint. Le tirage était limité aux sujets d'élite, les quelques premiers des divisions avancées. La méthode était simple. Monsieur le curé plantait une épingle dans les pages du livre et demandait au premier de choisir: droite ou gauche. Le participant au loto se voyait attribuer la première lettre de la page de droite ou de gauche, selon son choix. Et ainsi de suite pour les autres. La récompense allait à celui qui avait obtenu la lettre la plus basse. Le gagnant était fier comme Artaban. Il était le premier arrivé à la maison pour brandir la confirmation de sa science sous le nez admirateur de sa mère.

La religion était une des matières importantes

du programme d'études. Il fallait apprendre par cœur le petit catéchisme, en plus de nombreuses prières pour toutes les circonstances de la vie et tous les moments de la journée. Quand on savait son catéchisme par cœur, à dix ans pour les plus brillants, à onze ou douze ans pour les autres, on marchait au catéchisme. C'était pas une petite affaire pour les enfants du rang. Passe encore pour les filles qui étaient généralement mises en pension chez un parent ou une connaissance du village, mais pour les gars, pas de rémission: cinq jours par semaine, ils devaient faire à pied le voyage à l'église, quatre milles le matin, autant le soir. Les candidats à la communion solennelle avaient déjà été l'objet d'un premier tri dans les écoles de rang à l'occasion de l'examen biannuel du curé. Le grain avait subi victorieusement l'épreuve de la pesée, mais la balle était restée dans les rangs pour une autre année. Car le curé savait bien qu'on ne pouvait décemment quitter l'école sans avoir fait sa communion solennelle. Alors le fait de ne pas autoriser les cancres et les paresseux à marcher au catéchisme était le seul moyen de les tenir en classe une année de plus.

Mais nous, les petits gars du bout du premier rang, nous avions le malencontreux handicap d'être nés et de vivre sur un territoire annexé à la commission scolaire de Cacouna. C'est le curé Landry qui testait périodiquement la profondeur de nos connaissances théologiques, de sorte que nous arrivions au catéchisme de L'Isle-Verte sans carnet de route. Comme une école dirigée par la commission scolaire de la paroisse voisine ne peut pas être aussi sérieuse que celle du lieu, nous étions tenus pour suspects. Alors, il fallait distinguer les œuvres de miséricorde spirituelle des œuvres de miséricorde corporelle et ne pas mélanger les torchons et les serviettes. Pour comble de malheur, nous étions tombés, cette année-là, sur un curé d'occasion, l'abbé Gagnon, dit La Perruque, expédié dare-dare à L'Isle-Verte pour remplacer le chanoine Côté, victime de son dévouement à réconforter les moribonds de la grippe espagnole. Durant deux semaines de ce printemps de 1920, nous pataugeâmes dans la boue des chemins non encore améliorés, sautant par-dessus les ornières, longeant les talus, faisant ici et là un détour à travers champs, quand la route était inondée par un fossé obstinément bloqué par un bouchon de glace. Avec un détachement olympien, l'abbé Gagnon, perruque solidement plaquée sur le crâne, mettait à l'épreuve notre mémoire plus que notre jugement. Malheur à celui ou à celle qui allait fourrer un commandement de l'Église parmi les commandements de Dieu; il se faisait rappeler illico le gouffre qui existe entre ce qui est immuable et ce qui est contingent: les commandements de Dieu ne changeront jamais, ceux de l'Église sont variables selon les circonstances. Il faut croire que la profondeur de notre ignorance finit par avoir raison de la patience d'un curé retraité et grognon, puisque, après deux semaines de navette entre la maison et la sacristie, le sacerdotal inquisiteur conclut à un état d'ignorance grave et collectif. Il fallut retourner tête basse à la maison et expliquer à des parents d'une humeur massacrante qu'il n'y aurait pas de communion solennelle cette année-là, notre ignorance représentant une épidémie aussi générale et aussi mortelle que la grippe espagnole, qui avait fauché tant de victimes l'année précédente.

Il fallut reprendre à pied d'œuvre l'année suivante, mais cette fois avec des tortionnaires nouveaux. Monseigneur Verreault, qui n'était encore que chanoine, venait de prendre charge de la cure de L'Isle-Verte, assisté d'un jeune et dynamique vicaire, Pierre Bérubé. Comme de bon, c'est le vicaire qui nous prit en charge dès le départ. Gentil mais coléreux, il passait aisément de la plus grande tolérance à la violence verbale et même physique, selon qu'il venait d'avoir une conversation agréable ou une prise de bec avec son patron de curé. Celui-ci n'avait pas non plus un caractère facile. Homme d'une grande dignité, avec le maintien et la civilité d'un grand seigneur, il était généralement d'un commerce agréable. Mais il lui arrivait de se laisser aller à des colères subites et violentes. Malheur à qui se trouvait sur son chemin à ce moment-là! Quand les relations entre le curé et son vicaire étaient à la tempête, les enfants du catéchisme apprenaient l'envers de la béatitude: Heureux les doux... Il m'est arrivé au moins une fois de goûter à la férule du vicaire, parce que la commère du premier rang, avait, comme on disait, porté les paquets. Il paraît que j'avais fait le clown durant le chemin de la croix. En le parcourant à l'envers, je paraissais me réjouir de voir le Christ prendre du mieux.

Nous reçûmes un crédit de deux semaines pour les leçons que nous avions suivies l'année précédente, et nous fûmes tous admis à la communion solennelle avec toute la pompe qui accompagnait alors une telle cérémonie: les filles portant robe et voile blancs, les garçons en complet bleu et brassard blanc. Les parents avaient dû faire des économies pour que leur progéniture leur fît honneur, les plus pauvres rivalisant avec les plus riches pour la qualité des tissus et le soin de la coupe. Le communiant qui n'aurait pas étrenné ce jour-là ou qui aurait porté l'habit que son grand frère avait mis l'année précédente aurait déshonoré ses parents.

La communion solennelle marquait une étape importante dans la vie des jeunes de l'époque. C'était pour un grand nombre la fin des études. Au retour de la cérémonie, plusieurs, surtout les garçons, lançaient le sac d'école dans le haut de la garde-robe ou dans cette partie de la toiture au-dessus du larmier qu'on appelait les ravalements. Ils étaient devenus des hommes. Certains parents continuaient à pousser de force leurs garçons à l'école durant encore une année ou deux, surtout s'ils n'étaient pas les aînés, mais avec entente qu'ils s'absenteraient au temps des semailles, des récoltes et des labours, ou encore en hiver, quand il faudrait battre le grain ou charroyer le bois.

L'examen de fin d'année revêtait un caractère particulièrement solennel, parce qu'il se passait en présence des parents. Les mères dans leurs toilettes du dimanche, les pères, le cou engoncé dans un col de toile empesé, les bottines reluisantes de cire toute neuve, l'habit de noces fraîchement pressé, s'amenaient solennellement pour assister aux prodiges de savoir de leur progéniture. Les travaux des champs et de la maison étaient suspendus pour la circonstance; c'était grand congé pour les adultes et pour les bêtes. Le curé s'amenait en boghey conduit par le commissaire. Salutations, poignées de main, échanges de propos sur le temps, sur l'état des semailles, sur les perspectives de récolte. Il va sans dire que nous portions nos plus beaux habits, pas de pieds nus, pas de culottes rapiécées. Les têtes étaient rasées de frais et les «couettes» rebelles aplaties au savon. Pour la circonstance, les pupitres avaient été avancés de quelques rangées pour permettre à l'assemblée des parents d'occuper à l'arrière de la salle les chaises empruntées aux voisins. C'étaient les petits qui étaient mis à l'épreuve les premiers, puis graduellement jusqu'à la division la plus avancée. Au signe convenu par la maîtresse, chaque division venait se mettre en rang en face de la tribune, par ordre de science et de sagesse, le premier de la division à droite de la tribune et en descendant vers la queue. Les parents dont le rejeton se dressait fièrement en tête du peloton jetaient un regard de commisération mêlée d'un peu de mépris à ceux dont le garçon ou la fille se tenait piteusement à l'extrême gauche. L'examen terminé, il n'y avait plus ni pauvres, ni riches, ni savants, ni cancres. Ceux-ci, généralement plus âgés que les premiers, prenaient aisément leur revanche aux poings. La visite du curé était agrémentée de récitations et de compliments, dits par les plus jolis ou les moins timides. À la fin, l'auguste visiteur prodiguait les conseils d'usage: dangers des vacances, assiduité à la prière quotidienne, obligation des parents de surveiller la santé physique et morale de leurs enfants. Puis c'était la distribution des prix: une image pour tout le monde et l'«au revoir à septembre, merci Monsieur le curé», proféré d'une voix unanime et tonitruante. Enfin, nous entrions en vacances.

La visite de l'inspecteur était plus redoutée à cause de l'apparence physique du personnage. Les cheveux noirs comme du jais, les yeux profonds et brillants, l'inspecteur Litalien nous glaçait le dos d'effroi. Belzébuth en personne serait apparu dans la classe que nous n'aurions pas été plus épouvantés. J'avais huit ans ce matin d'hiver 1918. Comme il n'était pas encore neuf heures, toute la marmaille était en récréation, en attendant que l'institutrice nous commande de prendre nos places et de garder le silence. Je suis accroupi dans le bas de l'armoire voisine de la tribune, à faire je ne sais trop quoi. Soudain, c'est le silence complet. La maîtresse salue Monsieur l'inspecteur et s'excuse du désordre de la classe. Je n'ai pas le courage de sortir de ma cachette pour aller prendre place à mon pupitre. Je reste là, recroquevillé, retenant mon souffle. A-t-on idée, quand on est inspecteur d'école, d'arriver à l'improviste et surtout avant le début réglementaire de la classe. Ma décision est prise: je reste là jusqu'à ce que mort s'ensuive. Litalien, ce jour-là, est d'humeur massacrante. Il sait que cette pauvre Lévesque d'institutrice manque de savoir et d'autorité et il en profite pour en faire la démonstration à même l'ignorance crasse de la classe. Les divisions défilent devant lui et il se montre impitoyable. Je ne suis pas là pour relever l'honneur de la troisième année. C'est zéro sur toute la ligne et c'est inscrit dans le livre de rapport, une tache que les années et le zèle des institutrices à venir arriveront péniblement à effacer. J'apprendrai plus tard que l'inspecteur — c'est ce qu'il confia au commissaire — avait cru voir bouger le panneau de l'armoire et était venu tout près d'aller voir ce qui s'y cachait. Si cela s'était produit, je serais mort de syncope et L'Isle-Verte aurait décrété un deuil civique en hommage à son fils tombé au champ de l'ignorance.

Heureusement qu'à ces jours pénibles succédaient des moments plus joyeux: par exemple, quand nous demandions à Bruno de faire se battre ses poux. Bruno était le fils de Bosse à Pierroche. Ils devaient être dans cette famille une bonne douzaine à crever sur une terre à deux vaches et un cochon. L'abondance de la vermine compensait pour la maigreur du troupeau. Quand la maîtresse était occupée ailleurs, nous demandions à Bruno d'organiser une bataille de poux. Sans se faire prier, Bruno introduisait dans sa tignasse le pouce et l'index de chaque main et en ressortait deux poux adultes et agressifs, qui s'élançaient l'un contre l'autre. À six ou huit accoudés sur le pupitre, nous assistions aux seuls jeux olympiques alors à notre portée. Il va sans dire que les poux de Bruno et des autres Bosse à Pierroche ne se gênaient pas pour vagabonder dans les têtes du voisinage au grand désespoir des mères qui, armées d'un peigne fin et de pétrole à lampe, arrivaient à tenir l'ennemi en échec. Bosse à Pierroche subit un accident mortel durant la démolition du poste d'écrémage. La veuve et les orphelins partirent dare-dare pour les États avec leur saint-frusquin et leur vermine. Finis les combats de gladiateurs.

Comme toutes les bonnes choses ont une fin, il fallut dire adieu à l'école du rang, en juin 1923. En septembre, je faisais partie du contingent qui inaugurait le couvent du village dirigé par les Sœurs du Saint-Rosaire. J'y retrouvais les garçons et les filles avec qui j'avais marché au catéchisme trois années plus tôt. Pour un petit gars des rangs, aller au couvent voulait dire se préparer au collège au même titre que les fils de marchands. Les uns parlaient d'aller faire un cours commercial et surtout d'apprendre l'anglais, confirmation certaine d'une instruction solide. Avec l'anglais, disait-on, on pouvait aller n'importe où. D'autres se destinaient aux études classiques, au Séminaire de Rimouski pour les gens ordinaires, ou au Collège de Sainte-Anne-de-la-Pocatière pour ceux qui voulaient se distinguer. Rimouski avait comme de raison la bénédiction du curé, mais La Pocatière jouissait d'un certain prestige tiré du fait qu'il était plus ancien et plus près de Québec. Pour les gens du Bas-Saint-Laurent, la lumière vient de l'ouest, c'est-à-dire de Québec. Ce n'est pas nous qui décidions; cela devait se passer, je suppose, dans la haute sphère de la diplomatie familiale. Un beau jour, il était connu dans la famille, dans le rang, dans la paroisse que le petit Untel entrerait en éléments latins au Séminaire de Rimouski, en septembre. Le fait d'être destiné à des études inaccessibles à la masse conférait une supériorité certaine; déjà on se détachait du troupeau pour se préparer à le conduire. Tout fils d'habitant qu'on était, les mères commençaient déjà à nous reconnaître parmi les autres gamins: on ne sait jamais, si le jeune Untel devenait un jour avocat, notaire ou médecin.

Cette année passée au couvent du village me permit de me rendre compte que les familles n'occupent pas toutes le même rang. Il n'est pas question de classes sociales comme on l'entend dans les sociétés industrielles; pas de patrons et d'ouvriers, pas d'exploiteurs et d'exploités, pas de bourgeois et de prolétaires. Au départ, la chance est égale pour tous; mais à l'arrivée, il y en a qui ont couru plus vite. D'abord, je me rendis compte qu'il existait une distinction fondamentale entre le village et la campagne. Deux modes de vie différents et pratiquement pas de contacts entre les deux groupes, sauf pour des transactions d'affaires. Les gens des rangs vivent, se distraient, se marient entre eux; même chose pour les villageois. Il sera exceptionnel qu'une fille du village épouse un fils de cultivateur, bien que l'inverse se produise parfois. Aux veillées du village, on invitera rarement une famille de la campagne, et jamais les villageois n'iront danser dans les rangs. Ce n'est pas une question d'hostilité ni de sentiment de supériorité. On est simplement en présence de deux manières de vivre parallèles. Dans la campagne, les familles ne sont pas forcément de condition égale: il y a les notables et les autres, les premiers étant ceux dont les terres ne sont pas hypothéquées, qui ont de l'argent de côté, dont le chef de famille siège ou a déjà siégé au conseil municipal, à la commission scolaire, dans le banc d'œuvre. Un pauvre diable d'habitant qui n'arrive pas à joindre les deux bouts n'aura jamais l'audace de briguer les suffrages à une fonction publique. Il sait garder son rang.

Au village, les conditions des familles prescrivent à chacune la limite de ses ambitions. Au palier supérieur siègent les personnes qui disposent de biens et de savoir. D'abord le curé, qui passe pour le plus instruit de tous, dans les affaires matérielles autant que dans les choses spirituelles. Son autorité morale n'est pas contestée. En abuse-t-il? Peut-être dans certaines matières mixtes, mais jamais à ma connaissance dans les profanes. En politique, il est d'une extrême discrétion; personne ne sait pour qui le curé vote. L'administration municipale ne le regarde pas; il n'intervient jamais. Il n'hésitera pas à épauler fermement les organisations sociales comme les associations agricoles et les coopératives, au risque de froisser des intérêts solidement établis. Le curé mis dans une classe à part, l'avoir et le savoir seront entre les mains du médecin, du notaire, de l'agronome, et de quelques gros marchands et commerçants.

Suivent par ordre de dignité décroissante les artisans bien établis, forgerons, menuisiers et charpentiers. Et, au bas de l'échelle, les sans-grade, gens de petits métiers et de maigres commerces, journaliers et hommes à tout faire, qui gagnent leur pain dans les travaux saisonniers, à la voirie ou au chemin de fer. Même à cette époque, le village est divisé en quatre parties assez définies avec des mentalités un peu particulières: le village proprement dit qui s'étend de chaque côté de l'église, où sont situés les principaux commerces et où habitent la plupart des notables; le faubourg d'en haut, déchu de la gloire de l'époque de Charles Bertrand, mais où il reste quand même trois activités importantes: le moulin à farine, le moulin à scie et la beurrerie; la gare, qu'on appelle station, peuplée de quelques cheminots qu'on appelle les «sectionnaires», de charretiers, et de plusieurs journaliers; la route du quai qui commence à égrener des maisons neuves avec l'arrivée de gens de l'île. Il n'existe pas d'hostilité entre ces quartiers, mais les habitants vivent entre eux avec des habitudes qui leur sont particulières. Il y a autant de distance psychologique entre la station et le faubourg d'en haut qu'entre la Montagne et la rivière des Vases ou la pointe à la Loupe.

Quand je suis tout petit, le chef-lieu du comté est L'Isle-Verte. C'est ici que siège le conseil de comté et qu'a lieu la mise en nomination des candidats aux élections provinciales et fédérales. La cérémonie se passe à la cour, bâtiment ainsi désigné parce que la cour de circuit y siégeait dans les temps anciens. À l'heure dite, le greffier proclame la liste des candidats en présence de la foule de leurs partisans, qui réclament bruyamment des discours. Les gens appellent cette sorte d'assemblée contradictoire un parlement. Les orateurs ont beau s'égosiller pour dominer le tumulte, personne n'entend un traître mot. L'alcool aidant, les poings cognent plus fort que les arguments et la démocratie devient fille de la violence.

Le lendemain, j'entendrai raconter les prouesses des hommes forts qui ont vaillamment défendu les couleurs de leur parti. Le soir de l'élection, les vainqueurs triompheront en allant brûler des bottes de paille devant la maison des vaincus, quitte à aller s'excuser piteusement le lendemain d'avoir pu offenser un voisin. Si le gouvernement est renversé, les petits maîtres de poste de bouts de rang iront porter toute la paperasse chez le vainqueur sans même attendre les instructions du ministère. Malheur aux vaincus, disait l'adage romain; il s'applique dans toute sa rigueur aux malchanceux de la politique.

4

LE COLLÈGE DU NORDET

Le premier mercredi de septembre 1924, j'entre au Séminaire de Rimouski, en classe d'éléments latins. Je viens d'avoir quinze ans. Selon les standards d'aujourd'hui, c'est vieux pour entreprendre des études secondaires. À l'époque, c'était apparemment normal, puisque je me situais dans la moyenne d'âge de mes condisciples. Le retard doit être mis au compte des classes à divisions multiples, qui sont la règle dans les écoles de campagne. Même dans les villages à plus forte densité de population, la même institutrice a la responsabilité de deux ou plusieurs divisions à cause de la séparation des sexes.

Pourquoi me faire faire un cours classique? Ma foi, on ne m'en a jamais donné la raison. Il semble que c'était tout simplement dans l'ordre des choses. Cadet d'une famille nombreuse, avec certaines aptitudes à apprendre, une exploitation agricole prospère pour l'époque, mais qui se situerait aujourd'hui sous le seuil de la pauvreté, il paraissait entendu depuis toujours que j'irais au collège. Bien sûr qu'on ne m'y aurait pas envoyé contre mon gré. J'étais d'accord et cela s'est fait tout naturellement. On a dû demander au curé de faire les démarches usuelles auprès des autorités de l'institution, mais pas question de solliciter son appui financier, comme le faisaient beaucoup de familles de l'époque. Mon père a sa fierté, il n'est pas quémandeur de nature.

Pourquoi Rimouski? Parce que c'est le séminaire du diocèse. À l'ouest de L'Isle-Verte, c'est Cacouna, puis la frontière entre le diocèse de Rimouski et celui de Québec. Celui de La Pocatière sera érigé quelques décennies plus tard. À l'ouest de Cacouana, on va tout naturellement au Collège de Sainte-Anne-de-la-Pocatière. Le Séminaire de Rimouski draine vers lui tout ce qui habite à l'est de la frontière. Les exceptions font presque scandale. Mais Rimouski et La Pocatière se rendent service; ils échangent les mauvais garnements qui sont mis à la porte pour des affaires de mœurs ou des cas graves d'indiscipline.

Le Rimouski de 1924 est un gros village, rien de plus. En dehors des institutions d'enseignement (le séminaire, les couvents des Ursulines et des Sœurs du Saint-Rosaire), on y trouve un hospice tenu par les Sœurs de la Charité, une petite bourgeoisie qui gravite autour du palais de justice, un embryon d'hôpital, et un prolétariat miséreux qui gagne sa pitance dans deux scieries, les travaux forestiers et le cabotage. Le séminaire est un collège de campagne, puisque ses effectifs, enseignants et collégiens, viennent de l'extérieur, de Rivière-du-Loup jusqu'à Gaspé. C'est aussi un collège de fils de cultivateurs; ils forment une majorité.

Le nouveau bâtiment, pour la construction duquel l'autorité diocésaine a lancé une levée de fonds populaire au début des années vingt, n'est pas terminé. Les classes supérieures y suivent leurs cours et y ont leur salle de récréation, mais les services communs, réfectoires, cuisines et dortoirs, sont encore logés dans le vieux bâtiment. Il n'est pas tellement vieux puisqu'il a moins de cinquante ans, mais il est usé par des générations de garçons remuants et tapageurs. Les murs sont sales, les planchers mal rabotés, les sculptures des pupitres traduisent en langage facile à décoder les rêveries des adolescents qui s'y sont alanguis.

Le vieux bâtiment loge aussi les étudiants en théologie du grand séminaire, tout le corps professoral, plus quelques vieux curés retraités. Pas ou peu de protection contre l'incendie. Selon les pratiques architecturales de l'époque, le dortoir est sous les combles. Un incendie la nuit causerait une hécatombe. Personne ne semble s'en inquiéter; la Providence supplée aux exercices d'entraînement. Elle est efficace, puisque nous n'avons pas été rôtis.

Pour les anciens, c'est l'euphorie des retrouvailles: on se raconte tout ce qu'on a fait ou aurait aimé faire durant les vacances, ce qui revient à peu près au même. Pour les nouveaux, dont je suis, c'est le dépaysement, c'est l'aventure dans l'inconnu. Mais très vite on fait des connaissances qui deviennent des amis. Drôle de phénomène que celui-là! On entre au collège avec deux ou trois copains de la même paroisse et, après quelques semaines, c'est à peine si on se parle. On s'est fait de nouveaux amis chacun de son côté et on devient presque indifférent à ceux avec qui on a grandi. Je ferai la même expérience à l'université.

À quoi un garçon de mon âge peut bien penser quand il devient pensionnaire en 1924? J'en garde de vagues souvenirs. Je veux me faire instruire, c'est sûr. Pour faire quoi? Je n'en sais rien. Une option est écartée dès le départ, le sacerdoce. Mes parents ont-ils caressé cette possibilité? Ma mère, probablement; mon père sûrement pas. Il n'en a jamais été question entre nous.

À l'époque, les choix étaient limités. Les séminaires diocésains avaient pour fin le recrutement et la formation du clergé diocésain. Le programme d'études et la discipline étaient conçus en fonction de cet objectif. Dans quelques villes du Québec, il y avait des collèges classiques qui suivaient le même programme, mais qui avaient pour fonction de former une élite laïque. Les plus célèbres étaient évidemment les établissements tenus par les Jésuites, Sainte-Marie à Montréal et Garnier à Québec. Mais quand on était admis dans un séminaire diocésain, on était informé qu'on entrait dans une institution destinée au recrutement du clergé diocésain et que la discipline était conçue en fonction de cet objectif. Il faut ajouter qu'en aucun moment la direction de l'établissement n'exerçait de pression morale pour diriger indûment vers le sacerdoce les sujets qui ne s'y sentaient pas attirés. Le Séminaire de Rimouski n'était pas une machine à fabriquer des curés. Mais le poids du milieu était lourd. Devenir prêtre représentait une promotion sociale à laquelle plus d'un finissait par succomber. C'était le climat de l'époque.

La prêtrise étant écartée, il me restait à trouver une voie vers l'une des quelques professions libérales qui s'ouvraient aux jeunes. Il me faudra attendre jusqu'à la fin pour choisir, et encore devrai-je bifurquer au dernier moment.

Le séminaire est un monde d'hommes. C'est à peine si on entrevoit quelques cornettes à travers le hublot par lequel transitent les plats entre la cuisine et le réfectoire, et à l'occasion quelques braves filles de la campagne voisine, qui gagnent une pitance à faire le ménage des dortoirs. Tout le personnel domestique, à commencer par le bonhomme Poussière qui entretient les parquets, jusqu'à Trompe-la-Mort, concierge au parloir, est masculin. J'oubliais les veuves, surnom accolé aux collégiens qui ne pratiquent aucun sport et qui de ce fait ont l'air un peu efféminés; mais même les veuves appartiennent au sexe fort. Quelques éphèbes à la peau rosée sont l'objet d'une attention particulière de la part d'adultes en mal d'amour, mais l'homosexualité, contrairement à ce qu'on en a dit, est un phénomène rare et, sitôt découvert, l'objet de sanctions impitoyables. L'entretien du corps n'est pas un souci pressant: la douche une fois par semaine. On quitte la patinoire, le terrain de balle ou le court de tennis, et on se rend directement à la salle d'étude en sueur, tant pis pour les voisins.

En dehors des sports, aucun exercice physique autre que la marche. Au printemps, un sous-officier du Royal 22e Régiment de Québec vient gruger une demi-heure de la récréation du midi pour nous donner des cours de gymnastique, car nous appartenons à un corps de cadets de l'illustre régiment. À force de patience, le caporal Boulanger, si ma mémoire est fidèle, réussit à nous inculquer quelques notions de mouvements rythmés. Nous sommes loin de savoir qu'en cas de guerre nous pourrions «éventuellement» être appelés sous les drapeaux et versés dans les cadres de l'armée.

Pas de gymnase, donc pas de gymnastique. À l'intérieur, il n'y a pour nous distraire que le billard et le ping-pong. À l'extérieur, une patinoire, un champ de balle, deux courts de tennis, quelques frontons de balle au mur, c'est tout. En hiver, on a la patinoire pour se dégourdir. Le printemps et l'automne, par beau temps, il y a de quoi s'occuper. Entre deux saisons, c'est l'ennui. C'est alors que sévit ce que la direction appelle le mauvais esprit. D'un côté on s'agite, de l'autre on sévit. Les maîtres de salle et les surveillants de dortoir sont sur les dents. Sans motif apparent, des centaines de pieds se mettent à râcler le parquet de la salle d'étude; des bruits suspects se répercutent d'un bout à l'autre du dortoir; toute la communauté paraît avoir attrapé la grippe au même moment, car on tousse partout. La courbe des mauvaises notes grimpe rapidement. Nous sommes évalués à partir de six en descendant, pour la conduite et pour l'étude. Chaque dimanche soir, le supérieur vient nous donner lecture de la bourse de la semaine précédente. Les élèves modèles, presque tous des veuves, sont collés au plafond. Hilaire Demeule: 6,6. C'est normal. S'il fallait qu'il tombe d'un dixième, ce serait un éclat de rire. Les élèves normaux s'en tirent généralement avec un 5,5. À 4,9 de conduite ou d'étude, il faut passer chez le directeur.

Le directeur est l'abbé Léon D'Anjou, dit La Poule. Il donne l'impression d'avoir les plumes gonflées comme celles d'une poule en mal de couvaison. Le sobriquet lui va tellement bien que personne n'a idée de l'appeler autrement. Avant lui, il y avait eu l'abbé Georges Dionne, dit Serre-fesses. Quel esprit malin avait sournoisement inspiré au conseil de la maison de confier cette tâche ingrate à un homme aussi intransigeant pour la discipline que pour les règles de grammaire? Savant helléniste, il devait plus tard me faire aimer le grec et m'habituer à la précision des termes. En présence d'un mot grec, il nous forçait à trouver nous-mêmes, sans recours au dictionnaire, son correspondant français et pas n'importe quel équivalent mais le mot exact. Comme directeur des élèves, ce fut un malheur, presque une catastrophe. La lecture des notes du dimanche soir se transforma graduellement en édits, réglant jusque dans les plus menus détails la conduite de la communauté. Nous nous sentions pris dans une camisole de force. Plus il serrait la vis, plus nous

nous rebellions. Le pauvre homme dut se retirer en cours d'exercice et retourner à ce à quoi il était apte, l'enseignement sans douleur des langues grecque et latine. Combien de fois dans la vie coudoierais-je des personnes devenues malheureuses et rendant les autres malheureux, parce qu'on leur aura imposé ou qu'elles auront recherché des fonctions pour lesquelles elles n'étaient pas faites!

La parade chez le directeur pour conduite répréhensible ou paresse à l'étude est une corvée désagréable. Il cherche rarement à savoir et à comprendre. C'est généralement l'admonestation accompagnée de quelques menaces voilées. «Monsieur Filion, je sais que dans le fond vous riez de moi, et vous vous croyez à l'abri des sanctions parce que vous êtes premier de classe; mettez-vous bien dans la tête que ma patience a des limites.» Ce n'est que plus tard que j'appris que ce qui énervait le brave homme, c'est que je faisais le gros dos tout en esquissant, paraît-il, un petit sourire moqueur. Au fond, c'est la seule défense que nous pouvions offrir contre une vie réglementaire aussi rigide. Et pourtant nous n'étions pas malheureux. Nous savions instinctivement qu'il fallait tenir un équilibre plus ou moins précaire entre les exigences d'un règlement implacable et le peu de fantaisie nécessaire à l'oxygène physique et moral des adolescents que nous étions.

Ce qui devenait à la longue désespérant, c'est que nous étions enserrés dans ces murs bétonnés jusqu'à la fin du cours, alors que nous étions devenus des adultes. Dans les années cinquante les choses évoluèrent rapidement. Je me rappelle avoir été ravi de visiter dans la même maison les chambres particulières et les salons où les garçons des classes supérieures menaient une vie à la fois studieuse et agréable.

De mes études classiques je n'ai que deux mauvais souvenirs, mais ils sont de taille: le règlement et la nourriture. Parlons-en de la nourriture. Six matins par semaine, déjeuner de fèves au lard sans lard. Elles n'ont jamais la même consistance ni la même saveur: elles flottent dans une sauce poisseuse ou sont compactes comme du mortier. On avale ce qu'on peut, avec un soupçon de beurre et des tranches de pain. Vingt minutes plus tard, on se retrouve en classe à digérer cette masse pâteuse à force de brûlures et de crampes d'estomac. Comme le vendredi est jour d'abstinence, un gruau grumeleux rompt la monotonie des fèves au lard sans lard.

Je n'arrive pas à me rappeler avoir mangé un seul plat savoureux au cours de mes sept ans d'internat. La raison en est peut-être que, ma mère étant excellente cuisinière, je n'ai jamais réussi à m'habituer à une alimentation frugale. Plus tard, j'attribuerai, probablement à tort, à la table du collège, les ulcères d'estomac qui empoisonneront une partie de mon existence.

Heureusement qu'il y avait des compensations. En 1924, Rimouski n'est pas l'Athènes de l'Amérique du Nord, mais elle n'est pas non plus un pays de mission. Le séminaire est le centre de toute la vie intellectuelle de la région. Il s'y fait un peu de théâtre, il s'y donne quelques concerts, auxquels toute la population est invitée à assister. La salle des fêtes est remarquablement construite et peut recevoir aisément quelque douze cents spectateurs. Quelques collégiens se découvrent des dons de comédiens, les étudiants en musique sont assez nombreux pour constituer un orchestre et une fanfare. Le chœur de chant est remarquable, avec quelques voix qui auraient pu, avec un peu d'encouragement, faire carrière. Tout cela est rudimentaire, mais pour les années vingt, cela se compare au reste de la province, exception faite de Québec et de Montréal.

Nous sommes là pour étudier. Quel est le menu du jour? Dans les classes d'éléments et de syntaxe, le personnel est plutôt médiocre, parce qu'il se compose uniquement d'élèves du grand séminaire qui, en plus de suivre des cours de théologie les conduisant à la prêtrise après quatre ans, doivent enseigner, qui le latin, qui le français, qui l'anglais, qui les mathématiques ou les sciences naturelles. D'autres sont maîtres de salle et surveillants de dortoir. Le garçon qu'on voyait à la salle des grands l'an dernier porte aujourd'hui soutane et collet romain; hier il subissait l'autorité, aujourd'hui il l'incarne. Il nous enseigne le latin comme il l'a appris dans son cours de lettres, incapable d'aller au-delà des règles de grammaire et d'ouvrir notre esprit aux richesses de la civilisation latine. Même chose pour le grec. La grammaire Ragon nous entre dans la tête à coups de versions et d'explications.

Les choses commenceront à changer avec la classe de versification. Les enseignants ont plus de maturité et une meilleure pédagogie. Avec les leçons d'histoire qu'on nous enseigne en parallèle, nous commençons à comprendre ce que furent Athènes et la civilisation hellénique, Rome et l'Empire romain. En classe de rhétorique, ce sera presque la fête. Les professeurs sont des hommes cultivés, ayant fréquenté l'université, même jusqu'à Paris. Alphonse Fortin, en histoire du Canada, un savoir encyclopédique; Georges Dionne, en latin, toujours méticuleux et précis; Adolphe Tremblay, en grec, gouailleur sans méchanceté, mais bon pédagogue. Une fois par-ci par-là, à l'occasion d'une absence, Fortunat Charron, préfet des études, vient nous éblouir de sa faconde.

Malheureusement, les épreuves du baccalauréat se profilent à l'horizon; au moment où nous sommes prêts à cesser d'apprendre pour commencer à nous cultiver, il faut bûcher dur en fonction des épreuves du baccalauréat. Celles-ci comportent deux versions, grecque et latine, qu'il faudra produire à coups de dictionnaire, plus un texte portant sur un événement d'histoire du Canada qu'il faudra commenter. On nous répète fréquemment qu'il nous faudra être aussi bons que les autres, tout en ayant une année de scolarité de moins, car ni le séminaire ni les parents n'ont les moyens de supporter une classe dite de méthode. Cette addition viendra plusieurs années plus tard, quand la guerre fera sentir ses bienfaits!

En classe de philosophie, il nous faudra nous colleter avec Thomas d'Aquin, ou plutôt Thomas d'Aquin tel que revu et corrigé par l'abbé Lortie. Les trois volumes de Lortie, tout en latin, sont d'un ennui mortel, et complètement inadaptés à l'homme canadien que nous serons devenus à la fin de nos études. Il nous faut apprendre ce qui fait que des syllogismes sont en *barbara, celantes, darii, ferio,* et comment distinguer un raisonnement juste d'un sophisme. L'avouerais-je? Il le faut bien, puisque c'est la vérité. J'ai remporté le prix du Prince-de-Galles en 1931 pour avoir démontré avec une rigueur implacable, inspirée du Docteur angélique, que la peine de mort est un châtiment non seulement légitime mais louable. Il n'est pas sûr qu'aujourd'hui je referais la même démonstration avec la même vigueur, en me servant des mêmes arguments. Car la vie m'a appris que la logique et le bon sens ne sont pas des denrées interchangeables. La logique est sèche, rigide, inhumaine; le bon sens est rondouillard, flexible, débonnaire. La logique, c'est Corneille; le bon sens, c'est La Fontaine.

Les classes de philosophie sont lourdement chargées de mathématiques: algèbre, géométrie et quelques éléments de trigonométrie. Le professeur est un fantaisiste. Il tricote de la dentelle autour d'un tissu effiloché. Durant deux ans, nous résoudrons des équations sans même savoir ce qu'est l'algèbre, comme le bourgeois gentilhomme faisait de la prose sans le savoir. En première année des HEC, j'aurai un éblouissement. Un professeur à l'allure rébarbative, mais à la logique impeccable, me fera découvrir le monde merveilleux des mathématiques; j'en serai ravi au point d'en faire pour mon plaisir.

La chimie et la physique, la première surtout, ne sont pas tenues pour matières importantes. À quoi serviraient-elles à des garçons se destinant à la prêtrise ou à une profession libérale? Les candidats aux carrières scientifiques sont rares. Leur carence sera corrigée par une année préparatoire au seuil de l'université.

Le séminaire, on le sait, est une institution d'Église. Pas surprenant que la pratique religieuse y soit intense et que tout l'enseignement soit inspiré de la doctrine catholique. L'assistance à la messe quotidienne est obligatoire; les exercices religieux, chapelet, prières du matin et du soir, congrégation mariale, doivent prendre au moins une heure par jour. Ce n'est pas une place pour les mécréants.

Le seul contact que nous avons avec le monde extérieur est véhiculé par les journaux, et pas n'importe quels: *Le Devoir* et *L'Action catholique*, point. Nos préférences vont au *Devoir*, parce qu'il est plus vivant et plus coloré. Henri Bourassa est notre héros, parce qu'en plus d'être journaliste, il est un orateur prestigieux. Le chanoine Charron, supérieur, était présent à l'église Notre-Dame de Montréal lors du retentissant discours improvisé par Bourassa en réponse au cardinal Bourne, à l'occasion du congrès eucharistique de 1910. Il en parle encore avec des larmes dans les yeux. Henri Bourassa est aussi le défenseur des écoles françaises et catholiques hors Québec et, d'une façon générale, des droits de la langue française partout au Canada. Nous lisons *L'Action catholique* un peu par obligation et *Le Devoir* par conviction. Tout le collège est nationaliste du sommet à la base, même si nous en comprenons difficilement tous les aspects. Car ce n'est pas à

Rimouski que la langue française est menacée. Les seuls mots anglais que nous entendons c'est quand José Nellis et James Sheehan, deux Irlandais de la Baie-des-Chaleurs, conversent entre eux. À la société des débats, James Sheehan nous sert en pièces détachées les discours de O'Connell à la Chambre des communes de Londres; il est ovationné sans que personne n'ait compris un traître mot. Qu'à cela ne tienne: un Irlandais, c'est quelqu'un qui est victime de la persécution des Anglais; donc, il nous est sympathique.

Cette société des débats est le lieu d'affrontements sur des sujets qui nous sont généralement étrangers. À défaut d'arguments, nous servons des clichés ramassés quelque part dans un journal ou dans un livre. Le dix-septième siècle contre le dix-neuvième, les classiques contre les romantiques. Racine démolit Chateaubriand ou c'est Victor Hugo qui colle les épaules de Corneille au sol. Les sujets politiques sont aussi abordés, mais les forces sont inégales: qui oserait défendre Borden et sa conscription contre Laurier ou Bourassa? Il nous arrive même de nous aventurer sur le terrain miné de la politique internationale, mais c'est généralement pour réclamer la rupture des relations diplomatiques du Canada avec le Mexique où un franc-maçon de président persécute l'Église catholique. Mais peut-on exiger des collégiens en cage d'atteindre à la maturité d'hommes d'État? Ce qui importe, c'est qu'ils aient le souci de préparer quelque chose et le courage — car il en faut à cet âge — de se tenir sur leurs jambes et de parler devant une assemblée goguenarde.

Une décennie plus tard, la Jeunesse étudiante catholique entrera dans les collèges pour faire réfléchir les jeunes sur leur vie quotidienne. Dans les années vingt, nous sommes encore de la génération de l'ACJC (Association catholique de la jeunesse canadienne-française) dont la devise est: piété, étude, action. Les deux premiers mots traduisent d'une certaine façon les préoccupations de notre vie quotidienne. Mais action, ça veut dire quoi? Il n'y a rien à faire, puisque nous n'avons rien à décider. Le règlement a tout prévu et tout décidé. L'action se traduit en docilité.

Et puis l'ACJC, c'est Montréal, c'est-à-dire une planète que nous n'avons jamais visitée. Dans la maison, il n'y a qu'un seul collégien originaire de Montréal; il est tellement étrange qu'on ne veut pas lui ressembler, encore moins se laisser dicter des mots d'ordre par une organisation qui prétend parler en notre nom. En juin 1930, je serai délégué du cercle local au congrès général qui se tient dans le sous-sol de l'église du Sacré-Cœur, rue Ontario, à Montréal. Joseph Dansereau, Lionel Leroux, quelques autres ténors de l'association, plus le père Joseph Paré, jésuite, aumônier général, animeront des discussions sur des sujets auxquels je ne comprendrai pas grand-chose, parce qu'à Rimouski c'est pas comme ça qu'on vit et qu'on voit les choses. Je me sens en pays étranger et je me contente d'écouter. C'en sera fini de ma carrière dans l'ACJC; le mouvement m'aura à peine effleuré.

Que restera-t-il à la fin de sept années de pensionnat couronnées par un parchemin conférant le titre de bachelier ès arts? Peu et beaucoup. Dans l'immédiat, tout ce fatras de connaissances péniblement accumulées semblera tellement éloigné de la vie courante que je me demanderai si je n'ai pas tout simplement perdu les plus belles années de ma jeunesse. Avec le temps, je me rendrai compte qu'il était utile, sinon indispensable, de passer par là pour accéder à une certaine culture.

Car la culture, c'est la faculté de pouvoir se situer quelque part dans le temps et dans l'espace. Un Occidental de souche chrétienne, même s'il est athée, est conscient que ses racines s'enfoncent dans un terreau fait d'un peu de Palestine, de passablement d'Athènes et de beaucoup de Rome. Ses ancêtres spirituels ont pour nom Moïse, Jésus, Aristote, Virgile, Thomas d'Aquin avec un peu de Luther et de Calvin. Un Chinois, qui veut savoir d'où il vient, remonte à Confucius; l'Occidental lit la Bible, l'Évangile, *La Divine Comédie*, les *Pensées* de Pascal, *Le Génie du Christianisme.*

Un homme cultivé établit spontanément un rapport entre les événements et les hommes. Il sait comment les idées et les épidémies se sont propagées à travers les continents et au-delà des mers. Il est capable d'expliquer comment les écrits des encyclopédistes ont influé sur la révolution américaine et, inversement, comment les principes énoncés dans la Constitution des États-Unis d'Amérique ont cherché à s'exprimer par la Révolution de 1789. Même phénomène pour les épidémies. Les Croisades ont introduit la peste en Europe occidentale avec les conséquences dévastatrices sur les populations et même sur le développement des sciences humaines, en exterminant presque entièrement le corps professoral de certaines universités européennes, notamment celle de Paris.

L'érudition n'est pas la culture. On peut savoir beaucoup de choses et n'y rien comprendre, alors que l'homme cultivé sait dégager les liens qui existent entre ses connaissances.

Le cours classique, comme on le faisait à l'époque, ne conférait pas la culture par sa seule vertu, mais il fournissait quelques éléments à partir desquels on pouvait y parvenir ou du moins y aspirer. Seule une minorité y arrivait, mais pour un peuple pauvre, c'était déjà une réussite.

L'accès à une certaine culture ne s'est pas fait sans un déracinement du terreau local. À force de références à des lieux et à des personnages lointains, à force d'entendre vanter les œuvres des classiques grecs, latins, français, à force d'entendre et d'utiliser des mots, des tournures, des rythmes, des langues largement étrangères, à force de lire des descriptions de paysages, de bâtiments, de coutumes, de religions, de divinités inconnues, on finissait par oublier les mots du terroir, par mépriser les valeurs du milieu, par tenir pour négligeables les œuvres de sa propre société. Combien de fois nous a-t-on condamnés à décrire des lieux que nous n'avions jamais vus, à raconter des événements auxquels nous et les nôtres n'avions jamais participé. Par exemple, ce brave professeur de français en syntaxe qui, ayant découvert au hasard de ses lectures une description particulièrement forte d'un engagement militaire au Sahara, nous commanda de rédiger un texte ayant pour sujet l'agonie et la mort d'un spahi. Imaginez d'ici le désarroi du petit gars élevé entre la mer et la forêt à qui on ordonne de trouver des mots pour exprimer les souffrances d'un soldat mourant de soif sur une terre dénudée d'arbres. Si au moins on nous avait demandé de décrire la dernière débâcle sur la rivière ou l'arrivée des outardes, nous aurions peut-être fini par trouver des mots pour exprimer les images issues de notre mémoire ou de notre imagination.

À la fin du cours classique, la prise des rubans donnait lieu à une cérémonie particulièrement solennelle. On connaissait d'avance les candidats au sacerdoce, car ils avaient fait montre d'une application tout exemplaire au cours des dernières années. Le seul choix était entre le clergé diocésain et une congrégation religieuse. Les Jésuites recrutaient un sujet tous les deux ou trois ans, les Oblats, plus populaires, doublaient cette récolte, les prêtres des Missions étrangères remportaient aisément la palme, tandis que les congrégations peu connues dans la région, comme les Pères de Sainte-Croix, les Clercs de Saint-Viateur, restaient bredouilles.

Le sacerdoce étant écarté, je n'étais pas vraiment décidé. C'est pourquoi je tirai le ruban du droit sans être sûr de ressentir un attrait certain pour le prétoire. En fait, c'est à l'École des hautes études commerciales que je vais m'inscrire en septembre 1931.

5

MONTRÉAL LA DÉTRESSE

Pourquoi les HEC? Deux noms me reviennent en mémoire: Édouard Montpetit et Esdras Minville. Durant mes dernières années de collège, j'ai lu plusieurs textes d'Édouard Montpetit. Il reprend avec beaucoup d'élégance le conseil que d'autres avant lui ont donné aux Canadiens français, notamment Olivar Asselin et Errol Bouchette: Emparez-vous de l'industrie. Ceux-ci étaient des autodidactes, notamment Olivar Asselin, un ancien mis à la porte du Séminaire de Rimouski pour indiscipline à la fin du siècle précédent, mais dont on ne parle pas beaucoup, à cause du mauvais exemple que sa conduite, couronnée par une carrière étincelante, pourrait nous donner. Mais Montpetit a fait un séjour de quelques années à Paris, il détient des diplômes, il enseigne dans plusieurs facultés, il est le conférencier à la mode. C'est lui qui tient la chaire d'économie politique aux HEC, relevant ainsi le prestige d'une école qui n'attire guère les sujets doués. Montpetit publie beaucoup: dans *L'Action canadienne-française* dirigée par l'abbé Groulx, dans *L'Actualité économique,* dans la *Revue trimestrielle.* Il a un style agréable, des vues originales sur notre milieu; il est bon vulgarisateur et, sans être doué d'un tempérament de chef, il est un entraîneur.

Esdras Minville, première manière, est plus polémique, donc plus concret et plus engagé. Comme professeur aux HEC, Minville est un quasi-fonctionnaire, puisqu'à l'époque l'École relève directement du Secrétariat de la province. Il faut un certain courage pour souligner les carences des politiques économiques du gouvernement. Minville est issu d'un village de pêcheurs de la Gaspésie. Il est malingre, timide, peu éloquent, mais il possède une force intérieure qui commande le respect. Plus tard, il se fera plus philosophe, donc plus abstrait, et il perdra une partie de ses lecteurs. Son traité portant sur le citoyen canadien-français ne produira pas l'impact qu'avaient ses conférences des premières années. Peut-être qu'avec le temps on reviendra aux écrits d'Esdras Minville pour y déceler une étape importante dans l'évolution de la pensée sociale au Canada français.

Donc, je connais par leurs écrits Montpetit et Minville. C'est à cause d'eux que j'entre aux HEC en septembre 1931. Ce geste ne manqua pas de causer une certaine surprise et un petit scandale. Dans ma famille et dans mon milieu, personne ne savait ce qu'étaient les HEC. On confondait l'institution avec une vulgaire école commerciale dirigée par des Frères, alors qu'en fait elle avait reçu le titre de faculté universitaire dès l'ouverture de ses portes en 1910. C'était pas la peine, disait-on dans mon milieu, de faire de brillantes études classiques pour aboutir dans une école où on enseigne la tenue de livres. Il fallut donc rassurer la parenté et les amis, et faire comprendre que les HEC étaient même la faculté la moins miséreuse.

En 1931, l'Université de Montréal a conquis son autonomie de l'Université Laval il y a un peu plus de dix ans. Cependant, elle vit toujours dans l'indigence et la crise financière chronique. Le prestigieux bâtiment de la montagne est en panne, car la crise économique a tari toutes les sources de financement, publiques et privées. Il faudra attendre l'après-guerre pour qu'elle prenne son essor. En attendant, elle fait figure de parent pauvre à côté de McGill, richement dotée, plus que centenaire et de réputation internationale.

L'École des HEC, comme Polytechnique, ne fait pas partie de l'Université, mais y est simplement affiliée. Son financement est assuré par le Secrétariat de la province. Cette sujétion pourrait comporter des risques; mais avec Athanase David, esprit libéral et cultivé, comme secrétaire de la province, l'enseignement y est totalement libre. Aux HEC, on est bien traité et bien équipé. Le bâtiment est confortable, presque luxueux, la bibliothèque est bien garnie, les laboratoires et le bureau commercial sont bien équipés, on y trouve même un musée industriel où sont représentées en miniature une sidérurgie, une cimenterie, etc. Les frais de scolarité sont raisonnables et la direction dispose de bourses pour les étudiants aux moyens modestes.

Sur le plan matériel, nous sommes les enfants choyés du système. Quant à la qualité de l'enseignement, c'est assez bien, compte tenu de l'époque et du milieu. Le directeur, Henry Laureys, est un Belge. Il est venu à l'école avec la fournée d'Européens qu'il avait fallu recruter en 1910. Il a succédé au fondateur, lui-même un Belge, et est en poste depuis plus de quinze ans. Il est rigide, cassant, autoritaire, mais il est bon pédagogue; il peut à l'occasion écouter les doléances des étudiants. C'est ainsi que nous avions réussi à nous défaire d'un professeur incompétent, en lui envoyant une délégation autorisée à exprimer notre mécontentement. Mais il mène l'école comme un général d'armée. La discipline est stricte. Un appariteur fait le tour des classes et note les absences: impossible de sécher un cours sans que les parents n'en soient avertis. Ma pauvre mère faillit en faire une maladie, parce qu'une mauvaise grippe m'avait retenu à la chambre durant deux jours. Imaginez l'angoisse d'une pauvre vieille de la campagne, qui apprend que son fils se dévergonde en ville. Il fallut y mettre beaucoup de douceur pour expliquer que le fils peut, lui aussi, même en ville, attraper une mauvaise grippe.

Les classes de mathématiques furent pour moi un enchantement. Deux professeurs remarquables: Léveillé et Stock. Le premier est un magicien; il nous rend faciles les calculs des probabilités et les formules d'annuités. Le second nous fait reprendre l'étude de l'algèbre à partir de zéro. Moi qui avais toujours cru que l'algèbre consistait en une série de signes cabalistiques, je suis tout étonné d'apprendre que cette science est une suite de raisonnements logiques qui découlent d'une simple définition. Si on part du bon pied et qu'on suit la logique, tout s'éclaire et tout devient facile. Autrement, c'est le cauchemar. Stock est la bête noire de toutes les générations qui se sont succédé à l'école. Il est rigide, impitoyable. Si votre copie ne vaut rien, il vous met zéro. Si vous avez réussi vos équations, il pourra aller jusqu'à dix-huit sur vingt, ce qui cause tout un émoi. Avec sa tête de canular et son ton monocorde, il met les nerfs des étudiants en boule. N'empêche que sur le plan de l'enseignement des mathématiques, je lui donne neuf sur dix.

Léon Lorrain nous enseigne le français commercial: comment rédiger une lettre d'affaires, composer un texte publicitaire, et le reste. Nous qui sortons des collèges classiques, nous croyons savoir le français. Il s'acharne à nous dégonfler. Notre style ampoulé le met en rogne. Il nous apprend la brièveté et la précision. Sa méthode est simple: il corrige un à un les travaux qu'il nous a demandé de lui remettre; il a l'ironie facile et le sarcasme lourd. Visiblement, il en remet, afin de nous astreindre à plus de discipline. Il m'aura habitué à douter de moi-même, ce qui me sera fort utile dans les fonctions que j'aurai à remplir plus tard.

En matières comptables, nous partons du mauvais

pied. Lucien Favreau, homme dévoué et généreux, est un mauvais pédagogue. Son élocution est pénible et son vocabulaire déficient. Il réussit à me faire détester une matière de base, avec laquelle de meilleurs professeurs n'arriveront pas à me réconcilier plus tard. Je réussirai les examens d'une manière convenable, sans plus, et je fuirai, le reste de mes jours, toutes fonctions pouvant s'apparenter aux opérations comptables.

Plutôt moyenne au départ, la qualité des professeurs s'élève sensiblement en deuxième et troisième années. Le premier nom qui me vient à la mémoire est celui d'Édouard Monptetit. Est-il vraiment un économiste? Nous le croyons, mais la matière qu'il nous enseigne, c'est quelque chose comme l'Évangile de saint Matthieu par rapport aux savants échafaudages des théologiens. Il cherche à aiguiser notre faculté d'observation. Il nous force à regarder les phénomènes économiques comme ils sont vécus dans le quotidien. Il nous suggère d'arpenter la rue Sainte-Catherine entre Saint-Denis et Saint-Laurent, de compter le nombre de magasins, de boutiques, d'ateliers, de succursales de banque, de salons de coiffure, etc., et de chercher à expliquer pourquoi ces établissements sont là et non ailleurs. Il arrive à démystifier le rôle de la monnaie dans une économie de marché et à nous expliquer les règles devant régir une saine gestion des budgets des administrations publiques. Montpetit est un éveilleur plus qu'un savant; il nous donne le goût d'apprendre; cela suffit pour le classer au sommet.

Esdras Minville enseigne une matière de simple culture: l'histoire économique du Canada. C'est intéressant, rien de plus. Timide, réservé, d'un abord plutôt difficile, son enseignement sera peu marquant. C'est plutôt par ses écrits qu'il nous aura influencés.

En 1931, l'école a vingt et un ans et déjà quelques professeurs montrent des signes de lassitude. D'année en année, ils répètent le même cours sur le même ton. Il faut dire que certaines matières ne se renouvellent pas facilement. Le tonnage de la production houillère en Grande-Bretagne ne varie guère d'une année à l'autre et la technologie des hauts fourneaux n'évolue pas rapidement. Dans les années quarante, l'arrivée d'une relève plus dynamique donnera un élan nouveau à l'enseignement et l'introduction des options offrira un éventail de choix qui n'existait pas au début des années trente. Nous étions tous coulés dans le même moule, quelles que soient nos préférences et nos aptitudes.

Première année de licence, la classe se divise moitié-moitié entre les bacheliers des collèges classiques et les finissants des écoles publiques, type le Plateau, Saint-Henri, Saint-Viateur, mais ces derniers ont dû passer par deux années préparatoires. Les deux groupes sont très différents. Les bacheliers viennent de partout, ils ne se connaissent pas, ils ne sont pas familiers avec l'École, pas même avec Montréal, ils vivent en pension, ils se sentent libres pour la première fois.

Ceux qui sont montés des classes préparatoires se connaissent bien et forment un groupe à part dans lequel il n'est pas facile de pénétrer. En réaction, les bacheliers finissent par former leur propre bloc, aussi compact que le premier. Ce n'est pas à proprement parler de l'hostilité, mais plutôt un sentiment d'affinités. Les anciens, enfin ceux qui s'estiment tels pour en être à leur troisième année dans la maison, sont familiers avec les us et coutumes et se débrouillent plus aisément. De leur côté, les nouveaux, un peu prétentieux avec leur titre de bachelier, n'entendent pas se laisser dicter la loi par des gars qui n'ont même pas étudié le grec et le latin. Cette hostilité larvée se résorbe petit à petit; à la fin, nous serons devenus des camarades, sans égard au chemin que nous aurons parcouru pour arriver à la licence en sciences commerciales.

1931, le monde entier est en crise. À Montréal, c'est la détresse. On dit, sans en être tout à fait sûr, que trente pour cent de la main-d'œuvre est en chômage, et cela à une époque où peu de femmes travaillent à l'extérieur. Être en chômage à l'époque, ce n'est pas la gêne ni la pauvreté, c'est la misère; car il n'y a pas d'assurance-chômage, d'assurance-santé, de pensions de vieillesse, d'allocations familiales, d'enseignement secondaire gratuit, etc. Ceux qui ont perdu leur emploi n'ont que deux recours: le secours direct et la société Saint-Vincent-de-Paul.

Mon camarade Pierre Asselin, fils d'Olivar, m'invite à me joindre à la conférence Saint-Vincent-de-Paul de l'université. Nous sommes une vingtaine d'étudiants à tenir une réunion hebdomadaire, consacrée à lever des fonds pour secourir des familles qui nous sont désignées par la cure de la paroisse Saint-Jacques. Pierre et moi rendons visite chaque semaine à une famille de miséreux dans ce qu'on appelle à l'époque le «Red Light», soit le quartier compris entre les rues Sainte-Catherine et Craig, Saint-Denis et Saint-Laurent.

Pierre connaît assez bien la misère de Montréal, car ses parents sont engagés dans des œuvres sociales, la mère à secourir des familles pauvres, le père à implanter à Montréal une œuvre de charité destinée à recueillir les clochards, et connue sous le nom de Refuge de la Merci. Enfin, il est de Montréal et il en connaît les beautés et les laideurs. Moi, je viens de la campagne. Dans mon Isle-Verte natale, il y a de la pauvreté, même beaucoup, mais pas de misère. Il n'existe aucune œuvre de charité. Si une famille est mal prise, on organise spontanément une collecte. On donne de l'argent, de la nourriture, du bois de chauffage, des vêtements. Cela se fait discrètement, de manière à ne pas humilier le bénéficiaire.

Mon contact avec la misère de Montréal fut traumatisant. Je n'avais pas imaginé qu'on puisse tomber à un tel niveau de déchéance physique et morale. Je revois encore ce couple adorable: lui jardinier français, responsable de l'entretien des fleurs et des gazons du parc Lafontaine, mis en chômage par la Ville de Montréal; elle, campagnarde de la région de Louiseville, dévouée et digne, quatre gosses de un à sept ans, gentils, bien élevés. Mais quelle détresse: rien à manger, pas de charbon ni de bois, assez bien vêtus, parce que les parents à la campagne envoient du linge, humiliés, meurtris, presque désespérés. Nous leur remettons des bons pour se procurer le strict nécessaire à l'épicerie du coin et chez le marchand de charbon. Un autre couple vit dans un sous-sol humide, lui tuberculeux, les enfants aussi, elle débraillée; il leur faudrait de l'air frais, des vitamines, du lait. Nous leur donnons de quoi survivre, mais rien qui puisse les ramener à la santé et à un peu de dignité.

Rues Sanguinet et de l'Hôtel-de-Ville, il y a un bordel toutes les cinq portes. De pauvres filles, lourdement peinturlurées, nous offrent leurs charmes pour un dollar... ou moins. Il paraît qu'elles recrutent leur clientèle surtout chez les matelots et les bûcherons. Au temps de l'argent facile, les carabins suivaient chaque automne le rituel de la cérémonie qu'on appelait l'enterrement du béret. Défilé avec chars allégoriques pour chaque faculté, discours, beuverie, et finalement escarmouches avec les agents et descente dans les bordels. Mais en 1931, finies les folies; on se serre la ceinture, on ne porte même plus la canne ni le béret, comme il fut naguère de rigueur. On garde ses sous pour le strict nécessaire.

Montréal est une ville au visage anglais. Même dans l'Est, les devantures des commerces ont une apparence anglaise ou, si elles sont bilingues, c'est anglais et «joual». À l'ouest de la rue Saint-Laurent, on entend par-ci par-là quelques mots de français, mais dans les grands magasins, Morgan, Eaton's, Simpson's, et dans les boutiques de la Sainte-Catherine, tout se passe en anglais. Les transports en commun sont assurés par la Montreal Tramways, le réseau électrique est la propriété de la Montreal Light, Heat & Power, les longs courriers par autocar sont l'affaire de la Provincial Transport, les chemins de fer sont les mêmes qu'aujourd'hui avec une raison sociale uniquement anglaise: Canadian National Railways, Canadian Pacific Railways.

Où sont les Canadiens français? Un étranger qui arrive à Montréal par les gares Bonaventure ou Windsor ou par le port, a du mal à se rendre compte que les deux tiers de la population sont de langue française. Quand ils ne sont pas chômeurs, les Canadiens français occupent les fonctions les plus modestes dans les usines, les entrepôts, les chantiers de construction, main-d'œuvre mal payée et mal protégée.

Il n'y a pas que les cols bleus à souffrir de la crise. Les cols blancs et les hommes de profession sont également touchés. Des avocats, des médecins, des notaires, des comptables gagnent leur vie comme manœuvres, quand ils ne sont pas eux-mêmes sur le secours direct. Des propriétaires sont ruinés, parce que les locataires n'ont pas de quoi payer leur loyer, ce qui fait que les hommes de métier habitués à gagner leur pain à l'entretien des immeubles, plombiers, menuisiers, peintres, tombent aussi dans la dèche. L'effet de billard se répercute à l'infini. Le malheur de l'un fait le malheur de l'autre, qui fait le malheur de l'autre.

Beaucoup de perdants et quelques gagnants. Parmi ceux-ci, les retraités pour qui le coût de la vie tombe de moitié. Surtout les astucieux, qui avaient retiré leurs billes du jeu de la bourse avant le krach d'octobre 1929. Avec leurs liquidités, ils raflent pour une chanson des immeubles vendus pour non-paiement des taxes foncières ou les débentures de villes tombées en faillite.

Dans les années trente, Montréal avait l'aspect d'une ville sinistrée, une espèce de jungle sociale où seuls les plus forts réussissaient à survivre. Des poches d'aisance et même de richesse arrivaient à se protéger contre la marée de la misère. Westmount était solidement ancrée sur de vieilles fortunes et des emplois inexpugnables. Outremont était plus touchée, sans être vraiment menacée. Par-delà les voies ferrées, une bourgade prenait naissance, qu'on appelait pompeusement Model City, la future Town of Mount Royal.

Les cinémas parlaient tous anglais, à l'exception du Cinéma de Paris et du Saint-Denis, propriété de France Film. Seul le Stella continuait, avec des hauts et des bas, à tenir l'affiche avec généralement comme vedettes les sœurs Giroux. Pour le burlesque, il fallait se rendre au National applaudir Ti-Zoune et La Poune. L'Orchestre symphonique de Montréal prendra naissance comme par miracle, quand la crise commencera à faiblir avec l'approche de la guerre.

Une amitié avec Pierre Asselin me valut le plaisir et l'honneur d'entrer dans l'intimité de la famille d'Olivar Asselin. Comme Pierre savait que je ne roulais pas sur l'or, il avait pris l'habitude de faire une bonne action, en m'invitant à partager le repas de famille environ une fois par semaine. À l'époque,

Olivar Asselin dirigeait *Le Canada*, quotidien libéral. Il s'était entouré d'une équipe remarquable, quelques journalistes d'expérience et aussi beaucoup de jeunes. Je cite de mémoire les noms de Edmond Turcotte, franco-américain, Letellier de Saint-Just, Jean-Marie Nadeau, René Garneau, Lucien Parizeau, Willie Chevalier.

Olivar Asselin tenait la vedette. Ses têtes de turc étaient Camillien Houde, maire de Montréal, qui devait être défait en 1932 par Fernand Rinfret, ancien ministre fédéral, et surtout R.B. Bennett, premier ministre conservateur (1930-1935) qu'il traitait du nom peu flatteur de «bouvier de l'Ouest». Il n'était pas tendre non plus pour les Jésuites et leur École sociale populaire dirigée par le R.P. Joseph-Papin Archambault. Je me rappelle qu'un soir il nous avait tenus à table durant trois heures à nous lire, avec commentaires appropriés, une réfutation point par point du manifeste rendu public quelques jours plus tôt sous le nom de Programme de restauration sociale. C'était un abattage en règle du document dans les termes les plus irrespectueux. N'empêche que, quand il eut fini, comme c'était son habitude après chaque attaque brutale, il se mit à faire l'éloge de chacun des signataires du document, en essayant d'expliquer leurs errements par des circonstances atténuantes. Car Olivar Asselin n'était pas un méchant homme; il était même très charitable. Mais il en avait contre la bêtise et la stupidité des hommes et, pour les déraciner, il s'en prenait directement à leurs auteurs, les hommes bêtes et stupides.

Olivar Asselin avait une passion, la langue française. Il la maîtrisait comme peu de Canadiens en sont capables, sans avoir fait des études avancées. Renvoyé du Séminaire de Rimouski en rhétorique, il avait roulé sa bosse un peu partout, comme tisserand puis journaliste en Nouvelle-Angleterre, fondateur du *Nationaliste*, hebdomadaire de Montréal, journaliste quelques mois au *Devoir* au moment de son lancement, puis démissionnaire à la suite d'une brouille avec Henri Bourassa, rédacteur d'une feuille d'information financière pour le compte d'une maison de courtage en valeurs mobilières. Adversaire de l'entrée du Canada en guerre en 1914, il s'engage dans l'armée un an plus tard, lève un bataillon canadien-français, se bat dans les tranchées, est décoré de la Légion d'honneur, retourne sa décoration avec fracas pour protester contre l'attribution de cette distinction à des vauriens. Vie orageuse, s'il en fut.

À l'époque dont je parle, il est rassis en action mais encore violent en paroles. Il fulmine, chaque fois qu'il en a l'occasion, et cela se produit souvent, contre la médiocrité de la langue des bacheliers ès arts de nos collèges classiques qu'il affuble du qualificatif de béats. Le samedi ou le dimanche après-midi, je ne me rappelle plus exactement, il réunit à la rédaction du *Canada*, rue Saint-Jacques, toute son équipe pour une table ronde sur la langue française. Pierre m'invite souvent à l'accompagner, même si ni lui ni moi ne sommes de la maison. Olivar Asselin est alors au début de la cinquantaine, mais c'est un homme fatigué, usé. Il a le masque de Baudelaire, une tête un peu fouine avec des petits yeux qu'il tient à moitié fermés, la peau légèrement cuivrée, peu de rides. Il parle un peu du nez et d'une façon hésitante. Il est tout le contraire de l'éloquence et pourtant nous l'écoutons attentivement, parce qu'il dit des choses passionnantes. À partir d'exemples concrets tirés de son propre journal, il développe deux thèmes, la précision des mots et l'esprit de la langue, c'est-à-dire la syntaxe. Il ne pourchasse pas les anglicismes à la manière de l'abbé Blanchard, dont il se moque avec bonheur. Il raille les campagnes de la Société du bon parler français. Il est prêt à incorporer dans notre français tous les termes anglais qui n'ont pas d'équivalent dans notre langue; c'est pas lui qui s'acharnera à traduire hot-dog. Ce qu'il pourchasse, c'est l'imprécision des termes, qui trahit la paresse du cerveau, et surtout les tournures de phrases barbares, empruntées directement à l'anglais. Si j'ai appris à écrire à peu près convenablement, c'est à Léon Lorrain aux HEC et à Olivar Asselin que je le dois, parce qu'ils m'ont forcé à douter de moi-même.

Les quotidiens montréalais coûtent trois cents, beaucoup trop pour mes moyens. C'est mon ami Pierre Asselin qui me passe *Le Canada*, que je lis à la dérobée durant les cours. Il m'arrivera d'acheter parfois *Le Devoir*, quand il se produit un événement exceptionnel; mais Bourassa ayant déjà quitté le journal, je m'y sens un peu moins attiré. Il faut dire d'ailleurs qu'avec Asselin l'équipe du *Canada* était aussi brillante que celle du *Devoir*, même si j'étais en communauté de pensée avec celui-ci plutôt qu'avec celui-là.

Début 1934, Asselin se lance dans la dernière aventure de sa vie, la fondation de *L'Ordre.* Au printemps de 1935, il m'invitera à faire partie de son équipe, mais je serai déjà orienté dans une autre voie. Je n'aurai pas eu le plaisir de me former sous sa direction.

Je suis en deuxième année, automne 1932, quand un groupe d'étudiants commence à s'agiter. Le prétexte: la nomination par le gouvernement conservateur d'Ottawa d'un unilingue anglais comme inspecteur des douanes à Montréal. En temps de prospérité, cette bavure serait passée inaperçue, juste un entrefilet sous la rubrique des faits divers. Mais nous sommes en pleine crise et les nerfs sont à fleur de peau. Des anciens du Collège Sainte-Marie, qui fréquentent l'Université, ourdissent un complot: ils se rendront à la gare Windsor le vendredi soir à la rencontre de deux ministres canadiens-français rentrant d'Ottawa, s'en saisiront, les déculotteront, leur donneront la fessée, puis s'enfuiront. Mis secrètement au courant du projet par les conspirateurs, l'abbé Lionel Groulx les en détourne. Pourquoi ne pas organiser une assemblée populaire pour dénoncer non seulement cette injustice, mais tout un état de choses qui brime et humilie les Canadiens français? C'est ainsi que fut lancé, m'a-t-on raconté, le mouvement qui devait devenir célèbre sous le nom de Jeune-Canada.

Je n'assiste pas à l'assemblée du Gesù, le 19 décembre 1932. J'en ai de vagues échos par les journaux. D'ailleurs le mouvement est parti de l'université de la rue Saint-Denis, avec laquelle les étudiants de la rue Viger entretiennent des rapports plutôt lâches. Au surplus, les initiateurs du mouvement sont tous de Montréal et très majoritairement des anciens du collège Sainte-Marie. L'affaire ne me regarde pas.

Quelque part en janvier ou février 1933, je publie dans *Le Quartier latin* un article sur un sujet dont je n'ai pas le moindre souvenir. Quelques jours plus tard, un dénommé Pierre Dansereau demande à me rencontrer. Nous mangeons ensemble à la Maison des étudiants, rue de Montigny. Il se présente: étudiant en droit et président du tout jeune mouvement, les Jeune-Canada. Il a lu mon article dans le journal des étudiants, il l'a trouvé intéressant et il est autorisé à m'inviter à rallier le groupe. Je suis nationaliste comme eux. Alors pourquoi pas? Et c'est ainsi que je prends contact avec un groupe de jeunes Montréalais, tous ou presque étudiants, tous des inconnus.

Nous tenons nos réunions hebdomadaires le samedi dans le salon d'une maison de chambres, rue Saint-Hubert ou Berri, près de la rue La Gauchetière, où nous avons un embryon de secrétariat. Qui paie le loyer? C'est un secret bien gardé, qui nous préoccupe mais que nous n'arriverons pas à percer. Nous sommes des purs et nous nous méfions de tout ce qui pourrait avoir un relent de relations dangereuses avec les puissances politiques ou financières. Nous en discutons âprement, sans jamais pouvoir décrypter le mystère. J'ai toujours pensé que le coût du loyer était gracieusement assumé par Pierre

Dansereau lui-même, qui servait probablement de relais à son père.

Au moment où j'arrive, le mouvement est confronté au problème soulevé par l'appartenance de quelques-uns de ses dirigeants à l'Association catholique de la jeunesse canadienne-française. Le président général de l'ACJC, Me Jean-Paul Verschelden, deux ou trois membres du comité central, notamment Georges-Étienne Cartier et Lucien L'Allier, font également partie des Jeune-Canada. Apparemment, il y aurait incompatibilité entre les deux associations. On laisse entendre que le père Joseph Paré, aumônier général, verrait d'un mauvais œil l'accaparement de ses meilleurs éléments par un mouvement parallèle et éventuellement concurrent. Il y a aussi l'aspect confessionnel qui fait problème. L'ACJC est une association à la fois nationale et catholique. C'est à ce dernier titre qu'elle est dotée d'aumôniers aux deux niveaux, les cercles et le comité central. Les Jeune-Canada sont un mouvement purement laïque. Mis en demeure de faire un choix, Verschelden, président général, reste à l'ACJC comme il se doit, les autres optent pour les Jeune-Canada.

Nous sommes jeunes et nous sommes de la graine d'intellectuels, donc nous discutons beaucoup et longtemps. Pierre Dansereau, toujours calme, toujours disert, préside avec la bonhomie qu'on lui connaît. Il est inscrit à la faculté de droit, mais il suit les cours en dillettante; il n'a pas d'attrait pour le prétoire. En septembre 1933, il nous quittera pour l'Institut agricole d'Oka, deviendra agronome et fera la carrière scientifique qu'on connaît. André Laurendeau est déjà André Laurendeau, distingué, délicat, raffiné, subtil. Lui aussi fréquente l'université en dillettante. Inscrit en lettres, il ne suit assidûment que les leçons d'histoire de l'abbé Groulx, ce qui lui laisse le loisir de réfléchir, d'écrire, de monter des assemblées. Le plus dynamique du groupe est Paul Simard. Il n'a pas vingt ans, est tout feu tout flamme, l'œil vif, la langue bien pendue. Il paraît avoir tout ce qu'il faut pour devenir un chef. Puis un bon jour, il disparaît dans la brume; on le dit rendu dans les Antilles; nous n'en entendrons plus jamais parler. Georges-Étienne Cartier, étudiant en médecine, est l'empêcheur de danser en rond du groupe. Sceptique de tempérament, il nous force constamment à nous justifier. Si vous affirmez que cette feuille de papier est blanche, il vous demandera de le prouver. Intelligent comme un singe, avec une voix nasillarde qui donne sur les nerfs, contredisant tout le monde, il nous empêchera souvent de dire et de faire des bêtises.

L'histoire officielle des Jeune-Canada est connue. Plusieurs l'ont racontée, notamment le chanoine Groulx dans le troisième tome de ses mémoires. Ce qui est moins connu, c'est la vie interne du mouvement. Les manifestations extérieures, assemblées, tracts et articles, traduisent une certaine maturité intellectuelle chez des jeunes à peine sortis de l'adolescence. Il y a de l'allant, du pittoresque, des convictions certaines, quelques vues nouvelles sur la destinée du peuple canadien-français. Mais pour en arriver là, ce qu'il en a fallu de discussions, d'hypothèses échafaudées et démolies, de projets de textes mis au panier, parce qu'ils n'arrivaient pas à faire l'unanimité.

Nous nous étions mis en tête de réviser toutes les théories se rapportant aux notions de peuple, race, ethnie, nation, État. Car nous estimions que, pour agir avec discernement, il nous fallait savoir dans quelle catégorie se classent les Canadiens français. Nous estimions que nous formions un peuple, c'est sûr. Mais étions-nous une race? Pas certain. Une nation? Peut-être. Mais en répondant par l'affirmative, nous favorisions la formation d'un État. Alors nous débouchions sur le séparatisme, pour lequel personne n'avait vraiment de tentation à l'époque.

Cette introspection nous conduisait inévitablement à regarder autour de nous, à juger ceux qui n'étaient pas de notre appartenance, c'est-à-dire les Canadiens anglais et les Américains, avec toutes les conséquences géopolitiques qui découlent de l'implantation du fait français en Amérique du Nord. Comme toute l'élite canadienne-française de l'époque, nous étions des adversaires résolus de l'immigration, parce que conçue et pratiquée pour garder minoritaire le groupe français du Canada. Opposé à l'immigration, on finit par détester les immigrants. Est-ce ce sentiment d'hostilité qui amena les Jeune-Canada à tenir une grande assemblée sous le thème «Politiciens et Juifs»? Je n'en ai pas le moindre souvenir, parce que l'événement se produit au moment où je viens de me joindre au mouvement; je ne me souviens pas d'avoir participé aux discussions menant à une telle décision.

Pourquoi s'en prendre aux Juifs, quand au fond c'est à tout le Canada anglais que nous en voulons? Probablement parce qu'ils sont plus faibles et qu'ils sont à côté de nous, de chaque côté de la rue Saint-Laurent, ce qui fait qu'ils forment tampon entre l'Est français et l'Ouest anglais. Avons-nous été influencés par le nazisme qui prend le pouvoir à Berlin à ce moment-là? Durant les années trente, il existe un groupuscule fasciste, dirigé par Adrien Arcand, qui s'agite à Montréal. A-t-il jamais regroupé plus que quelques centaines d'adhérents? J'en doute. Ce que je tiens pour certain, c'est qu'il n'y eut jamais de contact ni de sympathie entre les deux mouvements. Arcand évoluait dans un monde qui nous était tout à fait étranger. Il était populiste, nous étions élitistes.

Nous formons, il faut le souligner, un groupe extrêmement fermé, une chapelle, un clan. N'entre pas qui veut. Les candidatures sont scrutées à la loupe. Aucune sympathie connue pour un parti politique, une pensée nationaliste pure et une conduite irréprochable. Ce qui fait que nos membres n'ont jamais dépassé la vingtaine, compte tenu des départs et des arrivées.

Quand et comment le mouvement a-t-il pris fin? Il n'est jamais mort, il a disparu, il s'est évaporé dans l'atmosphère. Pierre Dansereau est pensionnaire à Oka depuis 1933; André Laurendeau prend femme et part pour Paris en 1935; Paul Simard nous quitte pour une destination inconnue; la plupart, études terminées, s'engagent dans l'exercice d'une profession et se préparent à fonder une famille, deux entreprises fort risquées au plus profond de la dépression économique. Tout cela fait que les réunions s'espacent, les absences se multiplient jusqu'à ce que, les officiers et les soldats étant dispersés, il ne reste plus qu'un champ de bataille jonché d'archives. Même celles-ci furent largement emportées par le vent de l'oubli au fil des déménagements de leurs dépositaires.

Ce qui reste dans la mémoire de ceux qui ont vécu l'aventure, c'est la certitude d'avoir secoué une société en train de se congeler dans l'hiver de la déprime. Au moment où nous commencerons à sommeiller, d'autres s'agiteront à leur tour, notamment les Jeunesses patriotes, plus portés vers l'action, plus démonstratifs, décidés à aller au-delà de nos hésitations, à prôner l'indépendance du Québec et la création d'un État souverain dans la vallée du Saint-Laurent.

Au même moment prend naissance l'Action libérale nationale, parti politique fondé par Paul Gouin, qui canalisera pour l'action électorale les énergies de ceux qui aspirent à se sortir du marécage du désordre établi. Les années trente-cinq et trente-six seront témoins d'une des colères cycliques des Québécois. Le renversement du «régime corrompu et corrupteur» (Duplessis dixit) fera naître les plus fols espoirs chez ceux qui croyaient encore aux miracles politiques. Mais cela est une autre histoire dont il sera question plus loin.

À travers cette agitation hautement formatrice, il faut continuer à étudier. Pas trop, juste assez pour tenir la tête du peloton, ce qui laisse passablement de loisirs, généralement gaspillés dans des occupations anodines. Je ne me rappelle pas avoir étudié plus de deux semaines avant les examens de Noël et un mois avant ceux de fin d'année. C'est aux HEC que j'ai fait la démonstration que le cerveau humain est capable d'apprendre vite et d'oublier aussi rapidement. Si la culture est ce qui reste quand on a tout oublié, j'ai la conviction d'être un homme très cultivé.

J'allais oublier ce travail de recherche qu'il fallait remettre à la direction, avant le premier février de la troisième année. On lui donnait l'appellation pompeuse de thèse. En fait, il s'agissait d'une réflexion personnelle sur un sujet qu'on avait soi-même choisi et qu'on s'efforçait d'appuyer par un certain nombre d'exemples concrets cueillis à droite et à gauche, sans méthode de travail car nous n'étions guidés par aucun professeur ni maître de thèse. Ce que je connaissais du monde des affaires, je l'avais appris dans les livres. Par contre, comme fils d'habitant, victime comme beaucoup d'autres de la misère engendrée par la crise, témoin au cours des vacances passées dans ma famille de la détresse de cultivateurs acculés à la faillite, j'avais quelques idées sur ce que j'affublai du titre de *Notre Problème agricole*. Je n'ai jamais revu ce texte, mais je me rappelle qu'il était assez élégamment rédigé et passablement documenté. Apparemment, il possédait les qualités voulues pour retenir l'attention des correcteurs, mais plus par la forme que par le fond. Je m'étais d'ailleurs rendu compte, depuis ma première année, qu'il importait de remettre une copie d'examen sans faute et rédigée avec correction et élégance. Des professeurs comme Montpetit, Laureys, Minville, Lorrain, Parizeau étaient particulièrement sensibles à la qualité de la langue de leurs étudiants.

Ce travail bien fait, mais sans profondeur, me valut l'honneur d'obtenir dix-huit sur vingt, ex aequo avec François-Albert Angers, qui avait trimé dur sur une savante recherche de nature purement économique. Angers n'était pas tout à fait notre camarade, tout en l'étant. Il appartenait à la promotion précédente, mais il avait dû interrompre ses études une année pour raison de santé. Il nous avait rejoints au cours du dernier semestre de la dernière année afin de compléter sa licence.

Ce travail d'amateur sur un problème d'une extrême gravité devait avoir pour effet d'orienter ma carrière dans une direction imprévue. L'école avait pris l'habitude de faire publier en volume les meilleures «thèses» de chaque promotion. La mienne reçut cet honneur. Par quel hasard l'ouvrage finit-il par tomber entre les mains de l'abbé Armand Malouin, aumônier de l'Union catholique des cultivateurs pour le diocèse de Sherbrooke? Je ne l'ai jamais su. Ce que j'appris plus tard de la bouche même de l'abbé Malouin, c'est qu'il avait lu mon travail et qu'il avait insisté auprès du président général de l'UCC pour qu'on m'offrît un emploi au Secrétariat général de l'association. Comme quoi le hasard nous entraîne parfois dans des voies inattendues.

J'ai rappelé plus haut que Olivar Asselin avait lancé *L'Ordre* en janvier 1934. Il avait mobilisé son fils Pierre pour en assumer l'administration. C'était une toute petite boîte, qui permettait à Pierre de suivre tant bien que mal ses cours le jour, tout en gérant l'affaire le soir. Mais la rédaction de la soi-disant thèse était une toute autre affaire. Gaspésien par sa mère, il avait gardé, comme ses parents, un faible pour le Bas Saint-Laurent et pour la Gaspésie. Est-ce pour cela qu'il avait choisi comme sujet les pêcheries gaspésiennes? Probablement. Il avait amassé une certaine documentation sur le sujet, mais il ne trouvait pas le temps de rédiger le texte. Il obtint du directeur Laureys un premier sursis, puis un second. Finalement, la sentence tomba impitoyable: la thèse devra être remise avant le premier avril, sinon pas de parchemin.

Tant pis! On se débrouillera autrement. Nous sommes quatre copains, que nos camarades appellent couramment les trois mousquetaires, parce que nous sommes quatre et que nous sommes toujours ensemble. Pierre Asselin, Montréalais, fils de journaliste, bachelier du Collège de Montréal; Paul Rochon, d'Ottawa, fils de fonctionnaire, diplômé de l'Université d'Ottawa; Fernand Côté, de Victoriaville, fils de médecin, ancien du Séminaire de Québec; et moi-même, de L'Isle-Verte, fils de cultivateur, issu du Séminaire de Rimouski. Nous n'avons rien en commun, sauf une amitié bourrue et «rigolarde» qui durera jusqu'à la mort.

Pierre n'a pas le temps de rédiger sa thèse. Tant pis: Côté et moi, on s'en charge. Asselin nous remet sa documentation, nous en discutons sommairement, puis nous nous séparons le vendredi midi avec entente de nous retrouver le dimanche après-midi avec un texte complet, Côté se chargeant de l'introduction et de la première partie, moi de la seconde et de la conclusion, ou vice versa. Au jour dit, nous sommes chez Pierre Asselin, avec chacun une moitié de thèse. L'arrimage dans l'espace de cette navette scientifico-littéraire requiert quelques ajustements de vocabulaire et de style. Le chef-d'œuvre est dactylographié et remis à temps à la direction de l'école.

À l'époque, les finissants devaient comparaître devant un jury composé de quelques professeurs et d'une demi-douzaine d'hommes d'affaires prestigieux, comme Beaudry Leman, p-d.g. de la Banque Canadienne Nationale, Édouard Surveyer, ingénieur de SNC, Armand Dupuis, p-d.g. de Dupuis Frères. Jour solennel où l'école fait parader ses plus beaux poulains devant un aéropage d'employeurs en puissance. Le défilé se fait par ordre alphabétique, donc Pierre Asselin est le premier appelé. Je l'observe d'un œil un peu canaille. Comme entrée en matière, le directeur Laureys le félicite sur la qualité exceptionnelle de sa thèse: recherche sérieuse, rédaction soignée, style alerte. Asselin encaisse sans broncher, avec humilité comme il se doit. Son travail lui vaut la note seize, soit immédiatement après Angers et moi et avant Côté, le coauteur. Qu'on aille affirmer après cela que l'amitié n'est pas monnayable.

Les examens ne sont pas terminés que la secrétaire de M. Laureys m'intercepte dans un couloir: son patron désire me parler. Après deux mots d'entrée en matière, M. Laureys me déclare:

— Vous avez fait de bonnes études. L'école songe à recruter de jeunes professeurs. Seriez-vous intéressé à aller compléter votre formation à l'étranger, pour revenir ensuite enseigner? Je puis vous obtenir une bourse.

— Ma foi, oui; je n'y ai pas réfléchi, mais ma réaction est plutôt favorable.

— Très bien, retournez dans votre famille, reposez-vous, je communiquerai avec vous durant l'été.

Les emplois sont rares en ce printemps 1934. C'est la grande dépression dans ce qu'elle a de plus sinistre. Paul Rochon est seul finissant de la promotion à être assuré d'un emploi, parce que, originaire d'Ottawa, il est bilingue. Les autres se placent tant bien que mal: quelques-uns entrent en stage dans un bureau de comptables en vue de se préparer aux examens de l'Ordre des comptables agréés, d'autres se faufilent dans le fonctionnarisme, municipal et provincial, un très petit nombre arrive à s'introduire dans les affaires au bas de l'échelle. Tout le monde végète; vingt-cinq dollars par semaine est un traitement presque scandaleux. L'école étant une institution encore jeune, les anciens ne sont pas assez haut placés pour hisser leurs cadets derrière eux. Eux-mêmes ont du mal à se débrouiller. Urgel Mitchell, diplômé des années vingt, gagne sa croûte à la lutte professionnelle sous le nom de Cyclone Mitchell. Dans les années cinquante et soixante, les employeurs feront le pied de grue à la porte de l'école, afin de mettre le grappin sur les meilleurs sujets. Dans les années trente, les diplômés font vainement le piquet à la porte de bureaux qui n'embauchent pas.

Comme on m'a conseillé de me reposer avant de partir pour l'étranger, je ne cherche pas d'emploi et je retourne à L'Isle-Verte, emportant avec moi quelques traités d'économie politique. L'été avance, pas de nouvelles de Laureys. Vers la mi-août, j'écris pour savoir ce qu'il advient de la bourse promise. La secrétaire me répond que M. Laureys est en Europe, qu'il communiquera avec moi dès son retour. J'attends, j'attends patiemment. Finalement vers la mi-octobre, je reçois un mot de M. Laureys. En deux paragraphes, il m'explique que toutes les bourses sont abolies pour cause de restrictions budgétaires et qu'il est désolé de ne pouvoir donner suite au projet qu'il m'avait proposé.

Me voilà donc à l'ancre à L'Isle-Verte en plein automne et en pleine crise. Que faire? Autant passer l'hiver ici et me préparer à regagner Montréal au printemps, quand les perspectives d'emploi seront meilleures. Pour passer le temps, je fais un peu de tout: je donne un cours privé à un fils de bonne famille; je vérifie les livres de la municipalité; je monte un système de comptabilité pour la mutuelle d'assurance-incendie de la paroisse. De quoi payer mes cigarettes et ramasser quelques sous en vue de mon retour à Montréal.

En 1934, le gouvernement Bennett avait fait adopter une batterie de lois à caractère social, notamment la Loi sur les concordats agricoles. Les cultivateurs pris dans les griffes de leurs créanciers étaient autorisés à leur proposer un règlement à l'amiable, à quarante, cinquante ou soixante pour cent de leur créance, selon leur capacité de payer. La crise avait fait grimper la valeur de l'argent; il n'était que raisonnable de rembourser en proportion inverse de la hausse du dollar.

Durant cet hiver 1934-1935, quelques cultivateurs venaient me demander de les aider à faire leur bilan et à préparer une proposition à soumettre à leurs créanciers devant le registraire régional, un fonctionnaire nommé à cette fin par le gouvernement fédéral. Je les accompagnais au bureau du registraire à Rivière-du-Loup. Si les parties n'arrivaient pas à s'entendre, un tribunal d'appel provincial tranchait le différend d'une façon irrévocable. Il va sans dire que mes services étaient gratuits.

C'est à l'occasion d'une audience devant la commission d'appel en avril 1935 que mon avenir se décida. Cette commission était présidée par un juge de la Cour supérieure, assisté de deux adjoints, l'un étant censé représenter les créanciers, l'autre les débiteurs. Ce dernier n'était nul autre que M. Albert Rioux, président général de l'Union catholique des cultivateurs. Je connaissais déjà Albert Rioux pour être allé chez lui à Sayabec, car le plus jeune de ses frères, Pierre, était mon camarade de classe. Albert Rioux avait fait ses études classiques au Séminaire de

Rimouski, avait tâté de la vocation de jésuite sans prendre racine, avait étudié l'agronomie à l'École d'agriculture de Sainte-Anne-de-la-Pocatière, pour retourner prendre la direction de la ferme familiale. Il avait rapidement gravi les échelons de l'UCC pour en devenir le président général en 1932.

À la fin de la session du matin, Albert Rioux m'invite au restaurant. Il m'explique tout de go que l'UCC songe à retenir les services d'un économiste ayant pour fonction de poursuivre des recherches sur l'écart entre les prix payés aux producteurs agricoles et les prix payés par les consommateurs. C'était la grande question de l'heure, parce que le ministre du Commerce de M. Bennett, H.H. Stevens, avait mené une enquête sur le sujet pour toutes les matières premières et les denrées agricoles, enquête qui avait révélé des écarts scandaleux. M. Stevens s'était brouillé avec son chef, avait formé son propre parti et s'apprêtait à présenter des candidats dans tous les comtés aux élections qui devaient obligatoirement se tenir en 1935, le mandat limite de cinq ans étant expiré.

À l'UCC, on songe à poursuivre des recherches sur le sujet pour arriver à convaincre les autorités, fédérales et provinciales, de fixer d'autorité un prix de base pour les produits de la ferme. J'explique à Albert Rioux que je ne suis pas tout à fait un économiste, même si l'économie politique est une matière importante au programme des HEC. Mais je m'empresse d'ajouter qu'il n'existe pas d'économiste de formation chez les Canadiens français, la matière étant considérée comme un sujet de culture générale plutôt qu'une discipline scientifique.

Nonobstant ma savante dissertation, Rioux m'invite à poser ma candidature au poste que l'UCC s'apprête à créer, en me pressant de faire vite, car le Comité exécutif se réunit la semaine suivante. À plus de cinquante ans de distance, je me rappelle, comme si c'était hier, à quel point je fus éberlué et hautement comblé de recevoir par retour du courrier un mot d'acceptation de ma candidature, avec mention de bien vouloir indiquer le traitement que j'estimais convenable. Je décidai de fixer moi-même ma rémunération au niveau très confortable de vingt-cinq dollars par semaine, ce qui fut spontanément accepté. C'est ainsi que le 25 mai 1935, je fis mon entrée au secrétariat général de l'UCC, au 5505, rue Saint-Laurent, Montréal. J'étais le gars le mieux placé de ma promotion.

6

VEAUX, VACHES, COCHONS, COUVÉES

En 1935, l'UCC a onze ans. Elle est à mi-chemin entre l'enfance et l'adolescence. Elle compte un peu plus de dix mille membres, soit moins de dix pour cent des cultivateurs québécois. Elle a du mal à s'implanter pour deux raisons: les cultivateurs vivent dans une extrême pauvreté; elle a la réputation, pas tout à fait imméritée, d'être dirigée par des bleus.

Elle avait pris naissance en 1924, à l'occasion d'un congrès de deux mille cultivateurs dans la ville de Québec. C'est Noé Ponton, agronome, directeur du *Bulletin des Agriculteurs*, qui avait déclenché l'affaire par une série d'articles dans son hebdomadaire. Laurent Barré, de l'Ange-Gardien, dans le comté de Rouville, se fit remarquer par son éloquence robuste et sortit du congrès avec la fonction de président général, un peu à son corps défendant. Il dut quitter deux ans plus tard, à cause de sa réputation de politicien conservateur, et fut remplacé par Aldéric Lalonde, qui l'était encore davantage. Au bout de six ans, c'est Albert Rioux, lui aussi conservateur confirmé par une candidature malheureuse dans le comté de Matapédia, qui prend la relève.

Une organisation de bleus, quand tout le Québec est rouge d'un travers à l'autre, n'est populaire ni chez les cultivateurs ni auprès du gouvernement libéral, surtout pas auprès du ministre de l'Agriculture Caron, chez qui la partisanerie politique l'emporte sur l'examen impartial des problèmes agricoles. Ce qui fait que l'UCC vivote depuis le début au niveau de ses dix à douze mille membres.

Il y a moins de trois mois que je suis en fonction que le conseil général se réunit à Montréal. À l'ordre du jour, recrutement d'un rédacteur pour l'hebdomadaire du mouvement, *La Terre de Chez Nous*. Qui a eu l'idée saugrenue de proposer mon nom? Aucun souvenir. J'eus beau alléguer que je n'avais jamais fait de journalisme, que je connaissais à peine les questions dont il faudrait traiter de semaine en semaine, rien n'y fit. À l'unanimité du conseil, mon avenir pour les vingt-huit prochaines années était décidé. Je serais journaliste.

En fait, je serais, durant deux ans, le seul journaliste de la boîte. Je ferais tout le journal, ou presque. J'espère que personne n'aura un jour la malsaine curiosité d'aller fouiller dans les papiers que j'ai dû produire à l'époque. Vaut mieux les laisser dormir. La partie la plus agréable et la plus enrichissante de ma fonction était la couverture des congrès régionaux. Durant douze ans, d'abord comme journaliste, puis comme secrétaire général, j'ai littéralement couvert la province de Québec, de la Gaspésie à l'Abitibi, du Lac-Saint-Jean aux Cantons-de-l'Est. Personne ne connaissait mieux que moi les routes, les chemins, les villages, les bureaux de poste du Québec. J'ai pris la parole des centaines de fois dans des salles enfumées, surchauffées ou réfrigérées. Voyages de nuit autant que de jour, par des chemins de gravier ou de terre, empoussiérés, raboteux, tortueux, risquant à chaque détour d'emboutir une charrette ou de heurter un animal domestique ou sauvage.

C'était épuisant, pour ne pas dire crevant. Je me souviens avoir terminé un congrès le jeudi à Chicoutimi, être rentré à Montréal le vendredi, avoir fait tout le journal le samedi et le dimanche, avoir repris la route le lundi matin pour un congrès le mardi au Témiscamingue. Un train d'enfer de campagne électorale qui durait neuf mois par année. Seuls janvier, février et mars m'accordaient un certain répit. Mais aussi quelle satisfaction et quelles leçons de bon sens! Les cultivateurs de l'époque parlaient peu, parce qu'ils avaient peu d'instruction. Mais quand ils se hasardaient à s'exprimer, c'était avec un sens du réel qui forçait l'admiration. Je me rappelle, entre des dizaines d'autres, Pierre Turgeon du comté de Dorchester, médaillé d'or du Mérite agricole, tête d'aristocrate, grand, mince, musclé, parlant lentement, d'un langage correct et imagé, nullement agressif ni revanchard, mais ferme sur les revendications que l'Union devait exprimer. À un tel contact, on apprend à dire simplement des choses vraies. Un inquisiteur de la télévision me demanda un jour, et en anglais par-dessus le marché, où j'avais appris à m'exprimer avec autant de clarté et de concision: «À parler aux habitants» que je lui répondis. Il n'en croyait pas ses oreilles.

Mon arrivée à l'UCC se produit au moment où l'agitation politique prend de l'ampleur dans le Québec de la crise économique. Paul Gouin, fils d'un ancien premier ministre libéral, a déjà lancé l'Action libérale nationale, mouvement dissident du parti qui gouverne le Québec depuis 1897. Il rencontre une chaleureuse sympathie auprès de la classe nationaliste du Québec et des éléments dynamiques du parti dont il est issu. Maurice Duplessis, élu chef du parti conservateur dans des circonstances plutôt louches au congrès de Sherbrooke en 1933, subit le ressac de l'impopularité croissante du gouvernement Bennett à Ottawa. Il est peu connu dans le public, et il compte à l'intérieur de son parti des adversaires qui sont restés fidèles à l'ancien chef Camillien Houde. Une entente de caractère purement électoral entre les deux factions d'opposition ébranle le gouvernement libéral lors d'une première élection à l'automne 1935. Les scandales révélés au Comité des comptes publics, habilement manœuvré par Duplessis, font le reste. Le premier ministre Taschereau démissionne avec une majorité de collègues. Adélard Godbout, ministre de l'Agriculture, prend la relève à la tête d'un parti en pleine débandade et un gouvernement déjà battu dans l'opinion publique. L'élection d'août 1936 confirmera le verdict. La coalition électorale sera devenue dans l'intervalle l'Union nationale.

C'est quelque part en juillet 1936 que la première tentation de la politique vint me hanter sous le masque d'un notaire de Rivière-du-Loup. Le député libéral du comté, Me Léon Casgrain, est un garçon charmant, voire intelligent et de bonne compagnie. Dans le brouhaha du front commun de 1935, l'opposition avait suscité la candidature d'un brave type de cultivateur, plus gueulard qu'éloquent, envoyé à l'abattoir pour la seule raison qu'il fallait une victime. Mais en 1936, le pouvoir était à portée de la main. Un candidat avec de la substance pouvait prendre le comté.

Pourquoi venir me solliciter à Montréal, où je suis installé depuis un an, avec une perspective de carrière intéressante? Je suis né dans le comté de Rivière-du-Loup, ma famille est avantageusement connue, mes succès scolaires ont fait un certain bruit, bref, l'idée n'était pas sans mérite. Mais ce n'était pas le genre d'avenir que je me proposais de bâtir. Élu? Probablement, mais après? J'ai vingt-six ans, je songe au mariage, j'ai un bon emploi. Pourquoi lâcher la proie pour l'ombre? Plus tard, je ne dis pas non; pour le moment, c'est un refus. Ce fut sûrement une des décisions les plus sages que j'aie prises dans ma vie. Faire de la politique sous Duplessis? Pouah! Mais c'est beaucoup plus tard que je me rendrai compte que j'avais frôlé l'abîme.

À l'UCC les élections de 1936 sont vécues avec intensité. Le président Albert Rioux nous quitte pour poser sa candidature contre le ministre T.D.

Bouchard, dans Saint-Hyacinthe, où il sera battu par quelques voix seulement. Le vice-président, J.-Abel Marion, est promu à la présidence, poste qu'il occupera presque vingt ans. Abel Marion, homme charmant, esprit fin, langage imagé, tempérament prudent devenant avec les années de plus en plus conservateur. Il n'est pas fait pour le bureau, la paperasse, l'administration. Ce qu'il adore et qu'il fait avec beaucoup d'habileté c'est la diplomatie, le contact personnel avec ministres, députés, fonctionnaires. Durant les trois années du premier gouvernement Duplessis 1936-1939, il passera à Québec le plus clair de son temps, à faire quoi au juste? On ne sait trop, mais il est efficace dans la fonction qu'il s'est donnée. Cette absence crée au Secrétariat général de Montréal un vide, qui ne peut être rempli par le titulaire du poste, Raymond-Marie Pucet, originaire de Normandie, arrivé là on ne sait trop pourquoi ni comment, personnage prolixe mais sans profondeur, soucieux de garder son poste en dépit de la hargne que lui voue le nouveau président. Je continue à faire le journal, tout seul. Je jouis d'une liberté entière. Je commence ma carrière sans patron. Il en sera ainsi durant quarante ans. La belle vie!

À Québec, il se passe un événement important, la création de l'Office du crédit agricole. J'ai rappelé plus haut que le Parlement fédéral avait voté en 1934 la Loi des concordats agricoles. Il lui manquait un complément, une institution de prêt à bas taux d'intérêt, permettant aux débiteurs de consolider leurs dettes.

Après avoir accepté une réduction de leurs créances, les prêteurs privés exigeaient d'être remboursés, mais l'institution de crédit, qui fonctionnait à partir d'Ottawa, avait été conçue pour les producteurs céréaliers des Prairies, et semblait incapable de s'ajuster aux conditions d'une agriculture mixte, comme on la pratiquait au Québec. L'Office du crédit agricole, mis sur pied dès l'automne 1936, sauva de la faillite des milliers de cultivateurs. C'est autant qu'il faut inscrire au crédit du premier ministre de l'époque, Maurice Duplessis.

Défait dans Saint-Hyacinthe, Albert Rioux est sitôt nommé sous-ministre à l'Agriculture. Choix peu judicieux. La fonction en est une d'administrateur. Albert Rioux est un imaginatif, un fabricant d'hypothèses; il ne connaît pas la valeur de l'argent ni la rigueur d'un budget. Un jour qu'il voulait me persuader de prendre la direction d'une société mutuelle d'assurance-vie que l'UCC voulait lancer, il me dit comme ça: «Après tout c'est simple, c'est de l'argent qui entre et de l'argent qui sort.» — «Eh! oui, que je lui répondis, c'est comme les tramways, on entre par un bout et on sort par l'autre.» Je lui conseillai de retenir les services de quelqu'un qui avait du métier, Thuribe Belzile, à l'emploi de la Sun Life depuis sa sortie des HEC en 1930. C'est lui qui mit sur pied la Mutuelle-Vie de l'UCC et qui me succéda comme secrétaire général à mon départ en 1947.

Donc Albert Rioux étant sous-ministre à l'Agriculture à l'automne 1936, il vient rencontrer les gens de l'UCC, en congrès général à Québec en octobre.

À un certain moment, il me prend à part pour m'exposer un projet qu'il entend soumettre à son ministre, Bona Dussault. Ce projet consiste en ceci: déléguer en Europe un agronome et un diplômé des HEC pour enquêter sur les organisations agricoles des vieux pays, et plus particulièrement sur leurs méthodes de mise en marché des produits de la ferme. Deux pays en particulier doivent faire l'objet d'une étude poussée, la Belgique et son Boerenbond, et le Danemark et ses abattoirs coopératifs.

Sans trop réfléchir et un peu à la blague, je lui lance: «L'agronome, connais pas; mais le diplômé des HEC, j'en connais un. — Qui? — Moi.» Un peu décontenancé, Rioux me répond qu'il doute fort que l'UCC me laisse partir pour plusieurs mois. Mais si j'en obtiens l'autorisation, ma candidature serait sûrement acceptable. Quelques semaines plus tard, Rioux me donne un coup de fil pour m'informer que le projet est accepté; le ministère me verse une bourse de deux mille dollars, mais il est toujours à la recherche de l'agronome qui pourrait m'accompagner. L'agronome? Continuez à chercher; si vous en trouvez un, tant mieux. Sinon je pars sans lui, fin janvier 1937.

Mais il y avait un empêchement sérieux à l'escapade: un projet de mariage pour le printemps suivant. Une grande fille avait traversé mon champ de vision le jour d'août 1930 où le gouvernement Mackenzie King avait subi la défaite aux mains de R.B. Bennett, chef du parti conservateur. J'occupais une fonction quelconque au bureau de scrutin logé dans le magasin général de Jos. Dubé dit Pépette dans la route du Quai à L'Isle-Verte. Entre deux électeurs, j'aperçois une jeune fille qui m'est inconnue. À L'Isle-Verte, une inconnue, c'est denrée rare. Je demande à quelqu'un du village s'il connaît la belle étrangère. Bien sûr, c'est Françoise Servêtre, la cadette de Madame Servêtre qui habite juste ici en face. Tu sais, Madame Servêtre, c'est une Rouleau, la sœur des demoiselles Rouleau, les maîtresses de poste, les sœurs du cardinal Rouleau, archevêque de Québec. Ah...

Les choses en restèrent là. Trois ans plus tard, nous nous sommes rencontrés par hasard à l'incendie de l'église Saint-Jacques par une journée froide de février 1933. Les fréquentations furent lentes à démarrer, pas par manque d'intérêt mais par souci de ne pas m'engager d'une façon irréversible avant d'avoir un emploi stable. Mais à l'automne 1936, mes deux copains Paul Rochon et Pierre Asselin sont déjà mariés, le troisième, Fernand Côté, s'apprête à en faire autant. Comme je ne peux pas être un lâcheur, j'engage les négociations les plus faciles de ma carrière. D'un mouvement spontané et dans un geste de confiance et d'amour réciproques, nous convenons que le mariage aura lieu au printemps 1937.

Cette fugue en Europe remet tout en question. La solution? La faire à deux. Et c'est ainsi que le 25 janvier 1937, Françoise Servêtre et Gérard Filion s'unissaient pour la vie en la chapelle du Sacré-Cœur de la paroisse de l'Immaculée-Conception. En six mois j'avais pris deux décisions que je n'ai jamais regrettées: non à la politique et oui au mariage.

Le 31 janvier, nous nous embarquons à New York sur le *Roma*, navire amiral de la ligne italienne, qui entreprend une croisière en Méditerranée. Escales à Madère, Gibraltar, Alger, Naples, etc. Les passagers sont tous des Américains de classe moyenne. Le *Roma*, qui sera envoyé par le fond quelques années plus tard, n'offre pas le luxe des grands paquebots qui seront construits au lendemain de la guerre, classe *Normandie* et *Reine-Elizabeth*, mais c'est quand même très confortable avec service et table à l'italienne. Malheureusement, il faut débarquer à Naples, car je ne suis pas en vacances mais au service de Sa Majesté le roi de Grande-Bretagne et d'ailleurs, qui règne à Québec. Durant quatre mois, nous avons rayonné dans tous les pays de l'Europe occidentale, visitant des abattoirs, des marchés, des encans, des foires, rencontrant des directeurs de syndicats et de coopératives, empilant dans des malles gonflées des masses de documents dans les langues de chaque pays: l'italien, le français, l'anglais, le flamand, le danois, l'allemand. De tout cela, il m'est resté le souvenir de trois centres, où l'organisation des agriculteurs était sérieuse et efficace: Lyon et l'Union du Sud-Est des syndicats agricoles, avec tous les services auxiliaires de coopératives, de mutuelles et de caisses de crédit; Louvain, avec son réseau serré de sociétés groupées autour de Boerenbond; Copenhague, avec ses coopératives plus décentralisées mais drôlement efficaces sur les marchés d'exportation.

Pour finir, six semaines de flâneries à Paris, voir un peu de tout et dépenser jusqu'aux derniers sous de la bourse. Paris 1937, c'est le Front populaire de Léon Blum comme premier ministre, c'est l'Exposition universelle en retard de plusieurs semaines, c'est aussi le spectre de la guerre qui se profile à l'Est. Nous avions séjourné à Berlin, au retour du Danemark, au lendemain du premier mai. Hitler avait accaparé cette fête des travailleurs pour en faire une manifestation grandiose à la gloire du national-socialisme. La ville était encore couverte d'oriflammes et résonnait des airs martiaux qui scanderaient plus tard la marche des divisions nazies à travers l'Europe. Dans le train nous amenant de Berlin à La Haye, nous engageons la conversation, un peu en français, un peu en anglais, quelques mots d'allemand, avec des voyageurs d'Europe centrale: un Juif polonais, un couple de Lituaniens, un ou deux Tchécoslovaques. Tout étonnés de rencontrer des Canadiens, ils s'informent de l'Amérique, ils nous disent leur appréhension de ce qui se pointe à l'horizon, ils nous donnent leur adresse et nous font promettre de leur écrire. Ce que, à ma courte honte, je ne ferai pas.

Paris, c'est aussi des retrouvailles avec des amis qui nous ont précédés; André Laurendeau, dont la fille Francine s'exerce à ses premiers balbutiements. Il est auditeur libre dans quelques facultés, il ne convoite pas de parchemin, il ne s'instruit pas, il se cultive. Il n'est déjà plus le Jeune-Canada du début de la décennie, mais pas encore le Laurendeau de l'âge mûr. De nature sensible, il se laisse impressionner par la faconde des intellectuels français.

François-Albert Angers suit sérieusement des

cours sérieux. Contrairement à ce que pensent les gens qui le connaissent mal, Angers est un garçon gai, qui aime rire et se distraire. Surtout qu'il a un grand respect pour les opinions qu'il ne partage pas; toute sa vie il sera entouré de contradicteurs qui ne perdront pas pour autant son estime. Un autre Jeune-Canada, le docteur Paul Dumas, fait de l'internat dans les hôpitaux de Paris. Pour lui, cette aventure de jeunesse est déjà une affaire classée. Il fera une longue carrière, partagée entre la médecine et tout ce qu'il y a de beau et de bon dans la vie, la musique, la peinture, le vin.

Pour les jeunes que nous sommes, la vie parisienne se boit à petites gorgées: une larme de théâtre, entre autres les Pitoëff, un zest de musée, un glaçon de cathédrale, le tout additionné d'un Bal-Tabarin. Au numéro un de la rue Bréa, nous empilons les soucoupes dans lesquelles le fils du propriétaire du bistro, Turc de son nom, mais pas de nationalité, nous sert les consommations, tout en blaguant avec le chasseur de la boîte ultra-chic d'en face. Le bus de la ligne Q-Plaisance fait un arrêt tout juste là; à une dame collet monté qui lui demande où se trouve l'arrêt du Q, le chasseur répond: «Entre vos deux fesses, madame.»

Montréal est à des années lumière de nos soucis. Mais les fonds s'épuisent vite et il faut se hâter de rentrer. L'*Ascania*, qui relie Southampton à Montréal, fait escale à Québec, fin juin. Les journaux locaux font la manchette avec une déclaration de l'abbé Groulx: «Notre État français, nous l'aurons.» C'est le

Congrès de la langue française et nous voici replongés au cœur de nos problèmes qui paraissaient tellement petits à partir de l'autre côté de l'océan.

Dans le port de Montréal, ma belle-famille nous attend. Nous l'avons échappé belle, car il ne restait pas assez d'argent pour payer la course du taxi nous ramenant à la maison. Un voyage rapide à L'Isle-Verte pour revoir ma vieille mère qui n'en a plus que pour quelques années. Rentré à Montréal, je reprends ma tâche de journaliste, mais pour deux semaines seulement. Le conseil général, qui se réunit dans la deuxième quinzaine de juillet, me bombarde secrétaire général au désespoir de ce brave Monsieur Pucet, à qui on confie une tâche secondaire en attendant qu'il soit licencié. À l'époque, la sécurité d'emploi n'était même pas une vue de l'esprit. Le renvoi sans indemnité était monnaie courante. Tu ne fais plus l'affaire, va-t-en, et trouve-toi un job ailleurs.

C'est avec la tête pleine d'idées et d'illusions que je m'attelle au wagon de l'UCC. J'ai les coudées franches, mais les ressources sont limitées. Je bous d'impatience, mais je dois faire du surplace, en attendant qu'un obstacle majeur soit levé: la guerre larvée entre l'UCC et la Coopérative fédérée.

Une histoire qui remonte à 1922. À l'époque, trois coopératives agricoles ont des ennuis financiers. Pour leur éviter la faillite, le gouvernement intervient pour les fusionner, geste louable, mais il s'attribue un droit de tutelle sur leurs affaires, ce qui irrite les cultivateurs. Dès sa fondation, l'UCC réclame la levée de cette tutelle, ce que le ministre Caron refuse obstinément. Tant pis, elle mettra sur pied, en 1929, son propre service de mise en marché et d'approvisionnement connu sous le nom de Comptoir coopératif. Une guerre sans merci s'engage entre les deux, dont les cultivateurs font naturellement les frais. Le nouveau ministre de l'Agriculture, Adélard Godbout, a beau apporter un correctif, rien n'y fait; ce qui au départ était une guerre de principes a dégénéré en lutte de personnes. Il faut qu'il y ait des vainqueurs et des vaincus.

En 1937, les forces en présence penchent plutôt en faveur de l'UCC. Le nouveau gouvernement ne soutient plus la Fédérée. Son directeur général, M. Desmarais, a vieilli. Henri-C. Bois, directeur du Service d'économie rurale du ministère de l'Agriculture, quitte le fonctionnarisme pour occuper un poste de direction à la Fédérée, avec promesse de succéder à M. Desmarais. Du côté de l'UCC, Abel Marion est un homme pratique, peu enclin aux ergoties juridiques, prêt à faire des compromis menant à une solution acceptable. Des discussions s'engagent. Du côté de la Fédérée, les protagonistes sont Desmarais et Bois; Marion conduit les pourparlers pour l'UCC; je l'aide de mon mieux. L'UCC est prête à fermer le Comptoir coopératif, mais avec l'assurance que la Fédérée sera dirigée comme une vraie coopérative, libre de toute ingérence politique. Du côté de la Fédérée, on exige que, s'il doit y avoir un apport de sang extérieur, la chose se fasse en respectant le caractère de l'institution, qui est une coopérative de coopératives. Pas question par conséquent d'accepter des administrateurs qui ne sont pas membres de coopératives affiliées.

La discussion se transporte au contentieux du ministère de l'Agriculture. Le conseiller juridique entend les parties, scrute les dispositions de la loi, émet des hypothèses, qui sont analysées à la lumière des conséquences qui peuvent en découler. Finalement on s'entend sur une formule par laquelle quelques directeurs de l'UCC, membres de coopératives locales affiliées, siégeront au conseil de la Fédérée, moyennant quoi l'UCC s'engage à faire élire Henri-C. Bois, comme vice-président et membre de son comité exécutif. Une querelle vieille de quinze ans prend fin. Il en restera, bien sûr, quelques séquelles. Au cours des décennies, il surgira des différends entre les deux centrales, parce que l'une verra les problèmes sous l'angle de ce qu'elle croit être l'intérêt général de la classe agricole, tandis que l'autre, de par sa fonction, sera portée à les analyser sous leur aspect commercial. Mais, après plus de cinquante ans, les deux centrales continuent à mener leurs affaires sans empiéter sur la compétence de l'autre. Le dossier fermé ne sera jamais rouvert.

Cette affaire réglée, l'UCC peut s'attaquer en toute sécurité à la poursuite des fins pour lesquelles elle a été créée: renseigner, défendre, organiser.

Renseigner, c'est-à-dire mettre les cultivateurs à l'étude de leurs propres problèmes. En été, pas facile de faire travailler les cultivateurs de la tête; mais en hiver, les veillées sont longues. La radio pénètre à peine dans les campagnes, la télévision n'est même pas un futurible, les chemins sont bloqués avec la première chute de neige et ne seront dégagés qu'au printemps. L'abbé Alphonse Belzile, aumônier dans le diocèse de Rimouski, a l'idée ingénieuse de lancer ce qu'il appelle des équipes d'étude. Dans chaque bout de rang, de cinq à huit cultivateurs, jamais plus, se réunissent une fois par semaine, tantôt chez l'un, tantôt chez l'autre, pour discuter d'un sujet précis esquissé dans un feuillet qui leur est distribué, ou dans *La Terre de Chez Nous.* Pendant une vingtaine de semaines, ils mâchonneront tous les problèmes reliés aux coopératives, aux mutuelles, aux syndicats, aux caisses d'épargne et de crédit, sans pour autant mettre de côté les aspects proprement technique du métier.

Le mouvement lancé dans Rimouski se répand comme un feu de prairie. Les dernières années de la crise et les six années de guerre, soit de 1937 à 1945, ont connu une mobilisation de la matière grise de la classe agricole comme jamais auparavant. La guerre terminée, les distractions, croissant en nombre et en intensité, effilocheront le tissu social de la campagne québécoise. On se voisinera de moins en moins, jusqu'à ce que la télévision, l'automobile, les voyages d'affaires et de plaisir feront qu'on vivra en campagne comme en ville, sans s'occuper des voisins.

On étudie pour agir, et on agit. En quelques années et malgré les pénuries de guerre, des coopératives prennent naissance, les caisses populaires se multiplient. Le mouvement gagne les villes où naissent un peu partout des coopératives de consommation. Sous l'impulsion de l'école d'agriculture de La Pocatière, les pêcheurs gaspésiens sortent de leur torpeur et s'emploient à secouer leurs chaînes.

En avril 1939, le père Georges-Henri Lévesque, dominicain, directeur de l'École des sciences sociales, politiques et économiques de l'Université Laval, convoque une rencontre des représentants des mouvements coopératifs et des associations vouées à la propagation de la doctrine coopérative. Assistent à la réunion: Victor Barbeau, président de la Familiale de Montréal et représentant les coopératives de consommation; Henri-C. Blois, directeur général de la Coopérative fédérée; Cyrille Vaillancourt, secrétaire de la Fédération des unions régionales des caisses populaires Desjardins; René Paré, président de la Société des artisans et de l'Union des mutuelles-vie d'Amérique; Alexandre Boudreau, représentant l'École des pêcheries de La Pocatière et les Pêcheurs-Unis du Québec; Philippe Lessard, délégué des syndicats catholiques; Gérard Filion, secrétaire général de l'Union catholique des cultivateurs.

Les personnes présentes conviennent de former un organisme ayant pour fonction de chapeauter l'ensemble du mouvement coopératif, en vue d'en préciser la doctrine et d'en coordonner les actions. Il est convenu de l'appeler modestement le Conseil supérieur de la coopération. Le père Lévesque en assume la présidence. L'organisme se dote d'un organe mensuel qui portera le nom bien trouvé, *Ensemble*.

C'est quelques années plus tard que le père Lévesque publia dans *Ensemble* un article sur la confessionnalité, qui provoqua une chicane de clercs presque aussi violente que celle qui déchira la société québécoise au siècle précédent entre les ultramontains et les libéraux. En somme, l'article ne disait rien de très révolutionnaire. Quelque chose comme ceci: les coopératives étant des organismes œuvrant dans le monde des affaires ne peuvent pas et ne doivent pas être confessionnelles, parce que leurs gestes sont de nature à compromettre l'Église dans un domaine purement matériel. On peut s'étonner aujourd'hui qu'un énoncé aussi simple ait pu faire problème, mais à l'époque on était facilement intégriste.

Certains éléments du mouvement des caisses populaires se crurent visés par l'article et en prirent prétexte pour amorcer une rupture; il en sera question plus loin. Du côté des coopératives agricoles et des coopératives de consommation, pas de problème. L'article de la revue *Ensemble*, tout à fait acceptable sur le plan doctrinal, n'était peut-être pas opportun, étant donné qu'il ranimait une querelle en train de s'amortir.

Ce cher père Lévesque dut une fois de plus se défendre contre les intégristes qui voulaient sa peau et les politiciens qui voulaient sa tête. L'affaire alla, paraît-il, jusqu'à Rome, qui dut une fois de plus être ennuyé par le crêpage de chignon des clercs québécois.

À l'UCC, nous étions indirectement mêlés au

mouvement du retour à la terre, qui fut particulièrement vigoureux au cours des années trente. On a écrit passablement de sottises sur le sujet. Comme il se doit, un savant universitaire a inventé un terme en isme — agriculturisme — pour désigner le phénomène. Bien qu'historien, le pauvre homme n'avait rien compris au mouvement de la pénétration du continent par les défricheurs de la vallée du Saint-Laurent.

Pour jeter un certain éclairage sur le sujet, il faut remonter autour des années 1830. À l'époque, les seigneuries sont entièrement défrichées et la population, en croissance rapide, ne sait plus où aller s'établir. Ce surpeuplement s'explique par un ensemble de causes qui coïncident rarement dans l'histoire d'un peuple. Nous sommes d'abord en présence d'une population de pionniers face à des espaces illimités; dans un tel cas, on assiste toujours à une croissance démographique rapide. En deuxième lieu, la mortalité infantile, contrairement à l'opinion répandue, est peu élevée par rapport à celle de l'Europe occidentale. Troisièmement, cette population, largement dispersée sur les deux rives du Saint-Laurent, est peu décimée par les épidémies, qui, à la même époque, ravagent les nations du vieux continent. En dernier lieu, les guerres napoléoniennes, meurtrières et destructrices, et les conquêtes coloniales fauchent des millions de vies humaines et épuisent les ressources alimentaires et financières de tous les peuples vivant entre l'Atlantique et l'Oural. Rien de tel au Canada; la guerre canado-américaine fait peu de dommages dans la vallée laurentienne.

L'entassement de la population dans les seigneuries crée un malaise social profond: les exploitations agricoles s'émiettent entre plusieurs héritiers, les villages se gonflent d'une jeunesse frémissante qui cherche vainement un emploi. Cette condition sociale n'est pas étrangère à l'explosion de violence des années 1837 et 1838. Le contrôle des dépenses par l'assemblée élue n'était pas une coutume démocratique à ce point ancrée dans l'esprit de la population qu'elle pouvait à elle seule déclencher un soulèvement populaire. Il fallait des conditions sociales qui irritent le peuple et le poussent à la violence. Une suite de mauvaises récoltes et la pénurie de terres furent au nombre des déclencheurs de la rébellion.

La pression démographique finit par faire sauter les barrières. Les gens de Charlevoix allèrent coloniser le Saguenay; ceux du Bas-Saint-Laurent se répandirent vers la Matapédia et la Gaspésie; les Nicolétains pénétrèrent les Bois-Francs où ils se butèrent aux loyalistes des Cantons-de-l'Est et aux grands propriétaires, favoris du gouverneur Craig; dans la région de Montréal, on se dirigea principalement vers l'Est ontarien, Prescott et Russell, les Laurentides et l'Outaouais, où ils rencontrèrent les Écossais d'Argenteuil.

Ce déploiement dans toutes les directions n'arrivait cependant pas à absorber la croissance d'une population qui doublait tous les trente ans. C'est la Nouvelle-Angleterre qui servit d'exutoire. Au pays de mon enfance, il n'y avait pas une seule famille qui n'eût un ou plusieurs proches aux États-Unis. Dès que le chemin de fer permit une liaison rapide avec les villes en voie d'industrialisation de la Nouvelle-Angleterre, ce fut un va-et-vient constant par-dessus la frontière. On partait, on revenait, on retournait pour s'y établir définitivement. J'ai déjà mentionné que mes parents se sont mariés à Salem au Massachusetts. Du côté paternel, un oncle et une tante se sont fixés définitivement, le premier au New Hampshire, la seconde au Maine. Du côté maternel, j'avais un oncle en Floride, un autre au Massachusetts, un troisième au Michigan, une tante au New Hampshire. Il en fut ainsi dans la plupart des familles québécoises jusqu'à ce que la dépression de 1929 contraigne les États-Unis à fermer leurs frontières aux immigrants.

Bien sûr qu'il y eut parmi les apôtres de la colonisation quelques esprits zélés qui sublimèrent la recherche du pain quotidien en vocation providentielle. Mais ils furent l'exception et ils n'étaient pas assez nombreux pour qu'un historien, qui aurait dû être mieux averti, invente le terme agriculturisme pour ce qui était pour des gens démunis la simple recherche du pain quotidien.

Durant les années de la grande dépression, le mouvement vers les terres boisées de l'Abitibi-Témiscamingue et l'arrière-pays du Bas-Saint-Laurent fut intense. Contrairement à ce qu'on a pu laisser entendre plus tard, il fut volontaire et il ne s'adressait pas aux chômeurs industriels. À ma connaissance, une seule colonie fut ouverte en Abitibi aux sans-travail de Montréal et ce fut un fiasco. Ce sont les cultivateurs ruinés par la crise, les jeunes terriens sans avenir qu'on s'employa à enraciner en pays neuf. Ils avaient le choix entre croupir dans leur milieu au crochet de la charité publique ou essayer de se prendre en main pour se forger un avenir. Les candidats étaient libres de choisir. Pour le Trésor public, le coût était à peu près le même.

La première fois que je visitai Rouyn, il y avait encore des souches dans les rues et des camps de rondins à deux pas de l'hôtel où je logeais. En 1935, j'ai fait en voiture le voyage Rouyn-Val-d'Or par un chemin à peine carrossable. À l'époque, la seule route conduisant vers le nord-ouest québécois passait par Ottawa, North Bay, New Lisheard, donc par l'Ontario. Par la suite, je suis retourné en Abitibi au moins une fois par année, souvent davantage. Même après mon départ de l'UCC, j'ai fait plusieurs séjours au pays abitibien. Sans le connaître à fond, je suis assez familier avec le milieu, ce qui me permet de porter un jugement sur l'effort de colonisation des années trente.

Au plan matériel, ce fut une demi-réussite. On n'a pas fait tout le défrichement qu'on s'était proposé, et une bonne moitié de ce qui s'est fait est retourné en broussailles. Il reste quand même des aires de culture qui se comparent à ce qu'on voit de mieux dans la plaine de Montréal. Au plan humain, l'entreprise s'avéra une réussite inespérée, mais différente de celle qu'on avait prévue. Les sacrifices furent immenses; beaucoup ne purent tenir le coup et lâchèrent dès que la reprise des affaires leur permit de trouver un gagne-pain ailleurs. Les meilleurs persévérèrent et forment aujourd'hui une population d'une qualité exceptionnelle. À l'exception de la Beauce et du Saguenay-Lac-Saint-Jean, peu de régions produisent autant de personnes remarquables comme artistes, athlètes, hommes d'affaires, politiciens, artisans. Le pays abitibien est dur, mais il forme des êtres humains doués d'une endurance et d'une débrouillardise hors du commun.

Il est quand même remarquable qu'à partir de quelques établissements le long du Saint-Laurent, le pays canadien de langue française se soit étendu d'une façon à peu près continue de Moncton au Nouveau-Brunswick à Hearst dans le nord ontarien. À force de grignoter la forêt on a fini par bâtir un pays.

J'ai raconté précédemment que j'avais décroché le prix du Prince-de-Galles en 1931 avec un texte pseudo-philosophique sur la légitimité de la peine de mort. J'étais loin de me douter que moins de dix ans plus tard, j'aurais à confronter la doctrine de saint Thomas d'Aquin avec la réalité d'un procès pour meurtre. C'est pourtant ce qui m'arriva en 1940.

Il existe peut-être une possibilité sur dix mille de sortir gagnant à la loterie de la sélection des jurés, à partir de la liste électorale du district judiciaire de Montréal. Je fus donc passablement étonné d'être convoqué au palais de justice, avec une centaine d'autres candidats — à l'époque, les femmes ne font pas partie du jury — pour l'ouverture des assises de janvier 1940. En tête du rôle, une affaire de meurtre. L'avocat de la défense me connaît assez bien: donc aucun risque d'être retenu, si mon nom est tiré de l'urne par le greffier.

Les deux avocats, le ministère public et la défense, se livrent à un examen cabalistique de chaque candidat dont le nom est appelé: une ou deux questions, parfois aucune; rejeté, accepté. Sur quels critères mystérieux se basent-ils? Le rang social? La couleur des yeux? Probablement le pif.

Gérard Filion! Pas lieu de m'énerver, l'avocat de l'accusé sait qui je suis, il ne prendra pas de risque. Eh bien, c'est le contraire: accepté sans avoir à répondre à une seule question. Il m'expliquera plus tard qu'il avait pris un risque calculé, en se disant que s'il y avait un doute raisonnable quant à la culpabilité de son client, Filion le décèlerait et en persuaderait le jury.

Le malheur, c'est qu'il n'y avait pas de doute raisonnable, même pas le plus petit doute. Une affaire banale, chicane de ménage: la femme prend la fuite rue Hochelaga, le concubin la poursuit et lui plante le couteau à pain dans le dos. Crime passionnel, pour lequel on plaiderait aujourd'hui circonstances atténuantes. Mais à l'époque, dans une affaire de meurtre, c'était coupable ou non coupable. Dans le premier cas, la pendaison; dans le second, l'acquittement.

Ce que je désire consigner ici, c'est ce qui se passe dans la salle des délibérations, quand douze hommes, choisis au hasard, ont à décider de la vie d'un de leurs semblables. À l'époque, nous étions coupés du monde extérieur dès l'assermentation. Surveillés jour et nuit par deux gendarmes, nous logions au palais de justice et prenions nos repas dans un hôtel voisin, sans possibilité de communiquer, même par signes, avec la clientèle. Nous sommes tous des gens très ordinaires: deux cultivateurs de la rive Sud, un pilote des Grands Lacs, un manutentionnaire dans une fabrique de produits de caoutchouc, un pompiste ramassé rue Notre-Dame, parce que le tribunal est à court de candidats et ainsi de suite. Je suis le seul à avoir fait des études supérieures, ce qui me vaut la douteuse distinction d'être élu président du jury dès le repas du midi; pourtant je suis le cadet du groupe.

Les premières vingt-quatre heures se passent assez bien. On fait connaissance, on parle de son travail et de sa famille, la cuisine n'est pas mauvaise et les lits sont confortables. On nous permet de lire des journaux censurés, c'est-à-dire expurgés de tout ce qui se rapporte à l'affaire. On nous conduit même au cinéma dans un coin qui nous est spécialement réservé. Entre les séances, pas un mot de l'affaire. La deuxième journée se passe moins bien. Heureusement que ma femme vient faire un tour dans la salle d'audience pour remettre au policier, qui en vérifie minutieusement le contenu, une boîte de chocolats et une provision de sucre à la crème. La distribution de telles gâteries détend l'atmosphère.

L'affaire n'est pas compliquée: peu de témoignages et peu d'expertises. Après deux jours, les deux parties ont terminé leur preuve. Au matin du troisième jour, la défense et le ministère public prononcent leur plaidoirie, le juge fait un résumé des faits et explique les dispositions de la loi. À l'heure du repas, le troisième jour, tout est terminé, il ne nous reste qu'à délibérer.

J'ai vu au cinéma et au théâtre le drame *Douze hommes en colère*. Un juré perspicace et obstiné finit, à force d'arguments astucieux, par arracher à ses onze compagnons un verdict d'acquittement. Mon expérience fut en sens inverse. L'affaire était claire, même si on pouvait avoir une grande compassion pour le pauvre bougre qui, dans un moment de colère, avait poignardé sa concubine. Il était renfrogné dans le box des accusés, comprenant à peine le français, car il était un immigré d'un pays incertain, appelé Ruthénie, moitié en Ukraine, moitié en Hongrie, mais catholique de rite ruthène. Sa concubine et victime était roumaine.

Nos délibérations ont à peine commencé qu'un juré doit s'absenter pour aller aux toilettes; un autre, pourtant costaud, commence à pâlir, il va peut-être tomber dans les pommes. Ajournement de cinq minutes, puis on recommence. Un second juré doit à son tour se rendre aux toilettes. Plusieurs ont des sueurs froides. Pour faire une évaluation des opinions, je propose que chacun donne la sienne, pas définitive, car on doit se réserver le droit d'en changer. Que ceux qui croient l'accusé coupable le disent, que ceux qui le croient innocent le disent également, que ceux qui sont incertains réservent leur jugement. Résultat: six coupables, six incertains.

L'atmosphère se détend un peu. Quelqu'un suggère de faire venir les pièces à conviction. Un policier les apporte. C'est surtout le couteau à pain qu'on examine. Il est bien affûté, la lame est assez longue pour transpercer la poitrine d'une personne de taille moyenne. Pas de doute, c'est bien l'instrument du crime. S'il avait pénétré dans la poitrine, la défense aurait peut-être raison de plaider accident, mais il a perforé le dos entre deux côtes et traversé le poumon. Une personne poursuivie ne tombe pas à la renverse sur un coutelas.

Relisons les témoignages: celui du coroner, celui des policiers, celui de l'accusé. Les doutes s'estompent, je sens se dessiner un commencement d'unanimité. Mais il y a la sentence au bout du verdict. Coupable veut dire pendaison. Ce ne sont pas douze hommes en colère qui sont assis autour de la table, mais douze hommes soucieux, dont au moins six sont terrorisés. Un nouveau tour de table dégage une nette majorité pour un verdict de culpabilité. Les derniers récalcitrants tremblent de tous leurs membres et transpirent de tous leurs pores. Une dernière visite aux toilettes et l'unanimité se fait: l'accusé est coupable de meurtre.

Les délibérations n'ont duré que trois heures. J'imagine les scènes qui se déroulent, quand il faut mettre des jours pour arriver à un verdict unanime ou à un désaccord irréconciliable. À titre de président, j'ai l'ingrate responsabilité de prononcer le verdict.

— Êtes-vous unanimes?

— Oui

— Quel est le verdict?

— Coupable.

C'est le juge Lazure qui préside le tribunal. Il a la réputation d'être un dur. Ajournement de dix minutes. Il rentre dans la salle d'audience coiffé de son tricorne et ganté de noir.

— Accusé, levez-vous.

— bla, bla, bla... condamné à être pendu jusqu'à ce que mort s'ensuive. Que Dieu ait pitié de votre âme.

Affaire suivante.

Il m'arrive parfois de revivre toute l'affaire et de me demander si j'aurais écrit le même texte sur la peine de mort en 1931, après avoir participé à la condamnation à l'échafaud de Jan Mariniak.

J'appris plus tard qu'il ne fut pas pendu, grâce à un enchaînement de circonstances invraisemblables.

J'ai mentionné plus haut que Jan Mariniak était catholique de rite ruthène. Aux alentours de 1925, M. Ernest Lapointe, ministre de la Justice, conduit la délégation canadienne à une assemblée de la Société des Nations à Genève. Dans les couloirs de la Société se démène un père Basilien, du nom de Jean, fondé de pouvoir des Ruthènes, communauté slave vivant aux frontières de l'Ukraine, de la Tchécoslovaquie, de la Hongrie et de la Roumanie. Il cherche à obtenir la protection de la Société pour cette minorité persécutée. Il finit par rencontrer le chef de la délégation canadienne et la conversation suivante s'engage.

— J'ai connu autrefois au séminaire de Rimouski

un étudiant du nom d'Ernest Lapointe. Êtes-vous ce garçon-là?

— Bien sûr, je suis né à Saint-Éloi et j'ai fait mon cours à Rimouski.

— Moi je m'appelle Jean, je suis né à Saint-Fabien et j'ai fait mon cours à Rimouski. Nous étions camarades de classe.

Deux gars du bas de Québec se rencontraient pour la première fois à Genève après plus de trente ans, l'un devenu ministre de la Justice, l'autre Basilien de rite ruthène.

Par la suite le père Jean rentra au Canada avec un groupe de Ruthènes qui fondèrent une colonie en Abitibi. D'autres s'établirent à Montréal. Il continuera à leur assurer le service religieux et à les aider au plan social. Ce serait, paraît-il, grâce à cette vieille camaraderie avec le ministre de la Justice que le père Jean obtint en 1940 la commutation de la peine de mort en emprisonnement perpétuel pour son protégé, Jean Mariniak.

Autant cette affaire avait été traumatisante, autant la seconde fut désopilante. Deux chevaliers d'industrie escroquaient les curés de campagne en leur vendant des actions d'une compagnie engagée dans la fabrication de maillots de bain modestes et insubmersibles: ils sauveraient à la fois l'âme et le corps. On vit défiler à la barre des témoins des vieux curés, intimidés par l'appareil judiciaire, plus habitués à faire des sermons qu'à répondre à des questions.

Le juge Lazure, malgré son air renfrogné, devait s'amuser follement. Le curé du Lac-des-Sables se lançait dans les tirades moralisatrices; le juge le rappelait à l'ordre en lui disant:

— M. le curé, vous n'êtes pas en chaire, ici; dites la vérité!

Le curé de Maskinongé, lui, avait perdu sept mille dollars dans l'aventure, mais il trouvait ça drôle. À l'avocat de la poursuite qui lui demandait s'il connaissait les accusés, il répondit:

— J'en connais un.

— Lequel?

— Le plus beau!

— Comment l'avez-vous connu?

— C'est mon neveu.

— Hein?

— Ben, je ne sais pas trop, mais quand il venait me voir au presbytère, il m'appelait mon oncle.

Dès le deuxième jour, les deux escrocs s'avouèrent coupables et mon expérience de juré prit définitivement fin.

L'entrée du Canada en guerre en septembre 1939 avait créé des remous au Québec. Plus violents que profonds, parce que la masse de la population sentait venir la fin du marasme économique. En prévision de ce qui se préparait en Europe, les industries avaient commencé à tourner plus vite et la demande des denrées alimentaires était plus forte. Une assemblée eut lieu au Mouvement national. Organisée par qui? Je ne m'en souviens pas, mais j'ai frais à la mémoire une salle comble et agitée qui répondait avec enthousiasme au mot d'ordre: nous ne partirons pas. J'y ai peut-être prononcé une brève allocution, mais je me rappelle fort bien une sortie particulièrement virulente de François-Albert Angers. C'était la première fois, je crois, qu'il exprimait publiquement ses sentiments nationalistes.

La résistance était quand même assez forte pour que les politiciens libéraux réitèrent avec encore plus de vigueur leur opposition à la conscription, dont ils avaient fait leurs choux gras depuis la Grande Guerre.

Mais la situation évolua au cours des deux années suivantes. Les États-Unis entrèrent en guerre à la suite de l'attaque de Pearl Harbor; l'Allemagne se lança à la conquête de l'URSS. D'européen, le conflit devint rapidement mondial.

Dans le discours du trône du 22 janvier 1942, le gouvernement annonce la tenue d'un plébiscite pour le délier de son engagement de ne pas imposer la conscription. La consultation serait tenue dans tout le Canada, alors que la promesse avait été faite aux Canadiens français et plus particulièrement à l'électorat québécois. Avec toute l'astuce dont il était capable, le premier ministre Mackenzie King expliquait qu'une réponse affirmative ne voulait pas forcément dire qu'on aurait la conscription, mais il désirait être autorisé à l'imposer si la situation le commandait: pas nécessairement la conscription, mais la conscription si nécessaire.

Les Québécois n'entendaient pas laisser les libéraux se dégager si facilement d'une promesse dont ils avaient fait leur credo durant vingt ans. Mais il n'existait aucun mouvement, aucun parti, aucune association autorisés à parler en leur nom. Le parti conservateur, discrédité par la façon dont il s'était comporté durant la guerre 1914-1918, était plus «conscriptionniste» que le parti libéral. L'Union nationale, chassée du pouvoir en 1939, était dirigée par un chef terrassé par une pneumonie et mis au repos pour plusieurs mois. Le sentiment populaire était latent, mais il n'y avait personne pour lui donner corps.

Quelques jours après le 22 janvier, les directeurs de la Ligue d'action nationale se réunissent chez l'abbé Groulx. Le sujet de discussion est évidemment le plébiscite. On ne peut pas laisser les libéraux se dégager aussi prestement. Il est finalement convenu de mettre sur pied une grande assemblée de protestation au marché Saint-Jacques. Je reconduis Laurendeau chez lui, rue Stuart, et nous causons un moment dans sa voiture. Une assemblée c'est beau, mais c'est éphémère. Puis après, qu'est-ce qu'on fait? N'y aurait-il pas moyen d'avoir un suivi? Peut-être d'autres assemblées, au moins une à Québec? De fil en aiguille, je finis par dire à Laurendeau: «J'ai une voiture (nous sommes en guerre, l'essence et les pneus sont rationnés); en hiver c'est un temps mort à l'UCC; si vous lancez une campagne, je suis à votre disposition et mobiliserai de mon mieux toutes les forces du mouvement de l'UCC.» Est-ce cet engagement qui donna à Laurendeau assez d'assurance pour accepter de devenir la cheville ouvrière de la Ligue pour la défense du Canada? Nous n'en avons jamais causé, donc je n'ai pas la réponse.

Cette conversation, un soir de janvier 1942, rue

Stuart à Outremont, aura pour nous deux des conséquences imprévues. Elle m'amena à fréquenter Georges Pelletier et à me préparer, à mon insu, à la direction du *Devoir.* Pour Laurendeau, le secrétariat de la Ligue le conduisit au secrétariat puis à la direction provinciale du Bloc populaire, et finalement à la rédaction du *Devoir,* après un stage de quatre ans à l'Assemblée législative comme député du comté de Laurier. Comme quoi le destin des hommes se décide parfois dans des circonstances banales. Pour nous deux, ce fut dans une voiture, tard le soir, et probablement dans un moment de fatigue.

Je n'entreprendrai pas de raconter l'histoire de la Ligue. Laurendeau l'a fait en 1962 dans *La Crise de la Conscription.* De mémoire, je citerai les noms de quelques villes où j'ai participé à des assemblées: Ottawa, Hull, Drummondville, Sherbrooke, Granby, Joliette, Saint-Césaire, Farnham. Cette dernière fut mémorable. Il y avait à Farnham un important camp militaire. Au beau milieu de l'assemblée, une horde de soldats, de langue anglaise évidemment, envahit la salle et s'empare du micro. Le docteur Gauthier, député de Portneuf, un des onze dissidents du parti libéral, leur tient tête, ce qui a pour effet de les calmer, et l'assemblée un peu décimée peut continuer.

À trente-deux ans, on peut se laisser emporter par le succès oratoire qu'on obtient dans des circonstances aussi faciles. Les auditoires sont gonflés à bloc, les foules joyeuses et décidées. Il faut plutôt les calmer et s'efforcer de les raisonner froidement. Je me suis toujours servi de la même méthode, dans mes articles et en assemblées. Quand le sujet est fort, il faut écrire ou parler avec calme; si le sujet est faible, il faut y mettre de l'emphase. Le résultat fut ce que nous attendions: plus de quatre-vingts pour cent des Canadiens français votèrent non, mais le oui l'emporta dans l'ensemble du Canada.

Le plébiscite terminé, je rentrai dans mes terres de l'UCC. À l'automne, j'assistai à une réunion préliminaire à la fondation du Bloc populaire, pour voir le docteur Philippe Hamel et Édouard Lacroix, député de Beauce, se crêper le chignon comme deux mégères mal apprivoisées. Ça augurait mal. Mes fonctions à l'UCC m'interdisant toute activité partisane, je mis fin à mes relations avec le parti politique en gestation.

Au mois de janvier 1943, je reçois un coup de fil d'André Laurendeau, qui est devenu secrétaire du Bloc populaire. Le chef du parti, M. Maxime Raymond, désire me voir, mais comme à la suite d'un accident de santé, il se repose à sa maison de campagne, il faut se rendre à Maplegrove près de Beauharnois. Il nous attend à vingt heures.

Je prends Laurendeau chez lui et nous filons vers Maplegrove. Il fait froid, une brise de nordet charrie une fine poudrerie. En hiver les routes sont entretenues comme ci, comme ça. À un kilomètre environ de la maison de M. Raymond, ma voiture s'embourbe dans un banc de neige. Je n'ai même pas de pelle pour la dégager. La seule solution: Laurendeau pousse et moi je conduis. L'inverse aurait peut-être eu du sens, mais à cette époque Laurendeau ne sait pas conduire. Je me retiens de pouffer de rire, quand une idée folle me passe par la tête: ce malingre de Laurendeau poussant une voiture embourbée, c'est peut-être l'image de ce que deviendra le Bloc populaire.

De guerre lasse, nous laissons là la bagnole et nous filons chez M. Raymond. Le chef du Bloc nous reçoit dans un immense salon ouvert sur une vue splendide du lac Saint-Louis. Une robe de chambre bourgogne de bonne coupe laisse voir le bas d'un pyjama de soie. L'homme a fait, paraît-il, une crise de zona et il a l'épiderme sensible. Je remarque tout à coup qu'il a une tête de Pie XII: figure allongée, front large et dégagé, yeux perçants, bouche nerveuse. Il a un port d'aristocrate ascétique. Vêtu de blanc et coiffé d'une tiare, ce serait le pape. Il se promène de long en large et parle à un rythme légèrement saccadé. Nul magnétisme ne se dégage de sa personne, mais j'ai la certitude que cet homme est sincère et honnête, avec un brin d'intransigeance. Il ne doit pas être facile à satisfaire, il doit être tatillon. C'est le genre à tout vérifier et à faire peu confiance aux gens.

Ce qu'il me propose sur un plateau d'argent, c'est le poste d'organisateur en chef du Bloc populaire. À moi de faire mes conditions; elles sont acceptées d'avance ou presque. Pourquoi moi? Parce que je connais la province de Québec comme pas un, que je sais parler aux gens ordinaires et que j'ai acquis à l'UCC une expérience précieuse dans l'organisation d'un mouvement populaire. Bien sûr qu'il n'attend pas une réponse tout de suite. Quelques jours de réflexion m'amèneront sûrement à accepter. Laurendeau ne dit pas un mot. Est-il de mèche avec le pape du Bloc populaire? Je ne poserai jamais la question.

Pas besoin de réfléchir longtemps. Ma réponse est non. Je suis mal rétabli d'un accident de santé; j'occupe à l'UCC une fonction qui me plaît et qui me laisse une grande liberté de mouvement. Et puis, au fond, je ne me sens pas tellement attiré par la politique. Quelques semaines plus tard, j'apprendrai que Philippe Girard, président du Conseil central des syndicats catholiques et nationaux de Montréal, est nommé organisateur en chef du Bloc populaire. Pour une deuxième fois, j'aurai échappé aux sirènes de la politique.

Une digression, pour illustrer la sorte de canular avec lequel nous pouvions nous distraire durant la guerre. Dès le début du conflit, le gouvernement impose la censure des journaux et des ondes. Claude Melançon, publiciste du Canadien National, est investi du pouvoir de décider ce qu'il est permis et ce qu'il est défendu de dire et d'écrire. En outre, il a la charge de la propagande et il inonde les journaux de communiqués, de photos, de suggestions propres à mousser l'effort de guerre. À *La Terre de Chez Nous*, toute cette propagande va à la poubelle.

Mais Dominique Beaudin, que j'ai recruté comme rédacteur, quand j'ai été promu au poste de secrétaire général, est un malin qui adore se payer la tête des gens. Il a le sourire railleur et l'esprit caustique. Un beau jour, je feuillette le numéro de *La Terre de Chez Nous* qui vient juste d'arriver. Qu'est-ce que je vois? Une photo quatre colonnes représentant deux personnages: le roi George VI et un immense verrat. La légende se lit comme suit: on voit ci-dessus Sa Majesté le roi George VI visitant sa ferme d'élevage dans le Yorkshire; *le roi est à gauche.*

Je rapplique aussitôt au bureau de Beaudin et je lui dis: «Pars en vacances immédiatement pour trois semaines; comme ça, je serai incapable de fournir une explication à la censure.» Il ne se passe pas deux jours que je reçois une lettre de Melançon, pour protester avec véhémence et pour exiger des explications. Je réponds que le rédacteur est en vacances et que je tirerai l'affaire au clair à son retour. Quelques semaines plus tard, j'écris de nouveau pour expliquer que mon enquête n'a rien donné; il s'agit probablement d'un farceur à l'atelier de composition qui nous a joué un tour. Finalement, le temps passe et l'injure à la dignité du roi du Canada se perd dans le fatras de la routine.

J'ai écrit plus haut qu'un des objectifs de l'UCC visait à organiser la classe agricole, c'est-à-dire à lui donner des outils qui lui permettraient de maîtriser son destin. Un de ces outils était la caisse populaire. Au cours de la période, allant du milieu de la crise à la fin de la guerre, soit de 1935 à 1945, il s'est fondé des centaines de caisses populaires dans la campagne québécoise, de sorte qu'à la fin de la période peu de paroisses étaient encore privées du service d'une caisse d'épargne. En outre, on trouvait les gens de l'UCC infiltrés dans le mouvement à tous les niveaux, non seulement au plan local où ils détenaient généralement la majorité des postes, mais aussi au régional et au provincial où ils étaient assez nombreux. Cette pénétration du mouvement permit une manœuvre qui évita de justesse une rupture du mouvement Desjardins en 1945.

Il existait à l'époque un malaise profond au sein de la Fédération des caisses populaires. L'origine en remontait à la fondation du Conseil supérieur de la coopération en 1939, comme je l'ai décrit précédemment. C'est qu'à l'intérieur du mouvement existait une résistance opiniâtre à toute ingérence extérieure, allant même jusqu'à refuser de collaborer avec des mouvements parallèles. Chez les cultivateurs, les coopératives sont en pleine expansion. Elles ont besoin d'emprunter pour se développer, mais à l'Union régionale de Montréal, on est farouchement opposé à des prêts aux coopératives; que l'on avance des fonds aux membres, d'accord, mais aux coopératives, jamais. Cette politique soulève du mécontentement dans les caisses où les cultivateurs forment la majorité. Même attitude à l'égard des coopératives de consommation qui commencent à prendre racines dans les villes. Le mouvement qui donne naissance à la Cité-Jardin de Montréal, inspiré et dirigé par le père D'Auteuil Richard, s.j. et Me J.A. Gosselin, essuie la même fin de non-recevoir. Les caisses prêteront aux membres, mais pas un sou à la coopérative.

Comment expliquer cette méfiance, allant jusqu'à l'hostilité dans certains cas? Réaction de notaires prudents, habitués à écarter tout placement comportant un élément de risque? Sentiment de supériorité des dirigeants d'un mouvement solidement établi à l'endroit d'organismes en gestation? Conception différente du caractère confessionnel ou non des institutions coopératives? Car il ne faut pas oublier qu'à la même époque éclate la querelle sur la non-confessionnalité des coopératives à la suite d'un article de Georges-Henri Lévesque dans la revue *Ensemble.* Les caisses populaires s'insèrent dans le cadre paroissial et ne recrutent que des catholiques, alors que les coopératives agricoles et de consommation, sans faire de leur neutralité religieuse un acte de foi, recrutent leurs membres sans égard à la langue et à la religion.

Le mouvement lancé par Alphonse Desjardins à Lévis en 1900 a fait des petits au Canada anglais sous le nom de Credit Unions. En dehors du Québec, on vénère le nom d'Alphonse Desjardins autant que chez nous. On cherche inspiration et support auprès des caisses populaires et on rêve de regrouper sous un seul toit tout le mouvement d'épargne et de crédit issu de la semence mise en terre par Alphonse Desjardins. Même la puissante CUNA (Credit Unions National Association) des États-Unis semble disposée à entrer dans le mouvement. Mais Montréal veille au grain: l'Union régionale de Montréal se désolidarise des conclusions du congrès pancanadien tenu à Lévis en septembre 1943. Durcissement des positions de part et d'autre, conduisant à la démission du notaire

Eugène Poirier de la présidence de la Fédération de Lévis.

Le climat est mûr pour une confrontation finale. La scission entre Montréal et Québec est inévitable. Ce n'est plus qu'une question de «timing». Les leaders des deux camps sont, à Montréal, le notaire Eugène Poirier, président de l'Union régionale, inspiré par le notaire Wilfrid Guérin, directeur de la Caisse populaire de l'Immaculée-Conception; à Québec, Cyrille Vaillancourt, secrétaire général de la Fédération.

Qui sont ces deux hommes? Des amis intimes. Ils se rencontrent souvent, ils mangent ensemble chaque fois que l'occasion se présente, ils conversent au téléphone presque tous les jours.

Cyrille Vaillancourt est dans le mouvement Desjardins depuis sa fondation. Il a grandi tout près du commandeur Desjardins, a fait ses commissions, l'a assisté jusqu'à la fin; il a été son héritier spirituel. Il est agronome, camarade de classe d'Adélard Godbout à l'école d'agriculture de La Pocatière, ami intime du premier ministre dont il partage le credo politique. Il a accepté au début de la guerre la fonction d'adjoint de Donald Gordon, président de la Commission des prix et du commerce en temps de guerre, le tzar de l'économie canadienne de 1940 à 1945. Donc en bonne posture auprès des libéraux à Québec et à Ottawa. Il possède une vaste expérience des caisses populaires, il a un bon jugement, est un peu soupe au lait, sait être finaud à l'occasion.

Eugène Poirier est associé à une étude notariale

prospère de Montréal. Il est président depuis plusieurs années de la Caisse populaire de Sainte-Cécile de Montréal. Il est nommé président de l'Office du crédit agricole dès sa fondation en 1937, est démis de sa fonction au retour des libéraux au pouvoir en 1939. C'est un partisan de l'Union nationale. D'ailleurs, il portera le drapeau du parti à l'élection de 1944; il sera défait. L'éminence grise de Poirier est le notaire Guérin, vieux garçon renfermé, soupçonneux, frotté d'un brin d'intégrisme. Il exerce une influence certaine sur Poirier, dont il partage les convictions politiques. Il est le théoricien de la faction isolationniste des caisses populaires.

À partir de 1944 s'engage une lutte à finir entre Québec et Montréal. Vaillancourt jouissant d'une majorité au sein de la Fédération provinciale, la seule solution possible pour Montréal, c'est d'en sortir et de former sa propre fédération. Mais comme l'Union régionale de Montréal couvre un territoire immense, du Témiscamingue jusqu'à Valleyfield, en passant par Mont-Laurier et la vallée de l'Outaouais, et que la Caisse centrale de Montréal fait la compensation des chèques pour les caisses de l'Abitibi, de Joliette et de Saint-Hyacinthe qui ont formé leurs propres unions régionales, c'est la moitié du mouvement qui risque d'être entraînée dans le schisme. Tout ce qu'il y a à l'ouest de Trois-Rivières et de Sherbrooke peut basculer avec Montréal, coupant en deux le mouvement Desjardins.

Le 29 octobre 1944, l'Union régionale de Montréal tient son congrès annuel à l'école Olier. Quelques centaines de délégués et de membres sont présents. La Fédération provinciale est représentée par Abel Marion, président de l'Union de Sherbrooke et à ce titre directeur de la Fédération, mais en même temps président général de l'Union catholique des cultivateurs. Je suis là comme simple membre de la Caisse populaire du Saint-Enfant-Jésus du Mile-End. Les délibérations suivent leur cours sans incidents jusqu'à ce que, vers la fin de la journée, il me vienne à l'idée de poser en toute candeur la question: «Pourquoi l'Union de Montréal s'oppose-t-elle à l'affiliation du mouvement Desjardins au Conseil supérieur de la coopération?» C'est comme si j'avais lancé une grenade sur la tribune d'honneur. Le président Poirier se lance dans une diatribe contre moi personnellement, contre Abel Marion, contre le père Lévesque, contre le Conseil supérieur de la coopération, contre tous les ennemis des caisses populaires, bref contre tous les traîtres qui s'emploient à démolir l'œuvre du commandeur Desjardins. Une colère noire, un vocabulaire outrancier, émaillé d'attaques personnelles contre les personnes visées. L'auditoire n'y comprend rien, mais applaudit son président, parce qu'il est le président et qu'il est censé être au courant. Abel Marion, invité d'honneur, subit l'orage sans ouvrir la bouche et le blanc-bec que je suis s'écrase sur son fauteuil sous l'œil réprobateur de l'auditoire. Me Jacques Perrault, conseiller juridique de l'Union, se porte mollement à l'appui de son président, tout en évitant d'avoir recours à l'insulte. Il est évident que la salle est favorable en bloc aux attitudes prises par ses dirigeants à l'endroit de la Fédération provinciale au cours des deux années précédentes.

À partir de là, les événements se précipitent. L'Union régionale de Montréal prend l'initiative d'approuver les placements des caisses locales sans passer d'abord par la Fédération. Puis elle réduit à cinquante pour cent sa contribution annuelle à la Fédération. Le 9 octobre 1945, le conseil d'administration de l'Union adopte la résolution suivante:

> Il est proposé par M. J.R. Paiement
>
> appuyé par M.S.A. Cyr
>
> que l'Union
>
> 1. garde la totalité des cotisations de ses caisses;
> 2. qu'elle assume l'entière responsabilité des inspections;
> 3. qu'elle conserve l'approbation des achats d'obligations;
> 4. qu'elle reprenne sa complète autonomie.»
>
> Votent pour la résolution: J. P. Labelle, J. R. Paiement, E. Girardin, L. Rémillard, H. Blain, S. A. Cyr (total 6).
>
> Votent contre: J. Perrault, G. Lagacé, J. O. Lefebvre, B. Béland (total 4).

Cette fois c'est la scission définitive entre Montréal et Québec. Le mouvement Desjardins est coupé en deux. On notera que cette fois Me Jacques Perrault se désolidarise du groupe Poirier. Durant l'année écoulée depuis l'assemblée de l'école Olier, il s'est rendu compte que le groupe Poirier ne recherche rien de moins que la rupture avec la Fédération, ce à quoi il est fermement opposé.

Une semaine plus tard, le 15 octobre, «J. P.

Labelle fait part à l'assemblée que, pour se rendre au désir de ses directeurs, il doit changer le vote qu'il a donné en faveur de la proposition de M. J.R. Paiement le 9 octobre 1945.»

Cette conversion de dernière heure n'invalide en rien la résolution du 9 octobre, puisque le président Poirier a autorité pour rompre l'égalité en exerçant son droit de vote. La résolution sera soumise à l'approbation de l'assemblée générale annuelle de l'Union convoquée pour le 28 octobre à la salle paroissiale de l'Immaculée-Conception.

L'épreuve de force aura donc lieu le 28 octobre. Le notaire Poirier, MM. Hector Blain, J. R. Paiement et J. P. Labelle terminent leur mandat à cette date. S'ils sont réélus, la scission est consommée; s'ils sont défaits, Montréal rentre dans le rang. Les séparatistes sont forts dans Montréal et la banlieue, à cause de vieux liens d'amitié qui les unissent aux dirigeants des caisses locales. En campagne, ils sont moins connus, donc moins populaires. Comme secrétaire général de l'UCC, je connais la plupart des dirigeants des caisses de campagne, au Témiscamingue, dans Mont-Laurier, sur la rive sud du côté de Saint-Jean et de Valleyfield. La stratégie sera donc la suivante: faire venir à Montréal le plus de délégués possible de la campagne, avec mot d'ordre de s'opposer à la scission et de voter contre les dirigeants qui la préconisent. Dans un geste téméraire, je décide de me porter candidat contre le notaire Poirier au conseil de l'Union régionale.

L'assemblée du 28 octobre s'ouvrit dans un

climat survolté. Les articles les plus banals de l'ordre du jour donnent lieu à des prises de position tranchées, souvent agressives. Les délibérations traînent en longueur. Devant cette salle partiellement hostile et redoutant le pire au moment du vote, le président Poirier propose d'ajourner l'assemblée au 2 décembre. La tactique est habile; il sait fort bien que les délégués de la campagne ne reviendront pas à Montréal une deuxième fois et l'ajournement lui permettra de rallier ses troupes. De toute évidence, il ne s'attendait pas à une hostilité aussi forte.

La proposition est mise aux voix. Trente-quatre délégués se prononcent pour un ajournement au 2 décembre, quarante et un pour un ajournement à 20 heures, soit juste le temps d'aller casser la croûte. Le procès-verbal mentionne: «une vingtaine de délégués avaient donc quitté la salle au moment du vote.» Il est 19h15 et l'assemblée est ajournée à 20 heures.

Que serait-il arrivé si l'élection avait eu lieu entre 17 et 18 heures? Il est probable que l'équipe Poirier aurait été victorieuse. Le 28 octobre est un dimanche. Les délégués de Montréal ont des soupers de famille ou des sorties avec leur épouse. La vingtaine de délégués qui avaient quitté la salle à 19h15 étaient tous de Montréal ou de la banlieue et très majoritairement favorables à l'équipe Poirier. Les campagnards de leur côté resteront sur place aussi longtemps qu'il le faudra. Ils retourneront chez eux quand tout sera terminé.

À la reprise de huit heures, les troupes Poirier sont encore affaiblies. Il ne reste plus dans la salle que les gens de la campagne ou presque. Devant cette débandade et pour éviter l'humiliation d'une défaite, le notaire Poirier «annonce que lui-même, M. J. R. Paiement et M. Hector Blain, tous trois sortant de charge, refusaient de se laisser porter candidats.»

Sont élus administrateurs de l'Union, MM. Gérard Filion, P. H. Vézina, J. P. Labelle et Urbain Nantel.

La scission est évitée, mais le danger d'une rupture à l'intérieur de l'Union de Montréal n'est pas écarté pour autant. Deux hommes détiennent des postes clés dans l'Union: Émile Girardin, secrétaire de l'Union et Lucien Rémillard, gérant de la Caisse centrale. Leurs sentiments penchent plutôt vers les hommes de l'équipe Poirier, avec lesquels ils ont travaillé intimement de nombreuses années. S'ils quittent l'Union régionale et suivent leurs amis dans la dissidence, ils peuvent entraîner à leur suite un grand nombre de caisses parmi les plus grosses et les plus prospères. S'ils restent, les dégâts seront limités. La fidélité au mouvement l'emporte sur leurs sentiments d'affection pour leurs compagnons de travail. Rémillard finira sa carrière au service de la Caisse centrale. Quant à Girardin, il gravira les échelons qui le conduiront au plus haut palier du mouvement Desjardins comme président de la Fédération provinciale de 1959 à 1972.

Le 28 août 1946, neuf caisses se retirent de l'Union régionale et fondent la Fédération de Montréal des caisses populaires Desjardins. À plusieurs reprises j'ai posé la question à ceux qui ont vécu l'événement: quels étaient les vrais motifs qui poussaient le groupe Poirier à consommer une rupture entre l'Union régionale de Montréal et la Fédération provinciale? Le notaire Poirier s'en est expliqué lui-même au moment d'annoncer son refus de candidature: «Il rappelle, lit-on dans le procès-verbal de l'assemblée, l'opposition de Montréal à l'adhésion des caisses à l'Alliance canadienne, au Conseil supérieur de la coopération, à la Ligue canadienne».

Les motifs auraient été valables si la Fédération avait adhéré à l'un ou l'autre de ces organismes, en dépit de l'opposition des dirigeants de Montréal. Mais tel n'était pas le cas. La Fédération s'était piteusement retirée du Conseil supérieur à la suite de l'opposition de Montréal. Quant aux deux autres organismes, de nature plutôt symbolique, le mouvement Desjardins n'y avait jamais adhéré. Les dirigeants de la Fédération, je les connaissais tous, n'auraient jamais risqué l'unité du mouvement pour l'amour d'une affiliation à n'importe quel organisme québécois, canadien ou international. Il faut donc chercher ailleurs les raisons qui poussaient le groupe Poirier à provoquer une rupture.

On a vu plus haut que les protagonistes des deux camps, Vaillancourt et Poirier, sont des amis intimes mais des adversaires politiques. Vaillancourt bénéficie largement de ses relations avec les rouges; il occupe le poste d'adjoint de Donald Gordon, plus tard il sera nommé au Sénat. À Québec, il a ses grandes et petites entrées auprès du premier ministre Godbout, dont il est un des confidents. Poirier a subi les contrecoups de la défaite de 1939, en perdant la présidence de l'Office du crédit agricole. Lui aussi a ses entrées auprès de Duplessis, dont il partage l'humiliation et prépare la revanche.

Les personnes interrogées au sujet des événements ont fini par conclure que la raison profonde, non pas la seule mais la déterminante, du schisme de 1945 fut une lutte de pouvoir entre le Parti libéral et l'Union nationale. Pas officiellement certes. Il y avait des bleus dans le camp Québec comme il y avait des rouges dans le camp Montréal. De part et d'autre, on invoquait les motifs les plus nobles pour masquer des appétits moins avouables. Mais il ne fait de doute pour personne que, sans les passions politiques sous-jacentes, les choses auraient fini par s'arranger.

En 1982, la Fédération de Montréal des caisses populaires Desjardins réintégra le mouvement en se fusionnant avec l'Union régionale de Montréal. Un schisme de trente-six années prenait fin.

La décennie 1935-1945 fut particulièrement florissante pour les organisations populaires, comme quoi c'est dans l'adversité que la débrouillardise des gens se manifeste. À l'UCC, on franchit des pas de géant. Les effectifs triplent pour dépasser les quarante mille. Le tirage du journal atteint un sommet de plus de quatre-vingt mille exemplaires. La Mutuelle-vie de l'UCC, fondée en 1936, se développe rapidement. En 1944, la Société mutuelle d'assurances générales de l'UCC obtient son incorporation par loi spéciale du parlement provincial, en dépit de l'hostilité de quelques conseillers législatifs qui ont des intérêts à protéger dans le secteur de l'assurance.

C'est au cours de cette période que l'UCC quitte le statut de compagnie sans but lucratif pour adopter celui de syndicat professionnel aux niveaux local, régional et central. On commence même à discuter de la nécessité de mettre sur pied des syndicats spécialisés, aptes à répondre aux besoins de cultivateurs engagés dans certaines productions particulières. Déjà les aumôniers prennent moins de place dans les débats et les discussions, l'intense travail d'éducation ayant délié la langue des cultivateurs et leur ayant donné plus d'assurance en public.

À propos de l'influence des aumôniers, il convient de souligner que, sans eux, l'UCC n'aurait jamais pris naissance et n'aurait jamais survécu. Le congrès de fondation de 1924 fut présidé par le chanoine Roy, prêtre du diocèse de Rimouski, aucun cultivateur ne se sentant apte à maîtriser une foule de deux mille personnes farcie de nombreuses soutanes, les curés de campagne ayant accepté d'accompagner les délégués trop timides pour faire seuls le voyage. Dès le début, les dirigeants supplièrent l'épiscopat de les prendre sous sa tutelle et de leur adjoindre un aumônier général, des aumôniers diocésains, le curé ou le vicaire de chaque paroisse servant de guide spirituel pour le cercle local. En fait, les aumôniers étaient beaucoup plus que des guides spirituels; ils étaient des hommes à tout faire: conférenciers, animateurs, souvent secrétaires et même trésoriers.

Il en allait de même dans les mouvements des caisses populaires. Ce n'est pas pour rien qu'elles portent presque toutes un nom de saint, celui évidemment de la paroisse, parce que la plupart furent fondées à l'instigation du curé et logées dans les bâtiments de la fabrique, le sous-sol de l'église, le presbytère ou la salle paroissiale; même que le premier directeur (on l'appelait gérant à l'époque) fut souvent le curé ou le vicaire.

À mon entrée à l'UCC, en 1935, c'est encore le clergé qui tient le mouvement debout. La propagande est largement l'affaire des aumôniers diocésains, financièrement soutenus par la mense épiscopale. Un aumônier général consacre tout son temps au mouvement et accompagne les dirigeants dans leurs déplacements à travers la province. Les évêques se font un devoir d'assister au congrès annuel des cercles de leur diocèse et ne manquent pas de prodiguer leurs conseils et leurs encouragements. C'est à un de ces congrès que l'évêque de Rimouski, Monseigneur Georges Courchesne, probablement le plus zélé et le plus raffiné, lance le mot d'ordre: «Cultivateurs, mêlez-vous de vos affaires, mais mêlez-vous-en».

Vers 1942, les finances de l'Union lui permettent de retenir les services de quelques propagandistes laïques, la plupart des agronomes. Quand je quitterai, en 1947, tous les diocèses ou régions — car les regroupements de syndicats n'épousent pas forcément les frontières diocésaines — seront dotés d'un secrétariat permanent avec un titulaire responsable de tous les problèmes particuliers au territoire. Au secrétariat général, les effectifs sont passés de six à une centaine en incluant les services d'assurance. Ce n'est pas encore la prospérité que le mouvement connaîtra quand il sera devenu l'UPA, mais ce n'est plus la pauvreté, voisine de la misère, que les pionniers ont connue.

Alors pourquoi quitter quand tout va bien? C'est précisément parce que ça va bien que je songe à quitter. Je rêve à de nouveaux défis; n'importe quoi, sauf celui que je serai appelé à relever.

7

FAIS CE QUE DOIS

«Moi, directeur du *Devoir*? Es-tu sérieux?» C'est à peu près en ces termes que je réagis aux propos de Jacques Perrault, quand il me propose la succession de Georges Pelletier à la direction du *Devoir*.

Nous sommes au printemps de 1945. Je connais Jacques Perrault. Je le rencontre de temps à autre dans des mouvements qui nous sont communs: *L'Action nationale*, dirigée par André Laurendeau, son beau-frère, et le mouvement Desjardins.

Les réunions des directeurs de *L'Action nationale* se tenaient généralement chez l'abbé Groulx. Les membres les plus assidus étaient, outre Groulx et Laurendeau, Arthur Laurendeau, père d'André, le père Joseph-Papin Archambault, directeur de l'École sociale populaire, Me Anatole Vanier, Me Athanase Fréchette, président de la Société Saint-Jean-Baptiste. Jacques Perrault faisait acte de présence tout au plus une ou deux fois par année, mais il en profitait pour se livrer à un monologue brillant, parfois optimiste, le plus souvent pessimiste, sur le sort et l'avenir du peuple canadien-français. Très impliqué dans le mouvement syndical à titre de conseiller juridique de plusieurs groupements de travailleurs, il était porté à voir la condition des Canadiens français par le gros bout de la lunette du prolétariat.

Dans le mouvement des caisses populaires, nous avions eu l'occasion de monter sur les mêmes tribunes, lui comme représentant de l'Union régionale de Montréal, moi comme secrétaire général de l'Union catholique des cultivateurs. Nous avions pourtant peu de chose en commun. Il était trop cérébral, trop pénétré de principes juridiques, trop formaliste pour me convaincre de la justesse de ses arguments. Ce qui ne l'empêchait pas d'être un redoutable jouteur, bien servi par un physique imposant et une élocution facile. Il eût pu devenir un des juristes les plus brillants de sa génération, s'il avait accepté de faire carrière dans l'enseignement et la recherche. Peut-être à cause de son père qui tenait à le garder à ses côtés, peut-être par goût personnel, il chevaucha constamment les deux carrières, le cabinet juridique et la chaire universitaire, sans être capable, semble-t-il, de faire un choix.

Toujours est-il qu'en juin 1945 Perrrault m'invite à déjeuner au restaurant *Chez Stien*, rue Dorchester. Sans préambule ni précaution oratoire, il se met à me parler du *Devoir*. La situation qu'il me décrit est la suivante: Georges Pelletier, le directeur, est gravement malade. Il y a presque deux ans qu'il est hémiplégique, et son état se détériore lentement. Il tiendra encore quelques mois, quelques années peut-être, mais il ne pourra jamais reprendre l'exercice de sa fonction. Le journal est miné par des conflits internes. Le premier directeur intérimaire, Émile Benoist, s'est mis tout le monde à dos à cause de son mauvais caractère. Plusieurs bons journalistes sont partis: Roger Duhamel, Alfred Ayotte, Lucien Desbiens. Il a fallu remplacer Benoist par Alexis Gagnon, homme charmant, de compagnie agréable, mais dépourvu d'autorité. Le journal manque de direction, les journalistes qui sont restés ne savent plus ce qu'est la politique de la maison: Est-on encore Bloc populaire? Est-on devenu Union nationale? Ne sachant ce qu'il faut penser ni ce qu'on peut écrire, les journalistes font le gros dos, attendant des directives qui ne viennent pas.

Au conseil d'administration de l'Imprimerie populaire, la situation est moins floue mais plus inquiétante. Une majorité d'administrateurs, d'après Perrault, est fortement influencée par Maurice Duplessis et serait encline à favoriser la nomination d'un directeur lié à l'Union nationale. Il donne la liste des administrateurs, en indiquant leur allégeance politique, pour arriver au résultat que seul le notaire Dominique Pelletier, frère de Georges, le docteur Jean-Baptiste Prince et lui-même ne sont pas inféodés d'une manière ou d'une autre à l'Union nationale. Un tel, courtier d'assurances, obtient des contrats du gouvernement; un autre, entrepreneur général, construit des ponts et des routes pour le ministère de la Voirie, et ainsi de suite. Si Pelletier meurt et qu'il faut lui trouver un successeur, les dés sont déjà pipés. Alors le notaire Pelletier et lui-même, Perrault, sont d'avis qu'il faut prendre les devants et introduire dans la maison un journaliste de métier, reconnu comme dauphin et prêt à prendre la succession dès le décès de Pelletier. Le notaire en a causé à son frère, qui est d'accord. Il a même mentionné mon nom et Pelletier est également d'accord. Alors Perrault se dit autorisé à m'offrir le poste de directeur adjoint avec promesse de succession au décès de Pelletier.

Je fus plus étonné que flatté. Depuis mon temps de collège, *Le Devoir* était le journal prestigieux et son fondateur, Henri Bourassa, une espèce de légende vivante. Il était le défenseur de la langue française et des écoles catholiques, il était le tribun qui avait prononcé le fameux discours de l'église Notre-Dame. Pour nous collégiens, Bourassa était le grand Canadien français. Bien sûr qu'il y avait eu Wilfrid Laurier, mais il était déjà passé à l'histoire, tandis que Bourassa était le héros vivant, qu'on pouvait encore, avec un peu de chance, voir et entendre.

Plus tard, j'eus l'occasion d'approcher le héros d'un peu plus près. Au lancement de la campagne du non au marché Saint-Jacques, lors du plébiscite de 1942, j'avais prononcé un bref discours, qui avait paru lui plaire, puisque le lendemain il m'adressait un mot de félicitations pour la justesse de mes remarques. Plus tard, lors de la série de dix conférences à

La maison paternelle à L'Isle-Verte.

Un nouvel élève du Séminaire de Rimouski, 1924.

Diplômé de l'École des hautes études commerciales, 1934.

Françoise Servêtre. «Une grande fille avait traversé mon champ de vision.»

Le secrétaire général de l'Union catholique
des cultivateurs, vers1940.

«Moi, directeur du Devoir? Es-tu sérieux?», 1947.

La famille Filion au grand complet, juin 1954.

Rencontre avec le nouveau premier ministre Paul Sauvé,
le 26 octobre 1959.

Les membres de la Commission royale d'enquête sur l'enseignement rassemblés autour de leur président, Monseigneur Parent, dont «la patience était sans limite», 1961.

«Sans trop mûrir ma décision, j'acceptai la vice-présidence du Conseil des arts du Canada», 1962.

«René Lévesque fait semblant d'écouter», 1964.

Visite au chantier Manic 5, vers 1965.

À l'occasion du baptême du *John Hamilton Gray*, en 1968,
en compagnie de Mme Marchand, marraine du navire.

En 1968, départ de la mairie de Saint-Bruno.
«Savoir tirer sa révérence avant de recevoir
une botte au derrière.»

«Vous auriez fait un bon communiste», dixit A. N. Kossyguine.

«Entre le 12 et le 22 juin 1971, je complote contre
le gouvernement canadien en pêchant la truite mouchetée
dans le bassin de la Manicouagan.»

Le président de l'Association des manufacturiers canadiens
reçoit le premier ministre Pierre Elliott Trudeau, 1972.

Pêche au saumon sur l'île d'Anticosti, en juillet 1974,
avec John Robarts, Paul Desmarais et Lucien Saulnier.

Retour d'un ancien secrétaire général à l'Union des producteurs agricoles (ci-devant UCC), à l'occasion du soixantième anniversaire de l'UPA, en 1984.

«Une sorte de réussite...»

l'auditorium du Plateau, les organisateurs m'avaient confié la responsabilité de conduire M. Bourassa et sa fille Anne, de leur résidence au Plateau et retour. Le dialogue avec le héros avait été plutôt mince, puisque tout au long du parcours il récitait le chapelet.

Même si je n'étais plus en 1945 le collégien candide des années vingt, je gardais une admiration intacte pour M. Bourassa et je ne m'étais jamais imaginé qu'on m'inviterait un jour à m'asseoir dans son fauteuil du *Devoir*. Quant à Georges Pelletier, à qui on m'invitait de succéder, j'avais eu l'occasion de le connaître et de l'estimer à la Ligue pour la défense du Canada. Tous les samedis après-midi, les directeurs de la Ligue se réunissaient au secrétariat. Maxime Raymond nous donnait un aperçu de ce qui se tramait dans les milieux politiques et administratifs d'Ottawa. Georges Pelletier nous entretenait des rumeurs qui circulaient dans les journaux et dans les coulisses de la politique, grâce au réseau d'amis qu'il comptait dans les deux milieux. Je ne me rappelle pas qu'il ait eu à mon égard des attentions particulières. De mon côté, j'admirais beaucoup le journaliste qu'il était. Ses éditoriaux étaient parfois longs et touffus, mais je les lisais quand même avec intérêt pour la somme de connaissances qu'ils contenaient.

Ma réaction fut spontanée. C'était non. Bien sûr que je me sentais flatté. Mais ma santé était mauvaise; je n'étais pas complètement rétabli d'une hémorragie au tube digestif subie en 1942. La réorganisation de la rédaction et la remise sur pied des finances du journal exigeraient une somme de travail que je ne m'estimais pas en mesure de donner. En outre, je ne me sentais pas intellectuellement équipé pour chausser les bottes de Bourassa et de Pelletier. Formé à l'administration des affaires à l'École des HEC, le journalisme avait été dans ma carrière une espèce de déviation. Je me proposais de me diriger un jour vers le monde de la finance, quand l'occasion se présenterait. Les choses en restèrent là pour le moment.

Que se passa-t-il au *Devoir* durant l'année qui suivit? Je n'en sais rien. A-t-on cherché ailleurs? A-t-on pressenti d'autres journalistes? Toujours est-il qu'au mois d'août 1946 Jacques Perrault m'invite à déjeuner une seconde fois et se fait particulièrement pressant. La santé de Pelletier se détériore rapidement, le tirage du journal chute, le déficit s'accentue; il faut agir vite, autrement c'est la catastrophe. Perrault m'explique que, pour éviter que *Le Devoir* ne tombe entre les mains de Duplessis, Georges Pelletier a consenti à se départir de son titre de premier fiduciaire de la première fiducie de l'Imprimerie populaire en faveur de Monseigneur Charbonneau, archevêque de Montréal. Mais cette solution n'est que temporaire, en attendant la nomination d'un successeur. «Tu es reconnu pour n'avoir aucune attache politique. Les administrateurs te connaissent de réputation et sont prêts à faire l'unanimité sur ta candidature.»

Cette fois, ma réponse est plus nuancée. Je pars dans quelques jours pour Winnipeg pour assister à une réunion de la Fédération canadienne de l'agriculture. C'est dix-huit heures de train à l'aller, autant au retour. Qu'on me remette les documents suivants: lettres patentes de l'Imprimerie populaire, texte des deux fiducies, rapports financiers des cinq dernières années. J'étudierai ces documents, je réfléchirai sur la proposition et, à mon retour, je donnerai une réponse.

Je rentre à Montréal vers la mi-septembre et je revois Perrault. Votre proposition m'intéresse, mais pas comme directeur adjoint, même avec succession future. Si j'entre au *Devoir*, ce sera avec les pleins pouvoirs. Ou bien Pelletier donne sa démission et je prends la succession, ou bien Pelletier conserve son titre et son autorité et alors regardez ailleurs. Si Pelletier meurt avant que vous lui ayez trouvé un remplaçant, alors on se reverra et on prendra une décision.

Les choses ne traînèrent pas en longueur. Pelletier meurt en janvier 1947, je suis immédiatement élu au conseil d'administration de l'Imprimerie populaire. Vers le même temps, deux autres administrateurs, prétendus amis de Duplessis, meurent et sont remplacés par des hommes sûrs. Le 9 avril 1947, une assemblée conjointe des administrateurs et des fiduciaires de l'Imprimerie populaire ltée me nomme directeur du *Devoir* avec tous les pouvoirs attribués à la fonction par la charte du journal.

Dans le public, la constitution du *Devoir* est quelque chose de mystérieux; elle donne lieu aux interprétations les plus fantaisistes. En fait, c'est une affaire assez simple. L'Imprimerie populaire est une compagnie par actions à charte fédérale constituée en 1913. À l'origine, et jusqu'à mon entrée dans la maison, le capital autorisé était de 5000 actions d'une valeur nominale de 100$. Au départ, la moitié des actions plus une avaient été émises au nom de Henri Bourassa, soit 2501 actions. Pour éviter qu'elles ne tombent dans sa succession après son décès, Bourassa constitua par acte notarié, le 31 décembre 1928, une fiducie de trois membres, habilitée à représenter ce bloc d'actions à toute assemblée générale ou spéciale de la compagnie. Une deuxième fiducie de trois membres, généralement les mêmes personnes que pour la première, représente un autre bloc d'actions, moins important que le premier; ces actions furent émises, semble-t-il, en contrepartie de créances obligataires qui auraient été effacées à une certaine époque. La première fiducie détient donc un pouvoir absolu sur l'élection des administrateurs de la compagnie. Chaque fiducie agit par l'intermédiaire du premier fiduciaire; en cas d'incapacité d'agir du premier, c'est le deuxième qui le remplace et éventuellement le troisième.

Les fiduciaires interviennent également pour la nomination du directeur du *Devoir.* Dans ce cas, ce sont les trois fiduciaires de la première fiducie et les administrateurs, sept ou neuf selon l'époque, qui, par vote majoritaire, choisissent la personne appelée à exercer le pouvoir. Une fois que le directeur est entré en fonction, il se substitue à l'autorité des fiduciaires; c'est lui qui vote au nom des deux fiducies, c'est lui qui a le pouvoir de nommer ou de démettre les administrateurs de la compagnie, comme tout actionnaire majoritaire dans n'importe quelle société par actions. C'est pourquoi on a raison d'affirmer que le directeur du *Devoir* détient une autorité absolue sur l'institution, tant pour l'orientation idéologique du journal que pour la gestion quotidienne des affaires. Autorité sécurisante mais dangereuse, et d'autant plus ferme que le titulaire n'en doit pas abuser.

Le transfert de la première fiducie de Pelletier à Monseigneur Charbonneau fut une opération laborieuse. Plusieurs administrateurs s'y opposaient fortement, invoquant, non sans raison, que Bourassa avait clairement indiqué dès le départ que son journal ne relèverait pas de l'autorité diocésaine, même s'il prétendait en faire un journal catholique, afin de lui conserver une grande liberté de manœuvre dans le champ des affaires profanes. À l'époque, la distinction entre journal catholique et journal d'inspiration catholique n'avait pas été définie clairement et la liberté pour les laïcs de prendre position sur les affaires courantes en catholiques et non en tant que catholiques n'était pas aussi facilement reconnue que de nos jours. Au conseil d'administration, plusieurs se disaient: si l'archevêque de Montréal met un pied dans la porte, même à titre provisoire, le précédent pourra être invoqué plus tard pour exiger d'avoir un mot à dire dans la nomination du directeur et pour tenter d'exercer une certaine censure sur la rédaction. Il fallut toute la force de persuasion de Jacques Perrault pour convaincre ses collègues de la nécessité de la manœuvre. Si on avait pu prévoir à l'époque ce qu'il adviendrait de Monseigneur Charbonneau, il est probable qu'on aurait inventé un autre subterfuge pour assurer la passation des pouvoirs.

Comment étais-je arrivé à faire marche arrière à dix-huit mois d'intervalle? À distance il n'est pas facile de refaire le cheminement qui s'était accompli dans ma tête. Un facteur important fut mon état de santé. J'étais rétabli de l'accident de 1942 et je me sentais d'attaque. À l'UCC, j'avais le sentiment de tourner en rond. J'avais donné ma mesure et j'ambitionnais de faire autre chose, de connaître d'autres milieux et d'autres hommes. Mais je pense que ce qui fit pencher la balance fut la certitude que je n'atterrirais pas seul dans le panier de crabes; André Laurendeau viendrait m'y rejoindre, dès qu'il aurait terminé son mandat de député à l'Assemblée législative.

Laurendeau et moi nous nous connaissions depuis 1933, à l'époque des Jeune-Canada. Je ne sais trop pourquoi ni comment nous avions développé l'un pour l'autre une certaine estime, pour ne pas dire un brin d'admiration. Lui, c'était le type du jeune intellectuel engagé. Sa façon de jongler avec les mots et les concepts me fascinait. J'enviais la facilité avec laquelle il coupait les cheveux en quatre, tout en ne perdant pas de vue l'objet vers lequel il fallait tendre, soit la rénovation des valeurs spirituelles et morales des Canadiens français. Il m'avait remarqué, m'a-t-il avoué beaucoup plus tard, pour le réalisme de mes positions, pour ma façon d'arriver rapidement à des conclusions de sens commun.

En 1947, il y avait donc quatorze ans que nous cheminions dans la même direction sans forcément emprunter les mêmes sentiers. Nous avions assez d'estime l'un pour l'autre pour savoir que nous pourrions travailler ensemble en harmonie, tout en étant conscients de nos convergences et de nos divergences. Avant de répondre oui à Jacques Perrault, j'avais évoqué l'hypothèse de la venue de Laurendeau au *Devoir*. Je n'eus pas à me livrer à du «tordage» de bras. Laurendeau savait que son avenir était ailleurs que dans la politique. Aussi accepta-t-il d'emblée mon invitation.

Mais il y avait un problème: il était député de Laurier à l'Assemblée législative et chef provincial du Bloc populaire. Je le laissai libre de trouver une manière élégante de se dégager de ces deux fonctions. Dans un premier temps, il remettrait sa démission comme chef du Bloc populaire, puis, quand il serait entièrement dégagé de la politique, il entrerait au *Devoir* en qualité de rédacteur en chef adjoint, en attendant la mise à la retraite du titulaire, M. Omer Héroux.

Ce passage de la politique au journalisme fut pénible. Le fondateur du Bloc populaire, M. Maxime Raymond, interpréta le geste comme une trahison, allant jusqu'à invoquer l'existence d'un complot entre Laurendeau et le nouveau directeur du *Devoir*. En fait, l'aventure du Bloc populaire avait été pour Laurendeau une erreur d'aiguillage. Sa tournure d'esprit, ses goûts intellectuels, sa constitution physique, tout le destinait à des tâches étrangères aux débats électoraux. Il n'était pas fait pour l'action politique, mais pour la recherche intellectuelle. À défaut de faire une carrière d'écrivain, il optait pour le journalisme, seule façon à l'époque de vivre de sa plume.

Dans quel état se trouvait *Le Devoir* le 10 avril 1947? Le bâtiment, au 430, rue Notre-Dame est, est une ancienne fabrique de chaussures, donnée en cadeau par un des administrateurs et bienfaiteur de l'Imprimerie populaire, M. Oscar Dufresne. Infesté de rats, empestant les vapeurs de plomb et d'antimoine, sans issues de secours, il devrait normalement être condamné par le service de santé de la ville de Montréal. La réputation du journal y amenait fréquemment des visiteurs de l'extérieur, voire du reste du Canada et des États-Unis. À leur mine déconfite, on devinait leur surprise de voir un journal aussi prestigieux si mal logé. Pour ceux et celles qui y besognaient, cette indigence allait de soi. Henri Bourassa ne s'était-il pas écrié un jour: «Quand *Le Devoir* prendra du ventre, ce sera dangereux pour sa vertu.» N'ayant cessé depuis sa fondation de montrer tous les signes extérieurs de la pauvreté, le journal ne pouvait qu'être vertueux. La même règle s'appliquait à ceux qui y travaillaient: tous pauvres et tous vertueux, du moins en principe.

Les finances de l'entreprise, qui avaient connu un moment de prospérité dans la foulée du plébiscite et du Bloc populaire, se détériorent rapidement. La perte d'exploitation varie entre cent et deux cents dollars par jour; les réserves sont épuisées et il faut recourir à l'emprunt bancaire. L'équipement des ateliers a atteint la limite de l'usure; il menace de flancher à tout moment. Complètement démodée, la section des travaux de ville n'est plus en mesure de rencontrer la concurrence. Au plan technique et financier, l'Imprimerie populaire montre tous les signes d'une entreprise qui se meurt.

J'ai mentionné plus haut que, durant l'interrègne 1943-1947, plusieurs journalistes confirmés avaient quitté la maison. Il reste pourtant plusieurs éléments valables, suffisamment forts pour assurer la durée, mais pas assez pour amorcer une relance. Mais comment recruter du sang neuf quand le compte en banque est vide et que le crédit est limité? Pas question de mise à la retraite, quand il n'existe pas de fonds de retraite. Après consultation et réflexion, j'optai pour sacrifier ceux qui avaient la meilleure chance d'être rescapés par le pouvoir politique en place à Québec, parce qu'ils l'avaient bien servi durant les années précédentes. C'est ainsi que deux journalistes, par ailleurs fort méritants, Émile Benoist et Alexis Gagnon, eurent la chance, si je peux m'exprimer ainsi, de passer le premier au ministère de la Voirie et le second au Bureau de censure du cinéma. Quelques mois plus tard, Louis Robillard se trouva un poste quelque part au greffe ou aux archives de la ville de Montréal. Restèrent en place Omer Héroux, rédacteur en chef, Paul Sauriol, chroniqueur de politique étrangère, Pierre Vigeant, correspondant à Ottawa, plus une petite équipe de reporters dont les noms les plus connus sont Jean-Marc Laliberté,

Pierre Laporte, Xiste Narbonne aux sports, Mlle Germaine Bernier à la page féminine.

L'entrée éventuelle d'André Laurendeau à l'éditorial n'était pas suffisante pour combler tous les postes vacants. Je m'étais proposé de ramener Roger Duhamel dans la maison. Nous eûmes un long tête-à-tête, sans qu'il fût possible de nous entendre. Je crus comprendre qu'il accepterait de venir à condition d'être en ligne pour la succession d'Omer Héroux. Quand je mentionnai que le poste était déjà promis à André Laurendeau, je le sentis se refroidir. Il n'est pas sûr non plus qu'il n'ait pas été sans pressentir dans mes propos une certaine hostilité envers Duplessis. À cause de ses convictions conservatrices, nous aurions éventuellement eu du mal à nous entendre.

Ce qui me fascinait chez Duhamel c'était sa vaste culture littéraire et la qualité de sa langue. Il était déjà à l'époque le journaliste canadien-français le plus connu. C'est dommage qu'il n'ait jamais eu l'occasion d'exercer son métier dans un quotidien apte à mettre en valeur son talent. Il dut se contenter de feuilles minables comme *La Patrie* et *Montréal Matin*, que les lecteurs achetaient pour des motifs fort éloignés de la valeur des éditoriaux. C'est Jean-Pierre Houle, ami intime de Duhamel, qui vint relancer la page littéraire laissée en panne par le départ de ce dernier, en plus de couvrir comme reporter les quelques événements d'ordre culturel qui pouvaient alors se produire.

Dans les services auxiliaires, aux ateliers, au

tirage, à l'expédition, le vieillissement du personnel avait produit la même sclérose. Plusieurs chefs de service avaient dépassé les soixante-dix ans. Il fallut donc prendre des décisions pénibles pour remettre un peu de vie dans la boîte. C'est à ce moment que je pris la détermination de mettre sur pied un fonds de retraite, dès que les finances le permettraient, ce qui n'arrivera que beaucoup plus tard, vers 1960.

Il y a presque quatre ans que *Le Devoir* est sans direction. Lui qui fut en quelque sorte le porte-parole officiel de la Ligue pour la défense du Canada, sans laquelle le Bloc populaire n'aurait jamais pris naissance, était devenu subitement aphone avec la maladie de Pelletier. À l'élection générale de 1944, il appuie mollement le Bloc populaire sans toutefois égratigner Duplessis. Celui-ci installé au pouvoir, il devient tout indulgence à son endroit. Alexis Gagnon, brave homme s'il en fut jamais, est un mou. On le dit très proche de Duplessis, depuis l'époque où il a été chroniqueur parlementaire à Québec. Comme c'est lui qui détient provisoirement l'autorité, sa douce mollesse pénètre par osmose tous les services, à commencer par la rédaction. *Le Devoir* manque de nerf. Les lecteurs le sentent et le désertent petit à petit.

Il faut redonner au journal sa raison d'être, lui fixer des objectifs, secouer le lecteur. D'entrée de jeu, je publie une série d'articles intitulée *Positions*. C'est une définition de ce que je pense sur les principales questions de l'heure: constitution, affaires sociales, développement économique, langue et culture, éducation, religion. À quarante ans d'intervalle, ces textes sonnent étrangement. Plusieurs idées sont encore valables, d'autres sont tellement dépassées qu'on peut se demander si elles reflétaient vraiment la réalité de l'époque. Quand on relit cette prose, on devient subitement modeste et on perd une bonne partie de son assurance. Et puis cette façon presque arrogante d'investir la place ferait aujourd'hui rigoler. En 1947, on pouvait se permettre une telle fanfaronnade, sans provoquer des gorges chaudes. Le procédé eut au moins le mérite d'exprimer en noir sur blanc vers quoi se dirigeait *Le Devoir* et de faire sentir aux gens de la maison, comme à ceux de l'extérieur, que désormais il y avait un pilote à la barre du navire.

Le transfert de la première fiducie à Monseigneur Charbonneau avait été perçue dans le public comme l'abdication de la liberté du journal. Les administrateurs s'y étaient résignés après beaucoup d'hésitation, et il n'était pas convenable d'expliquer publiquement que la manœuvre visait simplement à éviter la nomination éventuelle d'un directeur trop lié à l'Union nationale.

Tant que Monseigneur Charbonneau occupa le siège de Montréal, la rumeur continua de circuler qu'il était devenu propriétaire du *Devoir*, et cela en dépit du fait qu'en quelques circonstances le journal ait pris des positions opposées à celles de l'archevêque, notamment à l'occasion d'une grève des enseignants de la Commission des écoles catholiques de Montréal. Mais c'est surtout lors de cette étrange affaire de Saint-Rémi-d'Amherst que la divergence de vues éclata.

La revue *Relations*, alors dirigée par le père D'Auteuil Richard, jésuite, avait publié une longue étude de Burton LeDoux sur le sort des mineurs d'une exploitation de silice dans le petit village des Laurentides. Documents à l'appui, LeDoux démontrait que ces mineurs travaillaient dans des conditions telles qu'ils finissaient tous par être atteints de silicose, mourir prématurément ou devenir rapidement invalides. Naturellement LeDoux dénonçait avec véhémence le comportement inhumain de la compagnie.

Qui était ce Burton LeDoux? Je le rencontrai souvent au cours de l'année qui suivit, sans pouvoir percer le secret de ses origines ni découvrir le motif de ses recherches. Il habitait New York. Était-il un descendant d'émigré québécois? Il maîtrisait bien le français, malgré qu'il l'eût appris, disait-il, à l'âge adulte. Comment était-il arrivé à s'intéresser au sort des ouvriers québécois? Par curiosité et par souci de justice sociale, affirmait-il. Avait-il de la fortune pour financer des recherches aussi coûteuses? Apparemment non. Mystère et boule de gomme que ce bonhomme dans la quarantaine, d'apparence ascétique, d'allure un peu illuminée, mais d'une sincérité apparemment sans faille. La condition qu'il décrivait dans l'article de *Relations* reflétait un fond d'authenticité incontestable, comme il fut possible de le vérifier auprès des médecins ayant eu à soigner des ouvriers de Saint-Rémi-d'Amherst.

Comment expliquer que Monseigneur Charbonneau ait pris la mouche au point d'exiger la démission du père Richard et une rétractation de *Relations*?

Pas plus aujourd'hui qu'à l'époque je n'arrive à comprendre le pourquoi d'une intervention aussi brutale, surtout chez un homme imbu de justice et prompt à se porter au secours des faibles. On a dit dans le temps qu'il aurait été lié d'amitié avec la famille Timmins, propriétaire de la mine. Bons catholiques, au quart français et aux trois quarts irlandais, les Timmins avaient fait fortune dans les mines du nord de l'Ontario, là où une ville porte leur nom. L'exploitation de Saint-Rémi-d'Amherst devait être une entité négligeable dans l'empire financier qu'ils avaient bâti; d'ailleurs, le scandale soulevé par l'article de LeDoux les incita à fermer rapidement l'exploitation de la mine. L'archevêque en avait-il contre les pères jésuites et leur revue? Aurait-il pris prétexte de l'affaire pour montrer qu'il était maître dans son diocèse? C'est peu probable. S'agit-il plutôt d'une manifestation du caractère erratique qu'on lui connaissait et qui l'amena souvent à prendre des décisions inspirées davantage par l'émotion et la colère que par la sagesse? C'est probable.

Toujours est-il que *Le Devoir* ne suivit pas l'archevêque dans cette censure abusive. Il marqua nettement son désaccord et alla même jusqu'à collaborer avec LeDoux dans une recherche de même nature sur l'état de santé des mineurs d'amiante d'East-Broughton en Beauce.

Le 12 janvier 1949, *Le Devoir* publia une étude de Burton LeDoux intitulée: «L'amiantose à East-Broughton — Un village de 3000 âmes étouffe dans la poussière». L'industrie de l'amiante était prise à partie pour les conditions d'hygiène déplorables dans lesquelles les mineurs de East-Broughton étaient forcés de travailler. Quelques semaines plus tard éclatait à Asbestos le conflit devenu célèbre sous l'appellation de grève de l'amiante. Le rôle joué par *Le Devoir* dans ce conflit sera évoqué plus loin. Suffit de dire pour le moment que l'étude de LeDoux et le déclenchement du conflit n'avaient aucun lien de causalité; il s'agissait d'une pure coïncidence. Cette fois, l'archevêque de Montréal et *Le Devoir* se trouvèrent du même côté de la barricade.

Pour résumer, disons que le fait pour Monseigneur Charbonneau de représenter la première fiducie de l'Imprimerie populaire n'entrava en rien la liberté de la rédaction. Nous nous sentions libres et nous n'avons jamais cherché à connaître les opinions que l'archevêque avait sur les sujets que nous traitions en page éditoriale.

Vers la mi-janvier 1950, je sollicite une entrevue avec Monseigneur Charbonneau pour l'inviter personnellement à nous faire l'honneur d'assister au banquet du quarantième anniversaire du *Devoir*, qui doit avoir lieu le 12 février. Il me reçoit avec chaleur et il m'écoute avec attention. Il me remercie de l'invitation et il ajoute: «Je pars dans quelques jours pour un très très long voyage, je ne pourrai pas assister à votre banquet, mais je verrai à ce que l'archevêché soit représenté.» Le premier février, la bombe éclate dans le ciel de Montréal: Monseigneur Charbonneau est relevé de ses fonctions et exilé à Victoria, Colombie-Britannique. C'est alors que je compris la nature du «très très long voyage» qu'il m'avait annoncé quelques jours plus tôt.

Dans le quatrième tome de ses mémoires, le chanoine Lionel Groulx s'attarde à traiter longuement du cas Charbonneau. Ses sources d'information sont abondantes et le diagnostic qu'il pose est probablement assez juste. Je me permets d'ajouter quelques pièces au dossier.

Lors d'un passage à Rimouski en 1948, je rends visite à Monseigneur Georges Courchesne, que je connais de longue date et que je ne manque jamais de saluer chaque fois que je passe par la ville de mes études classiques. Il m'invite à souper au réfectoire, puis m'amène au petit salon de l'étage où il fait sa digestion tout en prenant plaisir à scandaliser les visiteurs de passage par ses propos truculents. L'affaire de la revue *Relations* vient de secouer le Landerneau montréalais. Il m'interroge sur ce que je connais des dessous de l'affaire. Je dis ce que j'en sais et je hasarde quelques explications. Après m'avoir longuement écouté, Monseigneur Courchesne conclut: «Encore une fois, Charbonneau s'est enfoncé dans la merde jusqu'aux oreilles.» D'où je conclus qu'il n'y avait pas de sentiment d'affection tendre entre les deux hommes. On aurait tort cependant de prendre à la lettre les propos de Monseigneur Courchesne. L'homme était raffiné, mais il prenait plaisir, quand il était dans l'intimité, à donner libre cours à sa faconde rabelaisienne.

J'étais encore à l'UCC, quand je fus invité à participer à une rencontre à l'archevêché, en rapport avec les allocations familiales que le gouvernement fédéral se proposait de verser aux familles canadiennes. Nous étions là une bonne douzaine de personnes de milieux variés, dont j'oublie l'identité, sauf Madame Thérèse L.-Casgrain. Elle est révoltée à l'idée que, dans toutes les provinces sauf au Québec, les chèques d'allocations seront adressés aux mères de famille. Au Québec, à cause de dispositions particulières du Code civil, Ottawa se propose d'émettre les chèques au nom des pères. Ce qui m'est resté de cette réunion, ce n'est pas tant l'attitude de Monseigneur Charbonneau, qui était somme toute raisonnable, que la véhémence, pour ne pas dire la violence, avec laquelle il défendait son point de vue. C'était la première fois que je voyais un évêque s'emporter de la sorte dans une réunion de laïcs. Fatigue? Trait de caractère? J'en ai éprouvé ce soir-là une profonde déception.

Si Monseigneur Charbonneau ne laissa jamais transpirer ses sentiments sur les prises de positions du *Devoir*, il en alla différemment de son successeur. Et cela à la suite de ce qui fut une gaucherie de ma part. Nous sommes à l'été 1950, quelques mois à peine après l'intronisation de Monseigneur Paul-Émile Léger sur le siège de Montréal. À l'Imprimerie populaire, nous possédions à l'époque un service de travaux de ville, dont les maigres bénéfices soulageaient quelque peu les pertes du journal. J'apprends un bon matin qu'un client important vient de nous quitter pour un atelier exploité par une communauté de frères. C'était connu dans le milieu que les bons frères faisaient systématiquement du commerce à rabais, parce que leurs religieux travaillaient sans rémunération, parce que les laïcs qu'ils employaient n'étaient pas syndiqués, parce que l'immeuble qui les abritait était partiellement exempt de taxes municipales, foncières et d'affaires, ainsi de suite. Il y avait longtemps que les maîtres imprimeurs se plaignaient de cette concurrence déloyale. Sous le coup de l'indignation, j'adresse une protestation au nouvel archevêque de Montréal, que je ne connais ni d'Ève ni d'Adam. La réaction ne se fait pas attendre. Quelques jours à peine se sont écoulés que je suis convoqué à l'archevêché. Je fais la connaissance de Monseigneur Léger, première manière, autoritaire, cassant. Sa réplique est péremptoire: les frères ont le droit de gagner leur vie comme tout le monde; les revenus qu'ils tirent de leur atelier d'imprimerie servent à financer des œuvres d'éducation auprès de la jeunesse d'ici et des activités missionnaires à l'étranger. Cette affaire réglée en quatre ou cinq phrases, l'Autorité m'exprime ses réserves à l'endroit du *Devoir*, dont les positions ne sont pas toujours conformes à ce qu'elle, l'Autorité, est en droit d'attendre d'un journal catholique. D'ailleurs il se pose à Montréal un problème pratique auquel il conviendrait de trouver une solution: *Le Devoir* et *Notre Temps* se font concurrence. Ce dernier est dirigé par un journaliste d'expérience et de bon jugement. N'y aurait-il pas lieu de rechercher une forme de collaboration et éventuellement de fusion entre les deux organes? On ne vous demande pas de vous retirer, mais simplement d'accepter des responsabilités plus modestes et plus conformes à vos aptitudes. Le monologue dure moins de dix minutes, je ne dis pas un mot et je me retire en exprimant les remerciements d'usage. Arrivé à mon bureau, la moutarde me monte au nez. On a beau être archevêque, on n'a pas le droit de passer par-dessus la tête du conseil d'administration, du directeur général, de la constitution même d'une entreprise comme *Le Devoir*, pour proposer tout de go un projet de réforme et mousser la candidature d'un journaliste qui a quitté le journal en claquant la porte, parce que Georges Pelletier refusait de lui promettre sa succession.

La marmite bouille durant deux ou trois jours et, un peu calmé, je sollicite une entrevue avec Monseigneur Léger. Cette fois, c'est moi qui monologue. Je n'ai pas sollicité la direction du *Devoir*, j'ai même refusé deux fois avant d'acquiescer à l'invitation pressante qui m'était faite. J'ai reçu mon mandat en conformité avec la constitution du journal, investi des mêmes pouvoirs et des mêmes obligations que le fondateur, Henri Bourassa. Ce dernier a voulu que *Le Devoir* soit un quotidien dirigé par des laïcs, afin d'éviter que l'autorité ecclésiastique soit compromise par ses attitudes dans les matières profanes. Bourassa a fait du *Devoir* un journal de combat; nous essayons de maintenir la tradition, talent et prestige en moins. Je ne finirai pas mes jours au *Devoir*, mais j'ai l'ambition de rétablir son équilibre financier avant de prendre une autre direction. De toute façon, il appartient à ceux qui m'ont nommé de m'exprimer leur regret; je ne m'accrocherai pas au poste. Tout cela débité sur un ton poli mais ferme a pour effet de détendre l'atmosphère. L'archevêque se fait conciliant: très bien, ce n'était qu'une suggestion, si la formule n'est pas acceptable, laissons les choses dans l'état où elles sont.

Mis au courant de l'incident, Me Jacques Perrault me supplie de me rendre en vitesse auprès de Monseigneur Charbonneau pour lui demander de renoncer à la première fiducie. Étant toujours conseiller juridique de l'archevêché, Perrault croit savoir que des recherches se poursuivent dans les archives pour mettre la main sur le document instituant l'archevêque déchu premier fiduciaire de la première fiducie. Nous sommes à l'ère des DC-3; le vol Montréal-Victoria prend une vingtaine d'heures avec une dizaine d'arrêts et trois ou quatre changements d'appareil. Je m'amène donc un bon matin, après une nuit sans sommeil, chez les bonnes sœurs où loge Monseigneur Charbonneau. Il me reçoit avec chaleur. Toujours aussi nerveux, son débit est saccadé. Il ne porte aucun insigne épiscopal. Nous causons de Montréal, du Québec, du *Devoir*, mais pas un mot des affaires ecclésiastiques. Finalement, je lui dévoile le motif de ma visite. Il a bien voulu, dis-je, se prêter à une manœuvre visant à éviter la mainmise d'un parti politique sur *Le Devoir*. Maintenant que tout est rentré dans l'ordre et que le rodage d'une équipe renouvelée est complété, il serait souhaitable qu'on en revienne à la tradition, à savoir que le directeur soit en même temps premier fiduciaire de la première fiducie.

Monseigneur Charbonneau me répond qu'il a accepté le mandat non en tant qu'archevêque de Montréal, mais à titre personnel. Il ne pense pas avoir le droit de se départir de cette responsabilité sans motif sérieux. Il n'existe, souligne-t-il, dans les archives de l'archevêché aucun document se rapportant à l'affaire; vous pouvez donc dormir tranquille. J'enchaîne avec la suggestion suivante: promettez-vous de ne jamais céder votre titre de premier fiduciaire à qui que ce soit, sans l'accord de la direction du *Devoir*? — Vous pouvez compter sur moi. Et c'est ainsi que Monseigneur Charbonneau conserva le titre de premier fiduciaire de la première fiducie de l'Imprimerie populaire jusqu'à son décès en 1958.

Dans les années cinquante, *Le Devoir* a frôlé la faillite à plusieurs reprises. Quand nous avions le dos au mur, les Amis du Devoir se lançaient en campagne pour lever des fonds dont nous avions un urgent besoin. Les moins généreux donateurs n'étaient pas les membres du clergé, surtout les vieux curés de campagne pour qui *Le Devoir* de Bourassa et de Pelletier était depuis toujours la lecture favorite. Mais plus on s'élevait dans la hiérarchie, plus les dons étaient rares et modestes. Je ne me rappelle pas un seul évêque ayant délié sa bourse en notre faveur, ce qui était un indice certain qu'en haut lieu on nous tenait en suspicion. Ce sentiment reçut une confirmation quand on lut un beau jour le nom du cardinal Léger et de Monseigneur Douville de Saint-Hyacinthe en tête des bienfaiteurs de *Notre Temps*, le premier pour 5000$ et le second pour 3000$. Dès lors nous savions à quoi nous en tenir.

Jacques Perrault me pressait de faire le tour des évêchés. «Tu as tort, m'affirmait-il, de te tenir éloigné; pendant ce temps-là, nos adversaires minent le terrain. Beaucoup d'évêques n'aiment pas Duplessis et ils seraient flattés de recevoir ta visite; ceux-là au moins pourraient neutraliser ceux qui nous détestent.»

Je restais ferme sur mes positions. Bourassa, rétorquais-je, en imposait aux évêques. Quand il les rencontrait, c'est lui qui tenait le crachoir. Il n'y a que le cardinal Villeneuve qui a osé lui faire une remontrance publique, et ce n'est pas ce qui l'a grandi. Moi je ne suis qu'un fils d'habitant; ma seule protection contre un coup de crosse, c'est de me tenir assez loin pour ne pas être touché.

Mais le coup de crosse vint à deux cheveux de m'atteindre un de ces jours. Au meilleur de mon souvenir, ce devait être en 1955, sûrement pas après l'élection scandaleuse de 1956 qui donna lieu à un débordement de corruption électorale comme on n'en avait jamais vu jusque-là. Les abbés Dion et O'Neil publièrent, au lendemain de cette élection, le fameux texte paru dans *Ad Usum Sacerdotum,* étalant au grand jour la turpitude de nos mœurs électorales. Après cela, il fut plus facile de s'en prendre à Duplessis et à la corruption de son régime.

Donc vers 1955, je reçois une lettre de Monseigneur Garant, auxiliaire de Québec et secrétaire de l'Assemblée des évêques de la province de Québec. En deux paragraphes, le texte m'informe que les évêques ont étudié les attitudes du *Devoir* et sont arrivés à la conclusion que celui-ci ne se comporte pas comme un journal catholique dans les jugements qu'il porte sur les autorités qui nous régissent.

Conformément à ma mauvaise habitude en pareilles circonstances, je ne souffle mot à personne. Je rumine mon affaire durant deux jours et je décide d'exiger des explications. Je réponds donc à Monseigneur Garant par une lettre aussi courte que la sienne. Je demande avec révérence et fermeté de me dire dans quelles circonstances précises, dans quels cas concrets *Le Devoir* ne s'est pas comporté comme le voudrait l'assemblée des évêques. En d'autres termes, vous nous accusez d'avoir un mauvais esprit; alors prouvez-le. La manœuvre avait pour objet d'amener nos censeurs à descendre sur le terrain de la politique, puisqu'au fond c'est notre attitude gavroche à l'endroit du gouvernement qu'ils nous reprochaient sous la couverture du respect de l'autorité établie.

Ma lettre resta sans réponse, mais à quelques semaines de là je reçus l'invitation d'aller passer une soirée avec Monseigneur Papineau, à l'évêché de Joliette. Je connaissais l'évêque de Joliette depuis au moins vingt ans. C'était un bon bonhomme, très près de ses gens, très au courant des problèmes concrets d'une population encore majoritairement rurale. On lui faisait la réputation d'être plutôt anti-Duplessis, ce qui augurait plutôt bien pour le tête-à-tête. De toute évidence, il avait reçu mission de ses collègues de tâcher d'arranger les choses.

Je me présente donc à l'évêché de Joliette vers vingt heures; j'en sortirai à minuit. Monseigneur Papineau est bien renseigné; quelqu'un a dû lui monter un dossier. Sans la moindre agressivité, même avec une certaine bonhomie, il me pose des colles. Vous avez écrit telle chose à propos de telle question, pourquoi? Nous faisons calmement le tour d'une bonne douzaine de sujets. Je ne cède pas un pouce de terrain; tout au plus suis-je prêt à admettre que, dans le feu de l'action, on peut commettre des erreurs. Un journal, ça se fait en quelques heures; on n'a pas toujours le temps de vérifier toutes les sources. Au surplus, nous évitons de nous engager dans des discussions philosophiques, encore moins théologiques. Notre domaine, c'est la vie concrète; notre matière première c'est l'événement d'hier, d'aujourd'hui ou de demain, toujours traité sous l'angle des conséquences qu'il peut avoir pour la population à laquelle nous nous adressons. Mon interlocuteur ne fait aucune allusion à l'admonestation que j'ai reçue; il ne laisse planer aucune menace de censure. Apparemment satisfait de mes explications, il me donne congé avec une délicate allusion à la prudence qu'il est bon d'observer dans la conduite des affaires humaines.

Plus tard, vers les années cinquante-sept ou cinquante-huit, Monseigneur Gérard-Marie Coderre, évêque de Saint-Jean, invite les têtes d'affiche du *Devoir* à souper à l'évêché, histoire de faire connaissance avec Laurendeau, Sauriol, Laporte. L'atmosphère est détendue; pas l'ombre d'un reproche. Il saisit mieux que d'autres qu'un journal quotidien, indépendant et dirigé par des laïcs, obéit à des lois qui lui sont propres, différentes en tout cas de celles qui régissent les publications soumises à l'autorité immédiate de l'évêque. Nous échangeons des points de vue en toute sérénité et nous nous quittons dans les meilleurs termes. De toute évidence l'atmosphère s'est détendue.

Un nouveau pape monte sur le trône de Pierre. La bonhomie succède à l'intransigeance. Un pape capable de blaguer, ça ne s'est pas vu de temps immémorial au Vatican. La contagion se répand jusqu'à Montréal. Sur les entrefaites éclate le scandale du gaz naturel. Ce gouvernement, qui se dit lui-même catholique, n'est donc pas plus vertueux qu'un autre qui s'afficherait laïque. C'est donc que le gouvernement des hommes est soumis à des lois différentes de celles qui régissent une institution divine. Le mélange du sacré et du profane s'opère toujours au détriment du premier. Puis survient le Concile, qui procède à un immense dépoussiérage des institutions ecclésiales. On laïcise à tour de bras, à commencer par les clercs eux-mêmes qui sont devenus tels pour des motifs souvent éloignés de ce qu'on appelle communément la vocation. Dorénavant, l'Église ne sera plus omniprésente, si ce n'est par les principes qu'elle continuera à prêcher aux hommes de bonne et de mauvaise volonté.

Au *Devoir*, nos ennuis des années précédentes avec l'autorité religieuse sont terminés. Il n'y a jamais eu de démêlés, parce que nous n'avons jamais été mêlés. La chute du régime Duplessis, l'arrivée des libéraux au pouvoir s'opère non dans l'euphorie, mais avec une évidente satisfaction. Du côté de l'autorité ecclésiastique, un geste de bonne volonté qui vise sûrement à faire oublier quelques années d'incompréhension.

André Laurendeau et moi sommes invités par le cardinal Léger à un souper en tête à tête dans une vieille maison de pierre magnifiquement restaurée et meublée avec un goût exquis par une congrégation de femmes du diocèse. Le cardinal va s'y reposer de temps à autre et en profite pour inviter à sa table quelques convives qu'il veut particulièrement honorer et avec qui il désire s'entretenir en toute tranquillité. Au menu, perdrix au chou, don d'un ami qui doit sûrement être chasseur. La conversation est des plus agréables. Il y est évidemment question du *Devoir*, de ses problèmes, qui sont moins sérieux qu'autrefois, de la vision que nous avons de l'évolution de l'Église, des transformations de la société québécoise et canadienne. Le dialogue est franc, cordial, positif. Pas la moindre trace de ressentiment de part et d'autre. Ce n'est pas la réconciliation, car il n'y a jamais eu rupture, mais il y a accord tacite pour passer l'éponge. Pour moi, ce sera la fin d'une expérience qui aura été somme toute enrichissante. À quelques mois de là, je quitterai *Le Devoir* pour une autre aventure.

Valait-il la peine de mettre par écrit ce que je serais tenté d'appeler les faits divers des relations tendues entre *Le Devoir* et certaines autorités religieuses durant la décennie 1950-1960? Racontés comme ça en quelques pages, ces malentendus peuvent prendre des proportions démesurées, mais quand on les répartit sur une dizaine d'années, ils deviennent des incidents presque banals par rapport à tous les embêtements auxquels *Le Devoir* eut à faire face durant cette période.

N'empêche que certains de ces incidents auraient pu conduire à un dénouement tragique. Avec le recul du temps, je me suis souvent demandé ce qui serait advenu du *Devoir* dans l'hypothèse d'une mise en garde publique de l'assemblée des évêques à l'adresse du clergé et des fidèles. Sûrement une perte de tirage de quelques milliers d'exemplaires, une interdiction d'abonnement et de lecture dans un grand nombre de communautés, surtout de femmes, et dans plusieurs collèges. À l'intérieur de la maison, désarroi certain. J'aurais quitté et Laurendeau aurait suivi. Au conseil d'administration, plusieurs départs. Qui aurait accepté de prendre la relève et dans quelles conditions?

Mais à quoi bon spéculer sur des événements qui ne se sont pas produits, grâce à la patience des évêques et peut-être aussi à l'imperméable discrétion que j'ai cru devoir observer. La moindre indiscrétion aurait jeté l'affaire en pâture à tous ceux qui ne nous aimaient pas, et ils étaient nombreux et puissants. Une fois dans le public, elle aurait pris des proportions énormes, de sorte que la rumeur aurait pu devenir plus grave que la chose.

Avec une trentaine d'années de recul, je ne peux m'empêcher d'affirmer que c'est nous qui avions raison. Avec le temps, la notion de journal catholique, comme on le professait à l'époque, s'est avérée sinon fausse du moins impratiquable. *L'Action catholique*, liquidée; *Le Droit*, vendu; les hebdomadaires diocésains, *Le Richelieu* à Saint-Jean, *Le Messager* à Sherbrooke, et combien d'autres dont j'oublie le nom, fermés, vendus, transformés. La presse catholique au Québec, c'est un cimetière dont les pierres tombales sont gravées de bonnes intentions. Seul reste debout *Le Devoir*. Pourquoi ce quasi-mécréant a-t-il survécu, quand tous les autres sont tombés? J'ose esquisser quelques explications, sans être sûr de tenir la vérité.

D'abord le prestige de son fondateur et des hommes remarquables qui l'ont entouré dès l'origine. Olivar Asselin et Jules Fournier durant quelques mois seulement, Omer Héroux et Georges Pelletier pour toute une carrière. Bourassa avait fait du *Devoir* un journal de combat; il l'avait défini, annoncé, propagé comme tel. Quand on nous reprochera notre violence, il suffira de renvoyer les contradicteurs au manifeste de 1910 et aux articles du fondateur. Phénomène étrange, c'est quand *Le Devoir* paraîtra sommeiller qu'il deviendra vulnérable. Tant qu'il combattra, il se découvrira toujours des générosités pour assurer sa survivance. Bourassa avait dit à l'archevêque de Montréal: J'ai fondé un journal sans vous demander la permission, de sorte qu'on ne pourra pas vous ennuyer avec nos prises de position. Mais ce journal sera au service des causes catholiques. Ce langage faisait, avec plusieurs décennies d'avance, la distinction entre journal catholique et journal d'inspiration catholique.

Phénomène étrange, les journaux catholiques réussirent rarement à attirer dans leurs colonnes des signatures prestigieuses. Eugène L'Heureux et le docteur Louis-Philippe Roy à *L'Action Catholique* n'ont jamais jeté du lustre sur la profession, pas plus que le brave Camille L'Heureux au *Droit*. Leurs articles ne figureront jamais dans une anthologie du journalisme canadien, mais quelques-uns pourront éventuellement trouver place dans un sottisier. Manque de talent et de culture certes, mais aussi contraintes extérieures. On sait par instinct qu'il y a des gens et des institutions à ménager, des mots à ne pas employer, des situations à ne pas décrire, des abus à ne pas dénoncer. On doit être contre le vice, tout en ménageant les vicieux. Or le journalisme, comme le disait Louis Veuillot, est un métier de bourreau. On n'a pas une victime à exécuter tous les matins, ça deviendrait de la manie. Mais les milieux doivent savoir qu'on n'hésitera pas à se faire exécuteur des hautes œuvres quand le besoin s'en fera sentir.

Je me permets ici de faire une correction pour réhabiliter une réputation. Un jour, je m'étais payé la tête du docteur Louis-Philippe Roy, rédacteur en chef de *L'Action Catholique*. J'avais écrit que le brave docteur Roy avait servi une semonce au chef du Kremlin: «Et surtout que Staline se le tienne pour dit.» La blague fut répétée et elle devint une vérité historique. Il y a encore quelques mois, je la lisais sous la plume d'un mémorialiste, qui la donnait pour authentique. C'est ainsi que s'écrit l'histoire!

Ces contraintes à la liberté, les lecteurs en sont

conscients. On a beau prêcher le devoir de soutenir la bonne presse comme on disait autrefois, ils n'ont pas le cœur à cela. Je me souviens de l'époque où un prêtre, l'abbé Laliberté, avait pour fonction de parcourir les paroisses du diocèse de Québec afin de promouvoir en chaire l'abonnement à *L'Action Catholique*, sans que cette pression morale n'arrive jamais à permettre au bon journal de prendre le dessus sur le mauvais, *Le Soleil*. Et pourtant cette pressante sollicitation s'adressait à une population catholique, pratiquante, même fervente. Alors pourquoi cette résistance passive? Peur de se faire endoctriner? Manque d'intérêt pour les causes mollement défendues par la bonne presse? On ne le saura jamais, puisque les sondages qui l'auraient révélé n'ont pas été faits.

Fermons cette longue parenthèse sur les relations parfois difficiles entre *Le Devoir* et les autorités religieuses et revenons à 1947. Je prends donc la direction du journal le 10 avril. Je ne connais rien au journalisme quotidien. Un hebdomadaire spécialisé comme *La Terre de Chez Nous*, c'est du bricolage; le métier, c'est dans un quotidien qu'on l'apprend. Je ne connais rien non plus à l'imprimerie. Il me faudra tout apprendre en même temps.

Quels souvenirs me restent de ces premiers balbutiements? Rien de très précis. J'inaugure une session de quelques minutes chaque matin avec le comité de rédaction et nous prenons l'habitude de nous soumettre réciproquement nos textes. C'est ainsi qu'au cours des premiers mois M. Héroux fait sauter en mon absence un paragraphe d'un de mes articles, ce dont je le félicite. Il en paraît ravi.

Plus tard, André Laurendeau mettra au panier un de mes articles. J'avais dicté le texte et j'étais parti en voyage. À mon retour, Laurendeau s'amène à mon bureau les fesses serrées. Il me demande si j'ai remarqué que mon article n'avait pas paru. «Oui, et tu as bien fait.» Lui aussi parut soulagé. Je me hâte d'ajouter que je n'ai jamais fait sauter un mot des articles de Laurendeau. Pourquoi? Parce que, pour maintenir entre nous une atmosphère de détente, il valait mieux qu'il en fut ainsi. Censurer un article de Laurendeau aurait pu être perçu comme un geste d'autorité; l'inverse, comme une démarche responsable.

C'est aussi au cours de cette première année que je reçus la visite d'un individu que je connaissais à peine de nom. Un grand efflanqué, bronzé comme un Inuit, lunettes aux larges montures de corne, bouche gourmande, élocution lente et précise. C'est Pacifique Plante, dit Pax, qui dirige l'escouade de la moralité de la police de Montréal. Pax est un camarade de Laurendeau au collège Sainte-Marie. Il a fait des études de droit, est devenu greffier de la Cour municipale, puis est passé au service de la police où il fait la vie dure aux preneurs aux livres (*bookies*) clandestins et aux souteneurs.

Il subit, m'explique-t-il, des pressions de plus en plus fortes de son supérieur, le chef Albert Langlois; il a le sentiment que Langlois se fait le porte-parole de membres influents du Conseil municipal.

J'écoute Pax Plante me raconter des histoires abracadabrantes: portes de garde-robe cadenassées, tenancières condamnées vingt, trente, quarante fois, grosses madames portant un sac à main rempli de billets verts, qui se promènent ostensiblement dans les couloirs de la Cour municipale comme dans leur jardin. Je me dis en moi-même que le bonhomme exagère. Je me demande ce que je peux bien faire de plus que de donner instruction à notre courriériste municipal d'avoir l'œil ouvert. Mais celui-ci est tout le contraire du journaliste d'enquête. De formation notariale, il note avec une scrupuleuse exactitude ce qu'il voit et entend, mais on ne peut lui en demander davantage.

Le 8 mai 1948, Pax Plante est cavalièrement remercié de ses services. L'affaire paraît définitivement classée, en dépit des protestations de quelques conseillers, notamment Pierre Des Marais et Paul Dozois.

Durant un an, Pax Plante paraît introuvable, ou du moins il ne fait pas surface. Puis un beau jour de l'été 1949, il rapplique à mon bureau. Cette fois, il se fait plus insistant. Le jeu et la prostitution fleurissent comme jamais à Montréal, grâce à une politique de tolérance appliquée par la direction de la police, avec l'approbation tacite de l'administration. Pax Plante me suggère une série d'articles dans *Le Devoir*, mais comme il se sent incapable de les écrire, il me demande de mettre un journaliste à sa disposition. Des journalistes disponibles au *Devoir*, il n'y en a pas des tas. J'y penserai, que je lui dis.

J'en glissai probablement un mot à Laurendeau,

à la suite de quoi il me vint à l'idée que Gérard Pelletier, qui sortait de la grève de l'amiante, pourrait être disponible. Au meilleur de mon souvenir, il fallut un bon trois mois à Pelletier pour mettre en ordre les liasses de documents amassés par Pax et rédiger les soixante-deux articles qui parurent dans *Le Devoir* du 28 novembre 1949 au 18 février 1950 sous la rubrique *Montréal sous le règne de la pègre*, que la Ligue d'action nationale publiera en plaquette en 1950.

Ce que je retiens de l'affaire c'est l'incroyable trouille de Pax Plante. Il se sentait traqué par ceux dont il dénonçait les combines. Il se disait certain d'être abattu un jour; son cadavre serait coulé dans un bloc de béton et immergé dans le Saint-Laurent pour n'en ressortir qu'au Jugement dernier. Il se planquait quelque part dans le quartier Notre-Dame-de-Grâces et c'est là que Pelletier se faisait expliquer tous les trucs de la pègre montréalaise, avec documents à l'appui. Ses craintes n'étaient probablement pas dénuées de fondement, puisqu'au *Devoir* nous eûmes à subir quelques sévices. Une nuit, la grande vitrine de la rue Notre-Dame vola en éclats et nous eûmes à tolérer durant quelques semaines une sorte d'occupation policière, soit une patrouille en permanence en face de l'immeuble, plus un gendarme à chaque étage. Il va de soi que l'administration municipale voulait éviter par-dessus tout un saccage du journal, ce qui aurait donné une crédibilité certaine à nos dénonciations.

Dans le public, l'effet fut plutôt modéré. Une curiosité passagère, qui se traduisit par une modeste hausse du tirage, pour retomber au niveau précédent. Mais ce qui s'ensuivit eut un impact énorme sur le destin de Montréal. C'est à partir des articles de Pax Plante que commença l'ère Jean Drapeau.

Le Comité de moralité publique prend l'initiative de préparer une requête demandant la tenue d'une enquête judiciaire sur l'administration du service de police. Les avocats des requérants sont Pax Plante et Jean Drapeau. D'interminables manœuvres de procédure retardent la tenue de l'enquête. Finalement, le juge François Caron obtient le feu vert, entend des témoignages accablants et finit par publier, en août 1954, le rapport qui porte son nom et qui est on ne peut plus accablant pour l'administration et la police.

Les élections municipales ont lieu dans deux mois. La Ligue d'action civique recrute en vitesse des candidats dans tous les quartiers, conscrit presque Jean Drapeau comme candidat à la mairie et se lance en campagne. Camillien Houde annonce son retrait de la politique, ce qui a pour effet de clarifier la situation. Jean Drapeau est élu maire de Montréal et Pierre Des Marais prend la tête du comité exécutif. Trois ans plus tard, l'incroyable duo Sarto Fournier-Jos-Marie Savignac défait l'équipe Drapeau-Des Marais et donne à Montréal l'administration la plus ridiculement ignare de son histoire.

L'échéance de 1960 approche et on apprend à travers les branches que la bisbille est prise dans la Ligue d'action civique: c'est la chicane entre Drapeau et Des Marais. À quelques semaines du scrutin, je reçois un coup de fil de J. Z. Léon Patenaude, qui fut, au temps de l'enquête du juge Caron, un des piliers de la Ligue. Il me demande de le recevoir en compagnie de Pierre Des Marais. Je fixe le rendez-vous pour le lendemain matin. Quelques heures plus tard, un deuxième coup de fil, cette fois de Lucien Saulnier. Lui aussi veut me voir avec Jean Drapeau. Entendu pour le lendemain après-midi.

Des Marais et Patenaude me racontent leurs démêlés avec Drapeau. De quoi s'agit-il? Rien de sérieux, mais un ensemble d'irritants causés par une incompatibilité de caractère. Apparemment unis quand ils détenaient le pouvoir, la défaite de 1957 les a divisés. Je les écoute attentivement me gardant bien d'approuver ou de blâmer. Ils se proposent de laisser la voie libre à Drapeau à la mairie, mais de faire élire leurs hommes au Conseil. Je sens bien qu'une telle solution, si elle réussissait, créerait une tension insupportable à l'hôtel de ville. Pas difficile d'imaginer ce que serait une administration où le maire tirerait à hue et le Conseil à dia. Nous nous quittons sans tirer de conclusion.

L'après-midi, je reçois Drapeau et Saulnier. J'entends les mêmes récriminations, mais à l'inverse. L'entrevue me convainc que les deux camps sont obstinément installés dans leurs retranchements. Impossible de trouver un terrain d'entente qui leur permettrait de travailler ensemble sans perdre la face. Ce qui complique le problème c'est que Des Marais est maître de la Ligue d'action civique, laissant le groupe Drapeau sans parti. À la fin, je demande à mes visiteurs: Êtes-vous capables de former un parti et de recruter rapidement des candidats pour l'élection qui s'en vient? Certainement, qu'ils me répondent. — Alors allez-y et faites vite.

Dès le lendemain Drapeau annonça la fondation du Parti civique, sa candidature à la mairie et la volonté de présenter des candidats dans tous les quartiers. Sans le panache de Drapeau, la Ligue d'action civique, qui avait été durant la décennie cinquante le moteur de la réforme politique et administrative de Montréal, est éliminée de la scène municipale. Le Parti civique prend la relève; habilement dirigé par Jean Drapeau, il gardera le pouvoir pendant vingt-six ans. Ai-je été pour quelque chose dans ce virage important dans les affaires de Montréal? Je n'ai jamais cherché à le savoir. Longtemps après, alors qu'il était retiré de la scène municipale, Lucien Saulnier me rappela sa visite de 1960 avec Jean Drapeau. Je lui révélai que, l'avant-midi du même jour, j'avais confessé Des Marais et Patenaude. Il éclata de rire et m'avoua qu'il n'était pas au courant.

Jean Drapeau fut maire de Montréal durant vingt-neuf ans. Je ne lui ai rendu visite qu'une fois ou deux, je ne lui ai jamais téléphoné. Durant les trois années que je dirigeai *Le Devoir* au début de la Révolution tranquille, je n'ai jamais pris l'initiative d'appeler un ministre ou un député au téléphone. À l'époque Duplessis, il n'était évidemment pas question de garder des contacts, même lointains, avec les gens de l'Union nationale. Même distance vis-à-vis des politiciens fédéraux, à l'exception d'une visite rue Sussex à l'invitation de Saint-Laurent. J'ai des raisons de me rappeler cette soirée de la fin d'octobre 1956.

Maurice Lamontagne, qui manœuvre à l'époque dans les arcanes du pouvoir à Ottawa, me donne un coup de fil pour m'offrir d'arranger une rencontre avec Louis Saint-Laurent. J'accepte volontiers, car j'ai beaucoup de respect pour le premier ministre, même s'il arrive au *Devoir* d'être un peu sévère à son endroit. Je suis donc invité à prendre le repas du soir au 24, rue Sussex, le 31 octobre. Ce que je me rappelle c'est que le monde est au bord de la catastrophe. Les troupes franco-britanniques viennent de débarquer à Suez pour reprendre le canal nationalisé par le président Nasser. Les chars soviétiques ont envahi la Hongrie et s'avancent sur Budapest. Les Nations unies se sont réunies d'urgence et le ministre canadien des Affaires extérieures s'apprête à partir pour New York, où il fera aux Nations unies un discours qui lui vaudra le prix Nobel de la paix.

Je me présente donc à la résidence du premier ministre avec l'idée bien arrêtée de m'excuser et de le laisser à ses problèmes. Il doit avoir autre chose à faire que de recevoir le directeur du *Devoir* dans un moment de si grande tension internationale. Mais pas du tout; M. Saint-Laurent me reçoit calmement et me rassure: pas question de remettre la rencontre à plus tard. Nous mangeons en tête-à-tête dans un petit salon du rez-de-chaussée, pendant qu'à la Chambre des communes l'opposition conservatrice met le gouvernement sur le gril. De quoi avons-nous discuté? De choses très simples, dont je garde un vague souvenir. Ce que je me rappelle, c'est que trois ou quatre fois M. Saint-Laurent est appelé au téléphone. Il se sert d'un appareil branché à deux pas de la petite table où nous mangeons. Je comprends tout ce que dit M. Saint-Laurent et je devine que c'est M. Pearson qui est à l'autre bout du fil. M. Saint-Laurent se fait rassurant. Le Canada doit condamner l'opération militaire de Suez, quelle que soit la réaction de nos amis. Pour ce qui est du Canada, «there will be a certain amount of flag waving, but we should not be afraid of that».

Je ne m'attarde évidemment pas, une fois le repas terminé. Je rentre à Montréal en vitesse pour être au journal le lendemain matin. Le même jour, M. Pearson prononce son retentissant discours aux Nations unies. J'ai toujours cru, pour avoir entendu de mes oreilles le ton énergique et rassurant de M. Saint-Laurent que, lui aussi, avait un peu mérité le prix Nobel de la paix.

Pour revenir à la réorganisation de la rédaction du journal, le lecteur se pose sûrement la question: pourquoi Laurendeau? Pour des raisons qui me paraissaient évidentes: je le savais malheureux en politique et je l'estimais apte à prendre la succession de Héroux. Pour lui, le journalisme valait mieux que la politique, mais ce n'était pas tout à fait ce à quoi il aspirait. Né vingt ans plus tard, il eût plutôt choisi de vivre de sa plume, comme romancier et auteur dramatique. Il aspirait à devenir, dans le meilleur sens du mot, un intellectuel doublé d'un artiste. Il en possédait tous les traits extérieurs: front dégagé prolongé par un nez fin et légèrement arqué, se faufilant entre deux cratères au fond desquels brillent deux yeux étrangement doux; des lèvres minces légèrement dédaigneuses, ornées d'une moustache de dandy; une peau hâlée et sans rides; une légère ressemblance avec Rudolf Valentino. Tout chez lui est délicat, les mains, les jambes, le torse. Il marche d'un pied léger, comme s'il touchait à peine le sol. Pour lui faire du muscle, ses parents lui avaient fait suivre dans son enfance des cours de ballet. Ce rappel froisse sa vanité, mais il en garde l'élégante souplesse.

À vingt ans, il était un mystique. Je me rappelle qu'au temps des Jeune-Canada il nous avait entraînés dans une espèce d'engagement solennel pris au pied de l'autel dans la chapelle de la basilique Notre-Dame. Nous y avions prononcé une sorte de serment de rester fidèles notre vie durant aux idéaux du mouvement, mais nous n'étions pas tous convaincus que nous pourrions honorer indéfiniment un tel engagement.

Au moment de son entrée au *Devoir*, surtout après avoir subi tous les reniements de la politique, il était devenu plus sceptique. À quelques reprises, il me raconta l'histoire de ce médecin de campagne qui s'était confié à lui au cours d'une tournée électorale. Devenu incroyant, ce médecin était tenu de garder la pratique religieuse pour ne pas perdre la confiance de sa clientèle. J'avais compris que, par une sorte d'allégorie, c'était sa propre détresse qu'il me confiait. Qu'il fût croyant ou non, pratiquant ou pas, cela ne me regardait pas et je me serais bien gardé de lui en faire grief. Il me suffisait qu'il respectât toutes les valeurs, y compris les religieuses, qui sont l'essence de la culture canadienne-française.

Un jour, il me demanda de lui accorder une année sabbatique. Le démon de l'écriture le hantait. Il écrivit quelques divertissements théâtraux dont au moins trois, *La Vertu des Chattes*, *Marie-Emma* et *Deux Femmes terribles*, eurent l'honneur d'une première à Radio-Canada. C'était charmant, finement écrit, avec un peu d'humour, légèrement impertinent. Plus tard, il me fit lire le manuscrit d'un roman, en me priant de lui dire ce que j'en pensais. C'était noir, noir, noir. Je lui remis le texte en lui disant que sa publication ne ferait rien pour rehausser sa réputation d'écrivain. Comme directeur du *Devoir*, je ne croyais pas que c'était opportun de le publier. Mais contrairement à ce qu'on a pu affirmer par ailleurs, je me gardai bien de le menacer de congédiement. Au contraire, s'il avait donné suite à son projet, je l'aurais défendu comme je l'ai toujours fait pour mes collaborateurs. Cette œuvre mineure fut publiée plus tard sous le titre d'*Une vie d'Enfer*, sans créer de commotion dans notre Landerneau littéraire.

Son œuvre de journaliste fut remarquable, par la qualité de l'écriture d'abord et par l'éventail des sujets qu'il pouvait aborder. Ses années de vie politique lui ouvraient une multitude de créneaux sur les problèmes québécois et canadiens. Il était particulièrement sensible à tout ce qui touche à la culture en général, mais plus spécialement encore à tout ce qui est de nature à défendre et à promouvoir la langue et la culture françaises. C'est d'ailleurs dans cet esprit qu'il se laissa convaincre d'assumer la coprésidence de la Commission royale d'enquête sur le bilinguisme et le biculturalisme. Il souffrait de voir la langue française méprisée et les minorités françaises privées de droits légitimes en dehors du Québec.

Notre collaboration fut à peu près sans nuages. Une seule fois, nous avons différé carrément d'opinion, soit à l'occasion de la grève des réalisateurs de Radio-Canada. À trente ans d'intervalle, je suis encore d'opinion qu'il y eut passablement de charriage idéologique dans cette affaire, à commencer par les gars de la CTCC et par René Lévesque. Je pense avoir écrit le premier article dans la presse québécoise traitant des syndicats de cadres, formule que je disais acceptable à la condition que de tels syndicats forment leur propre fédération, différente et indépendante des fédérations de syndicats de travailleurs. Quelques réalisateurs demandèrent à me rencontrer à la sauvette pour en discuter à fond. Ai-je réussi à les convaincre qu'ils faisaient fausse route en se laissant embrigader par la CTCC? Je n'en sais rien. Une fois la coulée de lave refroidie, on n'entendit plus parler de l'Association des réalisateurs.

Laurendeau, qui comptait beaucoup d'amis dans le milieu, se rangeait du côté des réalisateurs. C'était son droit. Pour le lecteur, il était évident que nous étions en conflit, mais je devais m'en tenir à la politique que j'avais plusieurs fois affirmée: les journalistes n'existent pas pour *Le Devoir*, mais *Le Devoir* pour ses journalistes. Une divergence d'opinion de temps en temps ne pouvait que renforcer notre crédibilité.

Laurendeau fut-il vexé de ne pas avoir été invité à me succéder? Comment le savoir, puisqu'il n'a jamais manifesté son ambition. Si c'était à recommencer, je manœuvrerais de manière à lui fournir le plaisir de refuser, d'autant plus que je ne crois pas qu'il eût été assez téméraire pour accepter. Je n'ai jamais cru qu'il eût pu trouver quelque satisfaction à surveiller les liquidités de l'entreprise. Nous nous sommes rarement vus après mon départ, occupés que nous étions, lui à se colleter avec un des travaux d'Hercule à Ottawa, moi à rattraper le temps perdu dans le monde des affaires. Son décès m'a beaucoup chagriné: c'était trente-cinq ans d'une amitié désormais conjuguée au passé.

Il y a quelques mois seulement que Laurendeau est dans la maison qu'il me parle d'un garçon, rentré d'Europe, qui veut faire du journalisme. En quelques phrases, il me le résume. Gérard Pelletier? connais pas. De la JEC, j'ai bien connu sa femme Alex, Jeanne Benoît, future Mme Sauvé, et surtout Benoit Baril, avec qui j'ai négocié la location de bureaux à la JEC au 505, avenue Viger, propriété de l'UCC. Mais celui-là, je ne me rappelle pas l'avoir croisé. Laurendeau me le présente et je l'engage sur-le-champ pour tenir une chronique des affaires syndicales.

Dès l'hiver suivant, une grève des mineurs éclate à Asbestos. Affaire banale, une de plus et c'est tout. Mais celle-là fera époque; quarante ans plus tard on en parlera encore comme d'un tournant dans les relations de travail au Québec. Pelletier me demande l'autorisation d'aller couvrir l'affaire sur place. Les finances de la maison sont plus serrées que jamais. La réponse est oui, à condition que ça ne coûte rien et que ça ne dure pas longtemps. Comment Pelletier s'est-il arrangé pour faire la navette Asbestos-Montréal? Des amis le transportaient et, une fois là-bas, il devait, je suppose, manger à la cantine des mineurs. Et cela dura jusqu'à l'été.

Que serait-il arrivé à Asbestos sans le support du *Devoir*? À l'époque, les conflits de travail ne faisaient pas la manchette des journaux. La télévision n'était pas encore née et la radio couvrait rarement les affaires de campagne. Ce sont les reportages de Pelletier qui donnèrent une certaine notoriété au conflit. À la suite de quoi les grands journaux se crurent obligés d'en parler. Les étudiants commencèrent à se mobiliser et, petit à petit, les excès de la police provinciale aidant, la grève d'Asbestos devint l'affaire sociale de la décennie. (Voir *La Grève de l'Amiante*, en collaboration, Cité Libre, Montréal, 1956.)

Est-ce à partir de cet événement que *Le Devoir* amorça un virage qui devait le mettre en conflit ouvert avec le gouvernement Duplessis? Je ne crois pas. J'avais déjà publié quelques éditoriaux traduisant des préoccupations sociales, qui renouaient avec la tradition ancienne du journal, un entre autres dont le titre est resté gravé dans la mémoire des lecteurs de l'époque: «La justice sociale à coups de matraques.» Comme figure de style, c'était assez bien trouvé. Il y avait dans l'article une analyse nouvelle, du moins pour *Le Devoir*, des forces en présence dans les conflits de travail.

Dix ans de crise et six ans de guerre avaient laissé dans les classes laborieuses un profond sentiment d'amertume. La conjoncture économique, favorisant un plein emploi réel et non factice comme durant la guerre, incitait les syndicats de travailleurs à rechercher pour leurs membres une plus grande participation à la richesse collective. Le conflit armé terminé et les limites de l'exercice du droit de grève levées, des arrêts de travail se produisirent dans plusieurs industries, notamment le textile, l'aluminium, les pâtes et papiers. Les lois régissant les relations de travail étaient en constant devenir, de sorte que du côté syndical on estimait que la législation devait s'adapter aux usages et non l'inverse. Disons qu'on avait un respect mitigé pour des lois constamment modifiées selon l'humeur des politiciens.

Duplessis était conservateur au plan social et légaliste au plan juridique. Il ne cessait de répéter des aphorismes comme: le soleil se lève à l'est et se couche à l'ouest, la meilleure assurance contre la maladie c'est la santé, et autres stupidités pareilles. Il flattait les cultivateurs, mais leur rappelait constamment le devoir de reconnaissance, en insistant sur le fait que c'est lui qui leur avait accordé le crédit agricole et l'électrification rurale. La reconnaissance envers un bienfaiteur était rien moins que le sentiment qu'il exigeait de tous ceux à qui il avait simplement rendu justice ou à qui il avait consenti des largesses à même les deniers publics. Il jouait en toutes circonstances sur la corde nationaliste des Québécois avec des thèmes électoraux comme: les libéraux donnent aux étrangers, Duplessis donne à sa province.

Il était donc inévitable que *Le Devoir*, nouvelle manière, entrât en conflit avec Duplessis, malgré quelques convergences sur des questions comme l'autonomie provinciale. À l'élection de 1948, nous l'avions appuyé mollement, par ressentiment contre le chef libéral, Adélard Godbout, qui s'était incliné trop docilement devant Ottawa, en 1942. Ce charmant homme d'Adélard Godbout se laissait facilement emporter par son éloquence au point de tenir des propos ridicules et politiquement suicidaires dans le climat de l'époque. «Mangez du cheval»; «je serais fier d'aller cirer les bottes des soldats», et le reste. Il en donnait vraiment plus que la couronne britannique en demandait.

Mais l'élection de 1948 passée et le parti libéral décimé, nous avons accepté avec allégresse le défi de participer aux œuvres de l'opposition. La grève de l'amiante fut l'occasion d'appliquer d'une façon concrète les exposés généraux que nous avions énoncés précédemment.

Disons, pour être honnête, que ce renouvellement de l'idéologie du *Devoir* n'était pas exempt d'un certain calcul. Dès mon entrée au journal, j'avais fait une constatation navrante: la clientèle était âgée et ne se renouvelait pas. Les vieux lecteurs restaient fidèles à leur vieux journal, mais leur progéniture ne semblait pas partager leur sentiment. Le tirage tombait de mille exemplaires par année, sans qu'il fût possible de trouver de nouveaux lecteurs. Alors qu'il avait été à une certaine époque la bible des collégiens et des étudiants, on ne le lisait presque plus dans les pensionnats de garçons et de filles. J'en tirai la conclusion que sa facture ne correspondait plus aux attentes de la jeunesse: il fallait changer les idées pour rejoindre la génération de l'après-guerre, plus portée vers les questions de justice sociale, plus ouverte aux idéaux de liberté et de démocratie.

L'opération ne fut pas facile. Beaucoup de vieux lecteurs nous laissèrent tomber et les nouveaux se firent attendre un bon bout de temps. En fait nous sommes restés en équilibre instable avec un tirage plafonné aux environs de dix-huit mille exemplaires. Jusqu'au jour de novembre 1953, alors que la disparition du *Canada* nous ouvrit la porte au marché du matin. Sur le coup, la manœuvre fut presque suicidaire; à long terme, elle sauva le journal.

Je connaissais assez bien le directeur général du journal libéral, M. Bernard Tailleur. Nous étions convenu que, le jour où la décision serait prise de le fermer, il m'en informerait. Ce qui se produisit le 27 novembre 1953. Sans même tenir une réunion des administrateurs — chaque minute étant précieuse — je décidai que *Le Devoir* deviendrait, dès le lendemain, journal du matin. Cette journée-là, il fallut faire deux journaux bout à bout. Celui de l'après-midi terminé, toute l'équipe: rédaction, ateliers, distribution, administration, reprit la besogne afin de sortir un second journal pour une heure du matin.

Nous avions le sentiment de participer à une seconde fondation; et c'était le cas, car autrement le journal était acculé à une mort par inanition.

Du jour au lendemain, le tirage passa de dix-huit à vingt-sept mille, mais au plan financier ce fut un désastre. Dès l'année suivante, le déficit frôla les deux cent mille dollars. C'est alors qu'il fallut avoir recours aux Amis du *Devoir*. Mais c'est là une autre histoire dont je parlerai plus loin.

À partir du moment où il devint évident que nous étions devenus des adversaires de Duplessis, nous avons senti comme un vide autour de nous. Des institutions publiques ou parapubliques ne renouvellent pas leur abonnement, les fonctionnaires cessent de nous lire, du moins en public, des annonceurs n'ont plus de budget pour nous, la Banque provinciale, succursale La Sauvegarde, avec qui l'Imprimerie populaire traite ses affaires depuis sa fondation, annule la marge de crédit de 25 000$. Duplessis a les bras longs, mais quand même pas jusqu'à ce point. Comme il se produit toujours en de telles circonstances, des serviteurs font du zèle et mettent à nu leur veulerie.

Les journalistes ne sont pas les moins poltrons et les moins vénaux. On est encore à l'époque des enveloppes et des récompenses pour bonne conduite. Disons-le tout net, les plus couillons sont les correspondants du *Montreal Star* et de la *Montreal Gazette*. Ce dernier est le chouchou de Duplessis, qui lui refile des scoops, à la grande satisfaction de ses patrons. Pour savoir ce que mijote Duplessis, il faut lire *The Gazette*. Quant au maître du *Star*, il fait servir les millions dont il dispose à consentir des générosités à des œuvres recommandées par le Chef. Duplessis n'est pas un dictateur, mais un fin psychologue, habile à déceler les faiblesses des hommes et à les rendre vils à leurs propres yeux. Quand un homme n'a plus le respect de soi-même, il est disposé à consentir aux pires bassesses.

Dans cette décennie de la grande noirceur, il y a pourtant des faisceaux de lumière qui balaient l'horizon. De même que les seize années de crise et de guerre avaient forgé des instruments d'émancipation économique, ainsi les décennies cinquante voient germer des idées qui annoncent ce que sera l'après-Duplessis. *Cité Libre*, petite revue d'apparence minable — on a rarement vu une bonne marchandise aussi mal présentée — trouve des mots nouveaux pour parler de démocratie, de laïcisation, de liberté, d'engagement politique. Les collaborateurs viennent pour plusieurs des mouvements d'action catholique spécialisée. Naturellement, ils cassent du bois vert sur le dos des nationalistes, étant loin de se douter que, arrivés aux affaires dix ans plus tard, ils pratiqueront une politique nationaliste à Québec et à Ottawa. Qu'importe ce que l'avenir leur réserve; pour le moment ils s'emploient avec bonheur à saper les assises du duplessisme.

La faculté des sciences sociales, économiques et politiques de l'Université Laval forme une partie des cadres qui prendront en main les institutions mises en place par la Révolution tranquille. Pour le moment, elle fait circuler allègrement des idées qui paraissent révolutionnaires, ce qui a pour effet de lui mesurer chichement les fonds nécessaires à sa subsistance et à son épanouissement. Ce qui n'empêche pas le père Lévesque de garder son élan, mélange de naïveté et de prophétisme. Quel homme merveilleux!

À la CTCC, deux noms à retenir: Gérard Picard et Jean Marchand. Pendant que les dirigeants des unions internationales se prostituent sur la paillasse de Duplessis, Picard et Marchand lancent leurs troupes dans des aventures apparemment folles, mais dont elles sortent presque toujours vainqueurs. Picard, ce petit bonhomme sec comme un éclat de bois franc, qui ressemble à un fétu de paille dont on peut se débarrasser rien qu'en soufflant dessus, est à la fois un roc inamovible et un fin stratège. Ceux qui s'y frottent s'y piquent et apprennent à le respecter. Marchand, c'est un bulldozer de l'éloquence; il n'a pas l'air de se douter qu'avec ce talent il pourrait conduire ses gens aux pires excès. Il sait par instinct jusqu'où il ne faut pas aller.

Reste l'opposition officielle, incarnée par le parti libéral et son chef, Georges-Émile Lapalme. Il traîne un double handicap: le passé de son parti et son image. C'est le parti libéral qui a fait la guerre et à l'époque il n'y a qu'un parti libéral qui manœuvre sur deux fronts, Ottawa et Québec. Au plan fédéral, il a beau jeu, parce qu'il est débordé sur sa droite par le parti conservateur. Il reste malgré tout le moindre mal; les Québécois continuent à voter pour lui. À Québec, c'est une autre paire de manches; il a tous ses abandons à se faire pardonner. Duplessis s'amuse à lui jeter à la figure tout ce qu'il a cédé à Ottawa et proclame, à chaque rencontre fédérale-provinciale, qu'il va chercher notre «butin»! Dans un Québec ulcéré par les reniements des libéraux, c'est l'Union nationale qui paraît être le moindre mal.

Le second handicap de Georges-Émile Lapalme est son image. Il est intelligent, cultivé, même lettré; il est assez bon orateur, mais il ne passe pas l'écran. De plus, il manque d'entregent. Je me rappelle avoir passé une soirée chez Jacques Perrault en sa compagnie, peu de temps après son élection à la direction du parti, sans qu'il aborde les questions dont il voulait, paraît-il, m'entretenir. Est-ce moi, est-ce lui qui attendait que l'autre s'ouvre? Je l'ignore. Toujours est-il que nous nous sommes quittés sans savoir pourquoi nous nous étions rencontrés. Cela dit, on doit quand même à Georges-Émile Lapalme une fière chandelle. En séparant le parti provincial de l'aile fédérale, il ouvrit la voie à la défaite de l'Union nationale en 1960.

Au *Devoir* nous avons nos amis, qui nous tiennent la tête hors de l'eau. Chaque fois que nous frôlons la noyade, ils volent à notre secours, soit en prenant des engagements envers la banque, soit en levant des fonds auprès de nos lecteurs. Sans eux, nous aurions sombré. Et pourtant ce ne sont pas des naïfs. Ils se recrutent surtout chez les dirigeants de PME et dans les classes professionnelles. Quelques-uns risquent gros en s'affichant comme bienfaiteurs du

Devoir. Ils le font un peu par sentiment; ils se refusent à voir sombrer le journal de Bourassa, mais surtout par conviction. Je n'ai jamais fait le calcul exact de ce que les Amis du *Devoir* ont arraché à la générosité des lecteurs au cours de la décennie 1950-1960. De mémoire, je dirais 400 000$, en étant sûr d'être près de la vérité. Traduit en dollars d'aujourd'hui, le total s'élèverait à plusieurs millions.

Il ne faut pas croire que, toutes ces années, nous nous sentions malheureux. Au contraire, il n'y a pas à Montréal de salle de rédaction plus gaie et où il se joue plus de tours. L'équipe est jeune, un peu folle. Paul Sauriol et Pierre Vigeant font, à quarante ans, figure de patriarches. Pierre Laporte, Jean-Marc Laliberté, Marcel Thivierge, Mario Cardinal, Jules Leblanc, Gilles Marcotte pour ne citer que quelques noms, n'en ont pas trente. On est moins bien payé qu'ailleurs, mais on y a plus de plaisir. Ceci compense pour cela.

Il nous arrive des choses tordantes, comme cette poursuite judiciaire du sénateur T. D. Bouchard. On lui fait à l'époque une réputation de mécréant, dans laquelle il se complaît. C'est surtout un politicien bourru, entêté, peu dégrossi. Dans un moment de lyrisme, j'avais glissé dans un éditorial une parodie de Boileau: «Nous appellerons un chat un chat, et Bouchard un fripon.» Se sentant personnellement visé, T. D. Bouchard m'intente une poursuite judiciaire réclamant dix mille dollars en dommages-intérêts.

Pour des raisons évidentes, pas un seul juge de

langue française n'accepte d'entendre la cause. La corvée est dévolue à l'honorable juge A. E. Smith. L'avocat du sénateur Bouchard convoque à la barre des témoins trois employés du journal *Le Clairon*, propriété du demandeur, pour affirmer qu'en lisant l'article ils ont compris que c'était leur patron qui était attaqué. En défense, Me Antonio Perrault contre-interroge les témoins à peu près comme suit:

— Quand vous avez lu: «un chat un chat et Bouchard un fripon», vous avez spontanément pensé à votre patron.

— Oui.

— Il ne vous est pas venu à l'idée que ce fripon-là pouvait être un autre que votre patron.

— Non.

— D'après vous, le mot fripon convient parfaitement à votre patron.

— ... Oui.

Devant trois témoignagnes aussi accablants, le savant juge n'eut d'autre choix que de me condamner à payer à T. D. Bouchard la somme de deux cents dollars pour dommage à sa réputation. Ce qui autorisa *Le Devoir* à titrer le lendemain: «Le fripon était bien le sénateur Bouchard.» Ce qui n'empêcha pas celui-ci d'envoyer un chèque de cent dollars à la souscription en cours pour *Le Devoir*.

La grande affaire de 1952 fut mon voyage derrière le rideau de fer. Il m'arrivait comme ça une fois tous les deux ou trois ans de faire une fugue d'un ou deux mois pour me changer les idées et refaire le plein. Celle-là fut tout à fait inattendue.

Je reçois en août la visite d'un jeune homme, à peine dans la vingtaine, de langue anglaise mais assez à l'aise en français, bon chic bon genre, se disant étudiant à McGill. Il me parle du congrès de la paix qui doit avoir lieu en octobre à Pékin. Le comité canadien se propose d'y envoyer une délégation et m'invite à y participer.

Le mouvement de la paix, je sais grosso modo ce que c'est. Je me souviens de l'appel de Stockholm, je sais que le mouvement est de gauche, probablement manœuvré par les communistes. Au Canada comme aux États-Unis, la chasse aux sorcières, largement alimentée par les accusations retentissantes du sénateur McCarthy, fait la manchette. La prudence la plus élémentaire devrait me conseiller de décliner l'invitation.

Mais pénétrer derrière le rideau de fer, traverser la Sibérie, séjourner en Chine, c'est une chance inouïe, qui ne se présentera pas une seconde fois. Je demande à réfléchir, je donnerai une réponse dans quelques jours. Si j'accepte, ce sera comme journaliste et non comme délégué officiel. Je ne prendrai part à aucune déclaration, à aucune manifestation.

Première démarche, auprès de l'archevêque de Montréal. Je lui dis à peu près ceci: Je suis invité à Pékin pour le congrès de la paix; si j'accepte de faire le voyage, ce sera aux conditions ci-dessus décrites. Je ne viens pas vous demander la permission d'y aller, mais je veux savoir si vous voyez des raisons sérieuses de m'en abstenir. Après un moment d'hésitation, Monseigneur Léger me répond: Je ne vois pas de raison grave de ne pas y aller en qualité de journaliste, mais attendez-vous à être sévèrement critiqué. Je n'en attendais pas davantage. Je ne voulais surtout pas qu'on puisse dire que mon voyage avait été autorisé par l'archevêque de Montréal.

Seconde démarche, auprès des Affaires extérieures à Ottawa. On me met en garde contre certains pièges, mais on est plutôt favorable à mon escapade. Je suis muni de tous les papiers nécessaires, y compris une feuille volante, détachable du passeport en cas de nécessité. L'ambassade canadienne à Moscou sera avertie de mon passage dans la capitale soviétique. Quant à Pékin, étant donné que le Canada n'a pas de relations avec la république populaire de Chine, c'est à l'ambassade de Grande-Bretagne que je devrai m'adresser en cas de besoin.

Le 31 août, le fondateur du *Devoir*, Henri Bourassa, décède. Le lendemain, je vais faire une visite à la famille où la dépouille du défunt est exposée. Je croise l'archevêque de Montréal dans le vestibule.

— Vous partez toujours pour la Chine?

— Oui.

— Je vous souhaite bon voyage.

Et après un moment d'hésitation.

— Vous serez sévèrement critiqué.

La rumeur avait couru que je partais à l'aventure et les maccarthystes avaient commencé à s'agiter.

Traverser le rideau de fer en 1952 — Staline est toujours vivant — c'est l'équivalent d'un Juif qui ferait le pèlerinage à La Mecque. Un comportement impensable, un geste insensé. Il faut, pour le faire, être un peu fou ou avoir de fortes tendances communistes.

Je prends quand même l'avion pour Paris, quelques jours plus tard. Après un crochet par Bruxelles, Sabena me dépose à Prague. J'atterris dans un autre monde.

Au mur de l'aéroport, deux impressionnantes photos: Staline et Gottwald, le père des peuples et le président de la république populaire de Tchécoslovaquie. Jamais l'un sans l'autre: ce sont des frères siamois. Dans les parcs, sur les places publiques, dans les salles d'attente, dans les halls d'hôtel, partout les deux se font équilibre.

Je me rends rapidement compte que je ne suis pas accordé au milieu. Mon vocabulaire n'est pas au point: les mots démocratie, fascisme, liberté, oppression, libération, impérialisme ont un sens différent. Ils sont la démocratie; nous sommes la dictature. L'avènement au pouvoir du parti communiste fut pour eux la libération; nous vivons sous un régime d'oppression capitaliste. Les Soviétiques sont des démocrates; les Américains, des fascistes.

Les Américains sont des pelés, des galeux, mais leur dollar vaut son pesant d'or. Les monnaies dites nationales n'ont aucune valeur en dehors des frontières; il est formellement interdit d'en exporter. La seule devise ayant le pouvoir libératoire est le dollar, même le canadien, qu'on s'arrache à prix fort.

Pas de marché noir, pas visible en tout cas, mais un marché parallèle où les denrées de première nécessité se vendent sans coupons deux, trois, quatre fois plus cher que dans les magasins avec coupons.

Il y aurait donc dans cette société égalitaire des citoyens plus égaux que d'autres?

Plus égaux que d'autres sont les hommes qui commandent des équipes de femmes occupées aux plus durs travaux. À Prague, à Moscou, dans les villes sibériennes, je ne verrai que des femmes nettoyer les rues, réparer les pistes d'envol, entretenir les parcs. Où sont les hommes? Quand même pas tous morts à la guerre. Il en reste assez pour occuper les postes de contremaîtres, puisque j'en vois ici et là, les mains dans les poches, qui commandent des équipes entièrement féminines.

Cette société matérialiste a pourtant un dieu, dont les autels appellent le peuple à l'adoration dans tous les lieux publics sous la forme de bustes, de statues, de photos, dans toutes les postures, dans tous les uniformes et de tous les âges. Je n'ai jamais oublié cette mosaïque sur le mur d'une station de métro de Moscou représentant une femme soviétique tenant son enfant à bout de bras et l'offrant à Staline. Comme flagornerie artistique, on n'en a pas fait autant en Allemagne nazie.

Quelques années plus tard, toutes ces idoles devaient être déboulonnées et envoyées à la décharge.

Nous atterrissons à Omsk à sept heures du matin. Le préposé au débarquement des passagers nous dit: «Vous serez douze heures à Omsk; vous repartirez à sept heures ce soir.» Douze heures dans une ville de Sibérie, quelle aubaine!

Vite, on se rase, on se débarbouille, on bouffe un petit déjeuner et, à 8 h 30, on est prêt pour la visite d'Omsk. On, c'est-à-dire deux Algériens, un Français, un Néo-Zélandais et deux Canadiens. Six Occidentaux qui traversent la Sibérie pour la première fois, quatre communistes chevronnés, deux qui ne le sont pas. Donc, à 8 h 30, nous sommes au bureau de la directrice de l'aérogare pour nous informer de l'heure du prochain autobus pour Omsk.

— C'est regrettable, nous répond-elle, l'autobus vient de partir.

— À quelle heure revient-il?

— Je n'en sais rien, mais pas avant une couple d'heures.

Alors attendons une couple d'heures en jouant quelques parties d'échecs.

Une heure et demie passe et nous rappliquons au bureau de la directrice de l'aérogare.

— L'autobus n'est pas revenu?

— Non, et il ne reviendra pas avant ce soir.

— Alors, tant pis, faites venir un taxi. Nous voulons voir la ville d'Omsk.

— Un taxi? Vous savez, Omsk, c'est loin. C'est vingt-cinq kilomètres. Et puis, le pont qui traverse le fleuve est un pont flottant. Nous sommes à la saison du gel. En hiver, on traverse sur la glace. Quand le fleuve gèle, on enlève les pontons. Si vous allez à Omsk, vous n'êtes pas sûrs de pouvoir revenir.

Deux autres parties d'échecs et la maladie de voir Omsk nous reprend. À la nage, s'il le faut.

— Madame, nous sommes prêts à prendre le risque de revenir à la nage, s'il le faut, mais nous voulons voir Omsk. D'ailleurs, la ville n'est pas à vingt-cinq kilomètres mais tout au plus à dix kilomètres; il fait doux, il n'y a pas le moindre danger que le fleuve gèle. Faites-nous venir un taxi, nous paierons ce qu'il faut.

— Vous ne pouvez pas partir, parce que je viens juste de recevoir un télégramme de Moscou. Au lieu de rester douze heures à Omsk, votre avion ne sera au sol que quatre ou cinq heures. J'attends un deuxième télégramme pour fixer définitivement l'heure de votre départ. Je ne puis par conséquent vous laisser partir, tant que je ne suis pas fixée sur l'heure de votre départ.

Il était merveilleux de la voir inventer avec une rapidité et un aplomb incroyables des prétextes aussi invraisemblables. Mais le plus extraordinaire, c'était de voir nos quatre communistes tout gober ou faire semblant de tout gober avec une exemplaire résignation.

Puisqu'il n'y a pas moyen de voir Omsk, nous allons au moins essayer de sortir de l'aérogare. Nous endossons nos paletots et nous sortons sur le terrain. Il n'y a qu'un chemin pour sortir de l'aérogare et il est fermé par une barrière, sous la surveillance d'un gardien en uniforme. Je laisse les communistes en avant pour voir s'ils auront le courage de tenter de traverser. Ils avancent à pas lents, jettent un coup d'œil vers la barrière, et un autre de mon côté, s'attendant sans doute à quelques sarcasmes. Puis, lentement, penauds, honteux, ils rebroussent chemin à dix mètres de la barrière, redoutant la honte d'un refus avec comme témoin un sale capitaliste.

Cet après-midi-là, les parties d'échecs ne furent guère passionnantes, car il y avait Omsk, capitale de la Sibérie, à portée de la main et impossible à visiter. Omsk était là, à quelques kilomètres de l'autre côté du fleuve. On en voyait distinctement les usines et les édifices commerciaux rangés sur la rive du fleuve.

Vers le milieu de l'après-midi, un des deux Algériens, le communiste, entre dans le dortoir en bougonnant. Il revient de la chambre de toilette et il s'est cogné le nez sur une porte cadenassée. Je me hâte d'aller vérifier si c'est bien vrai que la loi du cadenas s'applique en Sibérie. Et je constate qu'en effet un robuste cadenas aux armes de l'étoile rouge ferme solidement la chambre de toilette.

C'est vraiment trop fort de café. Je dis à mon Algérien communiste:

— C'est dommage mon vieux, mais ce n'est pas prévu dans le plan quinquennal que cette chambre de toilette soit ouverte à trois heures de l'après-midi. Pour moi, tu ferais mieux de téléphoner au Soviet suprême pour faire suspendre l'application de la loi du cadenas.

Un éclair brille dans ses yeux, des yeux d'Arabe, noirs et profonds.

Tu sais, me rétorque-t-il, t'es chanceux qu'on soit entre camarades; autrement une parole comme celle-là pourrait te coûter cher. Tu sais, on est en Sibérie ici.

Tiens, tiens! c'est donc vrai ce qu'on raconte au sujet de la Sibérie?

Et la partie d'échecs continue encore un peu

plus triste qu'au début de l'après-midi.

Je ne raconterai pas le congrès de la paix. Ce serait inutilement fastidieux. On peut le résumer en une phrase: c'est un grand rassemblement pour faire le procès du capitalisme et l'éloge du communisme. Et cela dans la plus grande unanimité de toutes les délégations; pas la moindre nuance, pas la plus légère réserve. Ce qui se fait en Occident, surtout aux États-Unis, est intrinsèquement mauvais; tout ce qui vient de Moscou ne peut qu'être bon. Au bout de quelques heures, on en a assez de ces délégations qui se donnent l'accolade, qui s'échangent des présents, qui règlent par la signature de simples déclarations de bonne volonté des conflits séculaires.

Le congrès, commencé avec plus d'une semaine de retard, s'éternise dans d'interminables salamalecs. Ayant vu ce que je voulais voir, j'exprime la volonté de rentrer. Mais ce n'est pas si simple que ça: «Monsieur Filion, me dit un officiel chinois, nous n'avons pas encore mangé le canard de Pékin. Puis vous êtes invité à faire le tour de la Chine.»

Je dus paraître singulièrement grossier, comme se doit de l'être tout Occidental qui veut se dégager de la glu chinoise. Pas de canard de Pékin, pas de visite de la Chine, je suis déjà en retard et je veux rentrer au Canada.

Pékin-Paris, six jours à me faire bringuebaler dans de mauvais DC-3, pratiquement sans sommeil. Installé dans l'appareil de Sabena à Prague, je sens comme un immense soulagement. Je suis ravi d'avoir vu ce que je voulais voir, mais je ne recommencerais pas.

Une lettre de Laurendeau m'attend à Paris. Il me raconte que le diable est aux vaches à Montréal. Il me recommande d'être extrêmement prudent dans les déclarations que je ferai. Selon la rumeur, l'affaire serait rendue à Rome. Sauriol, lui, se demande si je ne devrais pas me rendre au Vatican pour m'expliquer. Moi, un habitant de L'Isle-Verte, aller me débattre dans les filets des congrégations romaines? Jamais de la vie. J'estime que Notre Sainte Mère l'Église doit avoir d'autres problèmes à régler que l'escapade d'un journaliste derrière le rideau de fer. Je rentre dare-dare à Montréal.

Je suis au bureau depuis quelques jours seulement quand je reçois la visite du père Joseph-H. Ledit, jésuite. C'est le McCarthy de l'Église de Montréal. Il voit des communistes partout, et quand il n'en voit pas, il en invente. Un saint homme de Torquemada, qui ferait volontiers rôtir tous les mécréants qui ne partagent pas ses phobies. Il vient me mettre en demeure de confesser publiquement mon péché d'imprudence. Sinon... il fera mon procès et me fera monter sur le bûcher. Je suis en général assez patient, mais cette fois la moutarde me monte au nez. Je mets le révérend père prestement à la porte et je lui enjoins de ne plus remettre les pieds au *Devoir.* Je ne le reverrai jamais plus. Ce qu'il a dû être mortifié ce pauvre père de voir trente ans plus tard le trône de Pierre tomber aux mains d'un homme venu du bloc communiste.

Je publie dans *Le Devoir* une série de vingt articles dans lesquels je raconte ce que j'ai vu et entendu.

Les esprits se calment, mais il paraît que je l'ai échappé belle.

Notre Temps, de Léopold Richer, avait fait ses choux gras de mon équipée. Il continua à attaquer *Le Devoir* d'une façon systématique et non sans talent. Il fallait reconnaître à Richer une certaine robustesse de style, qui le rendait plutôt agréable à lire. Quant à engager avec lui une polémique, c'était une autre affaire. Le mot d'ordre était clair: pas de réponse. Ce n'était pas du mépris, mais plutôt le souci de ménager nos énergies pour des tâches plus importantes. Ce qui ne m'empêcha pas de lui jouer un sale tour, un jour où je pris connaissance, tout à fait par hasard, que, le chef du tirage de *Notre Temps* ayant quitté son emploi, on avait rempli le vide typographique en insérant le nom de Léopold Richer. Je fis sortir de la morgue la plus mauvaise photo de Richer et la publiai en bonne place, accompagnée d'une légende qui disait à peu près ceci: «Le directeur de *Notre Temps* a récemment été promu au poste de chef du tirage de son journal. Félicitations.» On m'a rapporté que le brave homme en fit presque une jaunisse.

Un mot de l'élection générale de 1956. Sûrement la plus sale que le Québec ait connue depuis celle de 1931, lorsque dans le comté de Saint-Laurent les électeurs avaient voté à cent dix pour cent, et que le candidat libéral élu expliquait le phénomène par un excès d'enthousiasme. La publicité des campagnes électorales de l'Union nationale était une injure à l'intelligence des Québécois, en dénonçant par exemple l'importation de Pologne d'œufs communistes.

Mais celle de 1956 dépassa toutes les limites de corruption qu'un régime démocratique peut tolérer. Au *Devoir,* nous fîmes une campagne virulente contre Duplessis, allant jusqu'à publier un cahier spécial pour dénoncer ses carences et ses abus.

C'est d'ailleurs à la suite de cette élection que les abbés Dion et O'Neil publièrent dans le bulletin *Ad Usum Sacerdotum* un texte dévastateur contre l'Union nationale et ses méthodes électorales: distribution de réfrigérateurs, pavage des parkings privés, et le reste. Cette fois, la machine était allée trop loin. On sentit une espèce de gêne se répandre dans des milieux qui, jusque-là, étaient disposés à s'accommoder du régime Duplessis, sans pour autant l'approuver ouvertement. Cela ne pouvait plus durer. Comme le régime Taschereau en 1935, celui de Duplessis était désormais à la merci d'un scandale qui secouerait ses fondations et préluderait à son écroulement.

L'affaire du gaz naturel prit naissance à la suite de cette sorte d'intuition qui arrive comme ça, par hasard. À l'hiver 1957, le gouvernement avait fait voter par l'Assemblée législative une loi autorisant Hydro-Québec à vendre son réseau de gaz à une compagnie privée, la Corporation de gaz naturel. Beaucoup d'amis de l'Union nationale se retrouvaient comme par hasard à la tête de cette entreprise, formée depuis peu aux fins de se substituer à Hydro-Québec et de remplacer le gaz industriel par du gaz naturel acheminé par pipeline de l'Alberta. Au plan économique, la transaction pouvait se défendre. Au

Devoir, nous l'avions combattue pour plusieurs raisons, notamment à cause d'une absence d'enchères publiques pouvant en déterminer la valeur.

Le débat à Québec coïncidait avec le pseudo-scandale de Trans-Canada Pipeline à la Chambre des communes. Diefenbaker avait déballé tout l'arsenal de démagogie qu'il avait en réserve, allant jusqu'à l'expulsion de la Chambre des communes de son adjoint, Donald Fleming. Cette mise en scène grotesque accapara durant plusieurs semaines l'attention de la presse, de sorte que la vente du réseau de gaz montréalais passa comme du beurre dans la poêle.

Un an plus tard, en mai 1958, il me vint comme un remords. N'avions-nous pas été négligents dans cette affaire? Il y a eu tellement d'amis de l'Union nationale impliqués dans cette transaction qu'il n'était pas impossible que quelques-uns se soient graissé la patte. Mais comment le savoir? Je donne un coup de fil à un ami de la rue Saint-Jacques, Rodolphe Casgrain, propriétaire de Casgrain & Compagnie, courtier en valeurs mobilières, et lui demande comment s'y prendre pour avoir accès à la liste des actionnaires présents et passés d'une compagnie. Rien de plus simple: il suffit de posséder une action et demander au fiduciaire et agent de transfert d'ouvrir ses livres. Il n'a pas le droit de refuser.

Je fais donc acheter une unité — quelques actions attachées à une débenture — de la Corporation de gaz naturel au nom de Pierre Laporte à qui je donne instruction d'aller faire un relevé complet de toutes les personnes ayant acheté des titres au moment de l'émission.

Les choses traînent en longueur. Le responsable au Montréal Trust est un vieux monsieur très occupé. Après deux ou trois semaines d'attente, Pierre Laporte se pointe à mon bureau pour m'informer qu'il a rendez-vous pour le lendemain matin. Je lui enjoins de bien vérifier tous les noms, y compris celui des épouses, et de venir me faire rapport dès qu'il aura terminé.

La journée se passe sans nouvelle de Laporte. J'attends, d'abord avec patience, puis avec un brin de nervosité. Il est cinq heures passé, quand on frappe à la porte de mon bureau. C'est Laporte. Sans dire un mot, il dépose sur mon pupitre une feuille de papier. Complètement éberlué, je lis des noms: Onésime Gagnon, lieutenant gouverneur, Antonio Barrette, ministre du Travail, Daniel Johnson, ministre des Ressources hydrauliques, Paul Dozois, ministre des Affaires municipales, Johnny Bourque, ministre des Finances, Antonio Talbot, ministre de la Voirie.

— T'es pas sérieux? C'est assez de dynamite pour faire sauter n'importe quel gouvernement. Est-ce tout?

— Non, j'y retourne demain.

— Pas un mot à personne.

Le lendemain, Laporte me revient avec une autre grappe de noms prestigieux: deux ministres, Arthur Leclerc et Jacques Miquelon; quatre conseillers législatifs: Édouard Asselin, Jean Barrette, Albert Bouchard, Gérald Martineau, plus une panoplie de hauts fonctionnaires. Je réitère mon ordre à Laporte: pas un mot à personne et fouille tout le dossier en vue d'une série d'articles très documentés sur toute l'affaire.

Un ou deux jours plus tard, Laurendeau entre dans mon bureau, avec un petit sourire entendu.

— Qu'est-ce qu'il y a?

— Ben, c'est toute une affaire qu'on a dans les mains.

— Quelle affaire?

— Voyons, l'affaire de Laporte.

— Écoute, nous sommes maintenant trois dans le secret. C'est déjà trop. Pas un maudit mot!

Un jour ou deux se passent et Sauriol se présente à son tour dans mon bureau, les yeux moqueurs et le sourire épanoui.

— T'es donc bien de bonne humeur?

— Ben, avec ce qui s'en vient.

— S'en vient? S'en vient quoi?

— Ben, la découverte de Laporte.

— C'est assez.

Je convoque à mon bureau les trois journalistes.

— Au début, nous étions deux dans le coup.

— Après deux jours, trois.

— Deux jours plus tard, quatre.

— Demain toute la rédaction sera au courant et après demain tous les journaux de Montréal. Toi, Laporte, prépare tes articles en vitesse et vous autres fermez-la.

Et c'est ainsi que le 13 juin 1958, *Le Devoir* publiait en manchette: «Scandale à la Corporation de gaz naturel du Québec, premier d'une série d'articles mettant en lumière les dessous de la transaction.»

Comme nous l'avons écrit à l'époque et l'avons sans cesse répété depuis, le scandale ne tenait pas à l'importance des chiffres ni à l'intention malicieuse des politiciens. Le scandale, c'était que des hommes politiques s'étaient placés dans un conflit d'intérêt. Comme législateurs, ils avaient voté une loi autorisant la vente du réseau de gaz et, comme individus, ils avaient acheté des actions de la compagnie qui en faisait l'acquisition. Ils s'étaient faits à la fois vendeurs et acheteurs.

À la même époque, en Ontario, trois ministres avaient été forcés de remettre leur démission à la suite d'opérations analogues. *Le Devoir* s'estimait justifié de réclamer que la même règle de conduite s'appliquât à Québec. Il exigeait que tous les législateurs, ministres, députés, conseillers législatifs, ayant spéculé sur les titres de la Corporation de gaz naturel remettent leur démission. S'ensuivit toute une série d'articles de Filion, Laurendeau, Sauriol, Laporte, dénonçant la corruption du régime et réclamant la démission des concussionnaires.

La réaction de Duplessis fut malhabile. Il commença par intenter, lui et ses ministres impliqués dans l'affaire, une poursuite de mille dollars contre *Le Devoir* et son directeur. Pourquoi mille dollars? Pour être sûr que la cause serait entendue par un magistrat provincial, c'est-à-dire nommé par lui-même, ce qui aux yeux de l'opinion publique rendait le geste mesquin. En outre, il ouvrait la porte aux sarcasmes les plus cruels. Comment? M. Duplessis estime son honneur et celui de ses ministres à mille dollars seulement? Ce qui fait que tout le cabinet ne vaut pas plus qu'une vingtaine de mille dollars? Et ainsi de suite. Le sujet de blagues était inépuisable.

En abordant la rédaction du chapitre consacré à mes années passées au *Devoir*, j'ai pris la résolution de ne pas en faire une revue de presse. Je n'ai relu aucun des quelque trois mille articles que j'écrivis durant cette période. Je ne peux cependant m'empêcher de citer des extraits de deux articles que je publiai sur l'affaire. Le premier, de ton plutôt serein, s'emploie à expliquer le fondement juridique des accusations que nous portions contre le gouvernement Duplessis. Je le tire de l'histoire du *Devoir* écrite par M. Pierre-Philippe Gingras et publié chez Libre Expression en 1985.

Quand la Corporation de gaz naturel prit possession du réseau de distribution d'Hydro-Québec, le 25 avril 1957, au moins la moitié des ministres de M. Duplessis y possédaient déjà des intérêts soit par eux-mêmes, soit par personnes interposées. C'est pour cela qu'on peut affirmer, sans crainte d'être démenti, que les membres du gouvernement se sont vendus à eux-mêmes une propriété publique.

Nous avons déjà écrit d'ailleurs que les lois régissant les administrations publiques, notamment le Code scolaire, le Code municipal, la loi des cités et villes, interdisent formellement aux hommes publics de transiger avec le corps public qu'ils dirigent. Une telle disposition est sage, car elle protège les hommes publics contre la tentation de faire passer leur intérêt personnel avant le bien commun. Cette disposition ne fait d'ailleurs que traduire dans le droit administratif les dispositions de l'article 1484 du Code civil. Cet article se lit comme suit:

> *Ne peuvent se rendre acquéreurs, ni par eux-mêmes, ni par des parties interposées, les personnes suivantes, savoir:*
>
> *— Les officiers publics, des biens nationaux, ceux dont ils ont la tutelle ou la curatelle, excepté dans le cas de vente par autorité judiciaire;*
> *— Les mandataires, des biens qu'ils sont chargés de vendre;*
> *— Les administrateurs ou syndics, des biens qui leur sont confiés, soit que ces biens appartiennent à des corps publics ou à des particuliers;*
> *— Les officiers publics, des biens nationaux dont la vente se fait par leur ministère.*
> *— L'incapacité énoncée dans cet article ne peut être invoquée par l'acheteur; elle n'existe qu'en faveur du propriétaire ou autre partie ayant un intérêt dans la chose vendue.*

Le lecteur aura noté le paragraphe qui interdit aux officiers publics de se rendre acquéreurs «des biens nationaux dont la vente se fait par leur ministère».

L'interdiction s'applique on ne peut mieux au cas qui nous occupe. Les ministres d'un gouvernement sont sans contredit des officiers publics, puisqu'ils ont la responsabilité politique et administrative d'un pays ou d'une province. M. Duplessis et ses collègues sont, aux termes du Code civil, des officiers publics.

Le réseau de gaz naturel d'Hydro-Québec était un bien national, c'est-à-dire la propriété de la province de Québec. Ce sont les ministres qui ont pris la décision de vendre cette propriété à la Corporation de gaz naturel. Mais en même temps qu'ils décidaient de vendre, ils devenaient actionnaires de la compagnie acheteuse; ils se vendaient à eux-mêmes ce que le Code civil appelle «des biens nationaux».

Le juge P.-B. Migneault, un des plus grands juristes que le Canada français ait produits, fait le commentaire suivant sur l'article 1484:

> *Il est dangereux de mettre en opposition le devoir et l'intérêt: la lutte trop souvent se termine par le sacrifice du devoir. La loi devait donc interdire à ceux qui sont chargés de vendre des biens publics ou d'en faciliter la vente au plus haut prix possible, d'en faire l'achat pour leur propre compte. Sans cette prohibition, on eût trop souvent vu la personne chargée d'agir dans l'intérêt du vendeur chercher à écarter les renchérisseurs, en dépréciant les biens, dans l'espoir de les acquérir à très bas prix. De là les différentes incapacités énumérées dans l'article 1484.*

Il serait prétentieux d'ajouter la moindre remarque au commentaire du juge Migneault.

On aura noté le dernier paragraphe de l'article 1484 du code civil:

> *L'incapacité énoncée dans cet article ne peut être invoquée par l'acheteur; elle n'existe qu'en faveur du propriétaire ou autre partie ayant un intérêt dans la chose vendue.*

Dans le cas qui nous occupe, l'acheteur, c'est-à-dire la Corporation de gaz naturel, donc les ministres eux-mêmes, ne peut invoquer l'article 1484 pour faire annuler la vente. Mais le propriétaire du réseau de gaz, c'est-à-dire Hydro-Québec, donc le peuple de la province de Québec, est fondé à attaquer la transaction en droit et à en réclamer l'annulation devant les tribunaux. Selon quelle procédure l'action peut-elle être prise? Il appartient aux juristes d'exprimer leur avis. Mais s'il est possible à un contribuable de faire annuler une transaction intervenue entre un commissaire d'école et la municipalité scolaire, entre un conseiller et la municipalité, le même principe devrait s'appliquer dans le cas de ministres qui se vendent à eux-mêmes une propriété publique. Ce n'est pas parce que des ministres sont placés plus haut qu'ils sont intangibles. Un ministre est tenu d'observer les lois avec la même rigueur qu'un citoyen ordinaire. Il doit même se montrer plus scrupuleux afin de donner l'exemple d'une parfaite intégrité.

Il reste toujours évidemment la sanction de l'électorat. Celle-ci viendra en temps et lieu. Les ministres prévaricateurs seront bien forcés de dire à leurs électeurs pour quels motifs et en considération de quels avantages ils se sont, eux, ministres, vendu à eux-mêmes un bien national.

Le 14 juin 1958, Canadian British Aluminium Company inaugure une nouvelle fonderie à Baie-Comeau, avec M. Duplessis comme invité d'honneur. *Le Devoir* délègue un de ses journalistes, Mario Cardinal, pour couvrir l'événement. Le premier ministre est accompagné d'une brochette de ministres, dont M. Antoine Rivard. Occasion toute trouvée pour obtenir une réaction officielle aux articles du *Devoir.* Interrogé le premier, Antoine Rivard répond: «Vous êtes une bande d'écœurants. Vous entendez? Une bande d'écœurants.»

Quelques heures plus tard, le même journaliste joint M. Duplessis pour avoir sa réaction. Elle est plutôt truculente:

«On ne peut pas plus empêcher un canal d'égout de couler qu'un chien de pisser sur une église.»

Et le premier ministre continue sa diatribe en employant les épithètes «canaille, puant, putride et cancéreux».

Le 27 juin, conférence de presse au bureau du premier ministre. Guy Lamarche, du *Devoir,* se présente au rendez-vous. Il débute dans le métier. M. Duplessis ne le connaît pas.

— Qui c'est que vous représentez, vous?

— Je suis, Guy Lamarche, du *Devoir.*

— Dehors! dehors tout de suite.

— Mais pourquoi, M. Duplessis?

— Dehors!

Et il appelle un policier, armoire à glace, qui sort Lamarche en vol plané.

Des lecteurs nous écrivent pour suggérer que *Le Devoir* poursuive M. Duplessis pour l'avoir traité de journal «canaille, puant, putride et cancéreux». Je décide de prendre le ton du sarcasme pour me payer la tête du premier ministre.

Réclamer des dommages de M. Duplessis? Il faudrait commencer par les évaluer; donc établir par des témoignages irréfutables que notre réputation en a pâti et que nos affaires en ont souffert. Or c'est le contraire qui se produit: le public nous donne des marques d'estime et notre tirage monte. Alors, de quoi nous plaindre? Que M. Duplessis ne nous insulte pas plus souvent! Chaque fois qu'il nous traite de journal «canaille, puant, putride et cancéreux», nous en vendons 10 000 exemplaires de plus. Alors allez-y, M. Duplessis, enrichissez votre vocabulaire.

J'ai consulté à votre intention un traité sur l'art de

l'insulte. Voici quelques épithètes que je vous prie d'ajouter à votre vocabulaire: idiot, épais, imbécile, bêta, benêt, gogo, cruche, âne, cheval, dinde, dindon, dada, jocrisse, mulet, veau, vache, oie, racaille, chenapan, coquin, filou, fripon, larron, escroc, voleur, brigand, bandit, gibier de potence, infect, nauséabond, sacripant, dégoûtant, révoltant, rebutant, répugnant, repoussant.

Je suis tout surpris de n'y pas trouver le mot «écœurant», si cher à votre collègue, Antoine Rivard. Le ministre du bon langage a tenu à marquer son mépris à notre endroit en employant un mot proprement canadien; «écœurant», ça sent le bon terroir; on reconnaît, dans ce vocabulaire recherché, le fils du grand expert en parler canadien, le regretté Adjutor Rivard. Continuez dans cette voie, M. Rivard, et vous recevrez la médaille de l'Académie de Saint-Paul-du-Button pour enrichissement de l'humus québécois...

Vos facultés se troublent, M. Duplessis, votre mémoire faiblit! L'autre jour, à Baie-Comeau, vous confessiez à Mario Cardinal: «Vous poursuivre? De toute façon devant les tribunaux vous allez plaider la folie et vous en tirer.» La réplique était délicieuse; nous en avons ri de bon cœur et nous l'avons répétée.

Pourquoi gâter cet avantage temporaire? Vous aviez là une veine riche, se prêtant aux développements les plus inattendus. Il y a vingt-cinq ans, vous en auriez fait le thème de toute une campagne électorale; dans votre gosier, elle serait devenue poème, élégie, pastorale, opéra et oratorio. Vous avez drôlement vieilli; vous laissez perdre dans le sable un filon d'une si inépuisable richesse.

Plaider folie? Mais au fait, c'est peut-être vous qui auriez recours au stratagème. Pas une vraie folie certes, vous n'en êtes pas capable; mais une toute petite folie, sympathique, pas déplaisante, légèrement excentrique, disons à la Félix Poutré; une folie qu'on ne sait au juste où elle se place, dans la tête ou dans les pieds ou entre les deux; bref une folie médiocre, je dirai même petite, à votre taille; quelque chose qui autoriserait les historiens de l'avenir d'écrire à votre sujet: «Il ne fit jamais rien de grand, pas même une folie.»

Là où je ne comprends plus du tout, c'est quand vous nous poursuivez parce que vous n'avez pas acheté de titres de gaz et que votre ancien collègue, M. Onésime Gagnon, nous poursuit parce qu'il en a acquis.

Vous déclarez: «Je n'ai pas trempé dans cette affaire», et vous nous réclamez des dommages. Votre ancien collègue avoue de son côté: «J'ai trempé dans cette affaire», et il s'estime lésé. Alors, qui a raison? Celui qui a spéculé ou celui qui n'a pas spéculé? Si je rétracte le premier, je condamne le deuxième. Si la spéculation est un acte de vertu, la non-spéculation est un vice civique. Si je vous donne raison, je condamne la conduite du représentant de la Reine.

Vous êtes astucieux, M. Duplessis. Vous nous placez dans un dilemme dont nous ne sortirons pas. Vous nous cernez dans le coin, comme on dit. Des milliers d'actions s'abattront sur nous, venant autant des non-spéculateurs que des spéculateurs. La raison que nous donnerons aux uns sera le tort que nous ferons aux autres.

Autant couper court à nos malheurs et vous remettre le passif du Devoir *entre les mains. C'est tout ce que nous avons de tangible; nous vous l'offrons de grand cœur. Disposez-en à votre guise. Une simple suggestion: Faites-le servir à fonder un ordre de la Bêtise nationale. Vous en serez le grand chancelier. Les emblèmes de votre dignité seront un spectre en fer forgé de l'Ungava et un tablier en peau de vache portant l'inscription:* Per vias rectas, *ce qui se traduit: à coups de botte au derrière. C'est à cette marque que nous reconnaissons la fidélité de vos sujets.*

Un des concussionnaires, le docteur Leclerc, ministre et député de Charlevoix, en plus de réclamer des dommages pour atteinte à sa réputation, choisit de s'engager dans une seconde voie judiciaire. Il cite pour outrage à magistrat *Le Devoir* et son directeur. Accompagnés des avocats Jean-Marie et André Nadeau, il me faut, escorté d'André Laurendeau et de Pierre Laporte, aller comparaître à La Malbaie devant une sorte de bonhomme Carnaval de juge ayant nom Joli-Cœur, importé de Québec pour la circonstance.

Partis de Montréal l'avant-midi, nous descendons du train à la gare de La Malbaie, le soir. La rumeur a fait le tour de la bourgade, tous les autochtones sont à l'arrivée du train et nous examinent comme des animaux rares. C'est nous qui avons eu le courage d'attaquer Duplessis et leur député. Ils chuchotent entre eux et nous examinent avec des yeux dans lesquels perce une lueur d'admiration.

Le lendemain, nous nous présentons au palais de justice presque une heure avant l'ouverture de l'audience. Je demande à voir le geôlier; il porte le nom de Pit Néron. Ça promet. Peut-on visiter la cellule où je serai enfermé? Certainement, nos cellules sont toutes vides; pas un seul détenu. Il faut dire qu'à l'époque, dans Charlevoix, les criminels ne sont pas d'une espèce commune. Ils sont de deux sortes: les braconniers et les distillateurs de bagosse (alcool clandestin). Ayant à choisir entre cent dollars d'amende ou trente jours de prison, la plupart optent pour aller «gagner ça en prison». La discipline n'est pas particulièrement sévère. Pit Néron emploie cette main-d'œuvre bon marché à entretenir le palais de justice, à l'extérieur comme à l'intérieur du mur d'enceinte. Comme récompense, les détenus demandent le privilège d'aller faire un tour au restaurant. Pit Néron acquiesce, mais avec une réserve qui se veut menaçante: «Mon maudit, si t'es pas revenu à huit heures, tu vas coucher dehors.»

Naturellement, Pit Néron adore Duplessis, au point d'avoir fait disparaître le portrait de la reine et de l'avoir remplacé par une photo du premier ministre dans la salle d'audience. À La Malbaie, la justice est rendue au nom du *Cheuf.*

La mascarade judiciaire dure moins d'une heure. Les avocats Nadeau ensevelissent le magistrat sous une avalanche d'objections, de motions, de précédents, de défauts de juridiction et finissent par obtenir, si ma mémoire est fidèle, un ajournement. Nous rentrons à Montréal dare-dare et nous n'entendrons plus parler de cette pièce digne du meilleur Pagnol.

Quant aux poursuites pour dommages à la réputation, elles se perdront, elles aussi, dans le dédale des procédures judiciaires jusqu'à ce que, Duplessis décédant un an plus tard, elles restent gravées dans la mémoire de ceux qui ont vécu la bouffonnerie comme un des instants particulièrement joyeux de la vie du *Devoir.*

Pour nous, Duplessis était un adversaire qu'il fallait faire battre, mais pas un ennemi qu'il fallait abattre. Sa mort soudaine, dans le lointain pays d'Ungava, nous laissa pantois. C'est tout un pan de la vie du Québec qui basculait dans l'histoire. Nous saluâmes sa mémoire avec dignité.

Dans quel état laissait-il la province de Québec? Qu'avait-il fait de valable? Quelles furent les carences et les faiblesses de son administration? Un autre que lui aurait-il fait mieux et différent? Différent, c'est sûr. Le «désormais» de Paul Sauvé est resté dans la mémoire des contemporains comme l'engagement de son successeur de diriger les affaires selon des méthodes moins arbitraires. Il marquait une cassure avec le passé.

À l'actif de Duplessis, inscrivons quelques mesures bénéfiques. Pour les cultivateurs, il fit voter deux excellentes lois: le crédit agricole et l'électrification rurale. La première est restée dans les statuts comme un modèle du genre. La seconde est devenue désuète. On a du mal à imaginer aujourd'hui que des cultivateurs, aussi éloignés qu'ils soient des villages, ne soient pas desservis par le réseau d'Hydro-Québec. C'était pourtant la règle au lendemain de la dernière guerre. Il fallut la concurrence des coopératives, subventionnées par l'Office de l'électrification rurale, pour faire bouger les compagnies.

Le geste le plus significatif posé par Duplessis,

celui qui passera à l'histoire comme le plus lourd de conséquences, ce fut l'institution d'un impôt provincial sur le revenu. À l'occasion de la guerre, le gouvernement fédéral s'était fait céder pour cinq ans, en 1942, l'impôt sur le revenu des particuliers et sur les bénéfices des sociétés. À l'échéance, le temporaire devint permanent, sous le prétexte qu'il fallait relancer l'économie d'après-guerre. À l'expiration du deuxième accord, Duplessis céda aux pressions exercées par de nombreuses associations, notamment les chambres de commerce, et fit voter par le parlement provincial un impôt de dix pour cent, après avoir arraché une franchise de cinq pour cent à M. Saint-Laurent lors de l'historique rencontre de l'hôtel Windsor. Ce précédent servit de levier à Jean Lesage dans les années soixante pour faire reculer graduellement le fisc fédéral, de sorte que les revenus tirés des contribuables et des sociétés finirent par être partagés à peu près moitié moitié entre les deux ordres de gouvernement. Cet acte de courage sera probablement retenu par les historiens comme celui qui aura le plus de conséquences à longue portée.

Ce n'est pas impunément qu'un gouvernement reste en place quinze ans, surtout s'il dispose d'une majorité écrasante. Ce qui arriva à l'administration Taschereau et que Duplessis dénonça avec véhémence, il ne put l'éviter pour lui-même. Il tomba dans les mêmes excès de pouvoir et les mêmes abus de confiance. Olivar Asselin avait l'habitude d'affirmer: «Il vaut mieux être administré par des gens malhonnêtes mais compétents que par des gens honnêtes mais incompétents.» Peut-être. Mais la pire calamité, c'est quand l'incompétence s'allie à la malhonnêteté. Comme au temps de Taschereau, les ministres de Duplessis étaient au-dessus de tout soupçon. Mais la pratique de céder les contrats de travaux publics à des amis sans appels d'offre devait forcément conduire à des abus. Des partisans, organisateurs d'élections et souscripteurs à la caisse électorale, s'enrichirent d'une façon scandaleuse.

Mais il y avait pire. À partir de 1952 et davantage après 1956, M. Duplessis devint réactionnaire. Il laissa la province de Québec dans une situation financière glorieuse, mais avec des carences énormes au plan de la santé, de l'éducation, du réseau routier, etc. À partir de 1960, il fallut mettre les bouchées doubles et à des coûts sensiblement supérieurs, de sorte qu'en deux décennies Québec passa de province la moins endettée à celle la plus endettée et à des taux d'intérêts plus élevés.

Comme on ne prête qu'aux riches, il est devenu de bon ton de désigner les années Duplessis sous l'appellation d'époque de la grande noirceur, de régime dictatorial. Les gens qui emploient ces métaphores ou bien n'ont pas connu Duplessis ou bien n'ont pas eu le courage de le combattre. S'il avait été un dictateur, nous aurions été plusieurs à goûter à la prison ou à l'exil. Il était autoritaire certes, d'humeur capricieuse, habile à tourner à son avantage la faiblesse des hommes qui le servaient ou qui le combattaient. Il lui arriva de commettre des abus de pouvoir, comme dans l'affaire Roncarelli. Il toléra toujours une opposition, à condition qu'elle soit faible et un peu ridicule.

Duplessis était un homme de loi, pour qui la loi a un caractère sacré. Il n'avait pas tout à fait tort, sauf que la loi c'est lui qui la faisait et toujours à son avantage. Il ne manqua pas de se servir de son pouvoir pour faire adopter des lois vengeresses.

Après trente ans, avec la sérénité que donnent l'âge et le recul du temps, j'ai encore du mal à porter un jugement serein sur l'homme et son époque. Même ceux qui ne l'ont connu que de réputation n'arrivent pas à le juger objectivement, car il était si plein de contradictions, à la fois si généreux et si mesquin, si vindicatif pour ses adversaires et si tolérant pour ses partisans, qu'il est difficile de cerner le personnage. Tout le bien et tout le mal qu'on dit de lui contiennent une part de vérité. Il a existé plusieurs Duplessis, de sorte que chacun de nous peut y puiser ce qui fait son affaire.

Au *Devoir*, les cent jours de Paul Sauvé furent comme un éblouissement. Nous n'arrivions pas à le croire. Il fallut changer de ton et d'arguments. Je ne conserve aucun souvenir précis de ce court intermède, tellement nous flottions dans l'irréel. Puis vint la catastrophe du 2 janvier 1960. Paul Sauvé est décédé. Tout est à reprendre.

Antonio Barrette est un garçon charmant. Je le connais bien. C'est même à son chalet de Saint-Michel-des-Saints que j'ai subi, à l'été 1942, une hémorragie des voies digestives, qui me tint en langueur quelques années. À une autre époque et sous un autre premier ministre, il eût probablement fait un ministre du Travail convenable. Mais avec Duplessis, les décisions importantes se prenaient au plus haut niveau et souvent sans consultation du premier intéressé. Barrette est affligé de quelques péchés mignons, dont la vanité n'est pas le moindre.

Il se laisse présenter aux électeurs comme le grand Monsieur, l'égal de Duplessis et de Sauvé. La publicité de la campagne électorale le présente accompagné des deux défunts et à leur taille. On dirait qu'il n'existe que par eux et qu'eux n'ont vécu que pour lui. De l'autre côté, il y a Jean Lesage, tout fringant, tout tonitruant. Il l'a échappé belle. Duplessis vivant, il l'aurait difficilement emporté. Avec Paul Sauvé, c'était la débandade. Antonio Barrette devient donc la victime expiatoire des péchés de l'Union nationale. En plus de porter sur ses épaules les fautes de seize années de duplessisme, il multiplie les gaffes durant toute la campagne électorale. Nous croyions que l'Union nationale serait terrassée. La grande surprise de l'élection de 1960 fut qu'elle résista mieux qu'on ne l'avait cru. Les libéraux l'emportèrent de justesse.

Ainsi commença la Révolution tranquille, qui n'avait pas encore de nom. Il y avait longtemps que nous la souhaitions. Quand elle arriva, nous en fûmes ébaubis.

Comme directeur du *Devoir*, les années 1960-1963 me furent pénibles. Habitué à critiquer, souvent avec hargne, je n'arrivais pas facilement à trouver le ton calme, à cultiver la sagesse qui sied en pareille circonstance. Puis les événements m'amenèrent à m'intéresser à d'autres problèmes. Le nouveau président du nouveau Conseil d'orientation économique, Me René Paré, également président de l'Imprimerie populaire, insiste auprès de Jean Lesage pour que je sois invité à siéger dans cet aréopage. Ce que j'accepte sans hésitation. Il y avait tellement longtemps que tout se décidait en dehors de nous; pour une fois qu'on daignait nous consulter, ce n'était pas le moment de dire non.

Presque en même temps se présente la Commission royale d'enquête sur l'enseignement, pour laquelle on me sollicite et que je peux difficilement refuser. Même le vieux John Diefenbaker, en position précaire mais toujours combatif, me présente sur un plateau d'argent, en 1962, la vice-présidence du Conseil des arts du Canada. Une fois parti, allons-y. À travers tout cela, je trouve le temps d'être maire de Saint-Bruno-de-Montarville, président de la commission scolaire locale, président de la commission scolaire régionale de Chambly, conférencier par-ci, invité par-là. Bref, sans m'en rendre compte, je me détache du *Devoir*. Il devient petit à petit un simple pied-à-terre, une adresse postale. C'est le temps de partir.

Le seul moment excitant de la période est la campagne électorale de 1962, à cause de l'enjeu du débat: la nationalisation des compagnies privées d'électricité. Il y avait des lunes que *Le Devoir* soutenait la politique de prise en main du développement hydro-électrique du Québec, depuis les années trente et les campagnes du docteur Philippe Hamel contre le trust de l'électricité. L'enjeu de la campagne électorale de 1962 était donc l'aboutissement d'un rêve de trois décennies. *Le Devoir* entre allègrement dans la bataille, avec la certitude que cette fois était la vraie. Daniel Johnson, fraîchement promu à la direction de l'Union nationale, mena une compagne plutôt malhabile, de sorte que l'issue ne faisait aucun doute. Enfin, Québec devenait maître de sa principale source d'énergie et pouvait désormais en orienter le développement.

Pourquoi quitter *Le Devoir*? Pour les mêmes raisons qui, seize ans plus tôt, m'avaient fait quitter l'UCC. J'avais le sentiment d'avoir donné ce que je pouvais et qu'il serait difficile de me renouveler. J'avais vu M. Héroux et quelques autres vieillir sous le harnais et s'essouffler à suivre les plus jeunes, sans jamais y arriver. Ma vanité aurait été blessée d'entendre les lecteurs chuchoter: Filion a vieilli, il n'a plus le mordant d'autrefois.

Un calcul égoïste mais légitime m'invitait à partir; après vingt-huit ans au service de bonnes causes, j'avais accumulé un fonds de retraite qui me verserait quatre-vingt-six dollars par mois à l'âge de soixante-cinq ans, de quoi finir mes jours sous le seuil de la pauvreté dans une maison de vieux. Si je voulais éviter cette humiliation, il me fallait déguerpir au plus vite.

J'avais précédemment refusé quelques offres alléchantes, notamment la direction de *La Presse*, entre le départ fracassant de Jean-Louis Gagnon et l'arrivée de Gérard Pelletier. Mais passer du *Devoir* à *La Presse* me donnait le sentiment d'une sorte de trahison. Pour un reporter, ça ne crée pas de problème; pour un éditorialiste, c'est plus délicat. Mais pour le directeur, c'était impensable. Je ne pris pas le temps de réfléchir ni de me laisser tenter. Je refusai net un poste qui aurait triplé mon traitement. Vers le même temps, j'avais opposé une fin de non-recevoir à un émissaire de Maclean Hunter qui me proposait de prendre la direction d'une édition française de son magazine. Je ne voulais pas passer d'un journal à l'autre, je désirais quitter le journalisme. L'occasion m'en fut offerte avec le lancement de la Société générale de financement.

Restait le problème de la succession. Je l'avais à moitié préparée, à la suite d'une suggestion de l'abbé Lafortune, dit le Père Ambroise.

Nous sommes à l'été 1961, Saint-Bruno-de-Montarville, dont je suis le maire, célèbre le 250e anniversaire de la concession par Louis XIV de la seigneurie de Montarville à Pierre Boucher, seigneur de Boucherville. L'événement est marqué par une suite de manifestations s'échelonnant sur douze mois. Le clou des fêtes est la visite de Son Excellence le gouverneur général et de Madame Vanier. Un couple d'une grande dignité et d'un raffinement exquis. Les Montarvillois tirèrent de cette visite une légitime fierté.

Le programme réveille-matin *Chez Miville* détient à l'époque la meilleure cote d'écoute. Toute l'équipe se déplace pour venir enregistrer à la mairie de Saint-Bruno une heure de blagues, de dialogues, de chansons, d'informations. C'est une soirée d'été splendide. J'invite toute la troupe à finir la veillée chez moi. Je cause avec le Père Ambroise de choses et d'autres, mais surtout du *Devoir* où son père, Napoléon Lafortune, a fait toute sa carrière dans tous les services. Il était décédé peu de temps avant mon arrivée au journal, alors qu'il en était le factotum à titre de gérant d'affaires. Le Père Ambroise jette dans la conversation quelque chose comme ceci:

— Pourquoi n'invitez-vous pas Claude Ryan à faire partie de la rédaction du *Devoir*?

Je réagis par un haussement d'épaules, mais le propos ne tombe pas dans l'oreille d'un sourd.

À quelques semaines de là, j'invite Claude Ryan au restaurant. Nous nous connaissons à peine. Je lui décris la situation à la page éditoriale du *Devoir*: je suis absent une journée sur deux à cause de la commission Parent; Pierre Laporte, éditorialiste de relève en dehors des sessions du Parlement provincial, nous quitte pour la politique. Il reste Laurendeau et Sauriol. Il faut étoffer l'équipe; j'ai pensé à lui.

Sa réaction est plutôt favorable, mais il n'est pas prêt. Il lui reste, dit-il, des choses à terminer au secrétariat de l'Action catholique. On verra plus tard. Est-ce moi ou est-ce lui qui prit l'initiative de rappliquer? Je ne me le rappelle pas. Nous nous sommes revus au printemps 1962 et il est entré au journal comme éditorialiste au début de juin.

A-t-il été question à ce moment-là de succession

éventuelle? Je ne le crois pas. Cette idée a plutôt mûri dans mon esprit au cours des mois suivants, au fur et à mesure que je me détachais du *Devoir* et que je songeais à réorienter ma carrière. Ce dont je suis sûr, c'est que, quand ma décision fut prise de partir, j'avais pris la résolution d'en faire mon successeur. Non pas que j'aie eu l'autorité d'imposer mon choix, mais j'avais la conviction que Ryan était apte à occuper le poste et qu'il me fallait agir en conséquence. Mon jugement s'appuyait sur deux motifs. Ryan possédait des aptitudes d'administrateur; ses idées correspondaient assez bien à celles que *Le Devoir* avaient défendues depuis sa fondation.

L'autre candidat était Jean-Marc Léger, journaliste de talent, très actif dans les mouvements nationalistes. Il représentait une option sérieuse. Sentimentalement, j'aurais été enclin à favoriser sa candidature, surtout à cause de ses longs et valables états de service. J'avais cependant des réserves sérieuses sur certaines de ses options politiques: le journal de Bourassa, tout en étant fortement nationaliste, n'avait jamais été séparatiste. Je sentais que Léger avait de fortes tendances de ce côté, ce que l'avenir finira par confirmer. Un *Devoir* dirigé par Jean-Marc Léger se serait probablement engagé derrière le Parti québécois, avec toutes les conséquences qui se seraient ensuivies. C'est d'ailleurs l'amer reproche que les péquistes feront plus tard à Ryan; la fondation du *Jour* sera la réplique au refus du *Devoir* de les soutenir.

Je m'employai donc à favoriser la promotion de

Ryan, pas à la force du poignet, mais par une manœuvre que les circonstances conduisirent à la fin recherchée. Je commençai par suggérer la formation d'un comité chargé d'étudier toutes les implications juridiques de l'acte de fidéicommis de 1929. En attendant le rapport, *Le Devoir* serait provisoirement dirigé par un comité de trois éditorialistes, présidé par Laurendeau, assisté de Sauriol et de Ryan. C'était de mon point de vue une mesure dilatoire.

À quelques mois de là, le gouvernement Pearson, nouvellement arrivé au pouvoir, forme une commission royale chargée d'une enquête en profondeur sur les problèmes soulevés par le caractère multiculturel et le statut bilingue de la société canadienne. Laurendeau, qui a publié plusieurs articles sur le sujet, est pris à son propre piège. Comme moi pour la commission Parent, il s'est placé dans la position de ne pouvoir refuser. Durant ses absences fréquentes et prolongées, c'est Ryan qui administre les affaires de la maison et qui dirige le journal. En 1964, le fruit est mûr. Le premier mai, une assemblée conjointe des administrateurs et des fiduciaires nomme Claude Ryan directeur du *Devoir* pour un mandat de dix ans. Comme la constitution ne prévoit pas qu'un directeur puisse être nommé pour un mandat limité, Claude Ryan signe une lettre de démission datée du premier mai 1974, document que je garderai dans mon coffret de sûreté jusqu'à ce que, une année avant l'échéance, Claude Ryan soit nommé, cette fois, sans limite de mandat.

À la demande de Claude Ryan, je continuai

quelques années à siéger au conseil d'administration, toujours présidé avec doigté et compétence par Me René Paré. En 1970, je demandai d'être relevé de cette fonction, tout en restant membre des deux fiducies. C'est en 1976 que j'abandonnai cette dernière responsabilité, ce qui fait que je fus mêlé aux affaires du *Devoir* durant presque trente ans.

Durant l'intermède entre Claude Ryan et Jean-Louis Roy, il y eut passablement de brasse-camarade au *Devoir*, y compris une grève des journalistes.

Monseigneur Jean-Marie Lafontaine, évêque auxiliaire de Montréal, avait accepté de jouer le rôle de médiateur entre les parties. Il lui vint l'étrange idée de me prier de reprendre du service, convaincu, disait-il, que mon nom ferait l'unanimité, autant chez les journalistes que chez les administrateurs. Sans prendre la peine de réfléchir, de peur de succomber à la tentation, je m'empressai de décliner l'invitation, convaincu que je n'avais rien à gagner, *Le Devoir* non plus, à revenir sur mes brisées.

Dresser un bilan de mes seize années à la direction du *Devoir*? Je ne m'en sens ni le goût ni la compétence. J'aurais du mal à être impartial. De cette étape importante de ma vie, il me reste quelques satisfactions: d'abord la conviction d'avoir fait prendre au journal un virage idéologique important, une sorte de révolution tranquille avant la lettre, un effort de réconciliation des valeurs sociales avec les aspirations nationales des Canadiens français. Au plan administratif, j'ai la certitude d'avoir sauvé l'institution de la faillite en mobilisant les Amis du *Devoir* et en le faisant passer du soir au matin en novembre 1953. Pour le reste, je laisse à l'Histoire le soin de faire l'analyse de l'impact que le journal a pu avoir au cours des années qui ont précédé la Révolution tranquille. L'étude du professeur Michael D. Behiels, *Prelude to Quebec's Quiet Revolution*, cite abondamment André Laurendeau et Gérard Filion et place *Le Devoir* en première ligne du combat pour le passage du Québec à une société moderne. Il faut souhaiter que d'autres chercheurs se penchent sur cette époque moins obscurantiste qu'on le dit et qu'ils fassent l'analyse des forces qui ont abouti aux changements profonds de la société québécoise. Personnellement, j'ai la conviction que, si la Révolution tranquille s'est faite à partir de 1960, c'est durant la décennie précédente qu'elle a été pensée.

8

LA RUÉE VERS L'OR

L'affaire commence par une blague et se termine par une aventure. Nous sommes à l'automne 1962. Je dîne au Cercle universitaire, rue Sherbrooke, avec Me René Paré, président du conseil de l'Imprimerie populaire, comme je le fais deux ou trois fois par année. En tête-à-tête, il est plus facile qu'en assemblée de causer des affaires du *Devoir*. Paré est un homme sage, prudent, de bon conseil; j'ai confiance en son jugement.

Une fois les affaires du *Devoir* expédiées, Paré me dit deux mots de la Société générale de financement, nouvellement créée par une loi du Parlement, et dont il a été nommé président par le Conseil des ministres. Il est à la recherche d'un directeur général. L'opération n'est pas facile: les candidats sont peu nombreux, et ceux qui sont qualifiés hésitent à courir l'aventure. Un peu à la blague, je lui dis: «Pourquoi pas moi!? — Êtes-vous sérieux? — Non, mais je pourrais peut-être le devenir.»

La conversation devient plus sérieuse et elle se conclut par l'accord d'un rendez-vous pour la semaine suivante avec le comité mandaté pour faire la sélection des candidats. Ce jour-là, la commission Parent siège à Québec. En fin d'après-midi, je prends l'avion pour Dorval par un temps affreux, je descends en taxi à la Société des artisans où siège le comité de sélection. Échange de vues d'environ une heure et je reprends tout de suite un vol pour Québec. Quelques jours plus tard, j'apprends, à ma grande surprise, que ma candidature est agréée. Cela se passe au mois de novembre, mais il est convenu de part et d'autre de n'en pas souffler mot avant janvier 1963.

Le recrutement des cadres n'est pas non plus une opération facile. Finalement, Paul Normandeau, ingénieur, comme directeur technique, et Jean-Noël Domey, comptable agréé, comme directeur financier, se joignent à moi pour mettre le cap sur l'inconnu.

Car il s'agit en effet de découvrir l'Amérique. Il n'existe rien de semblable dans le monde capitaliste. Peut-être en Europe, avec l'IRI en Italie, mais l'environnement est tellement différent qu'il serait risqué de prendre pour modèle cet institut fondé par Mussolini en 1933. Nous sommes portés par la vague de la Révolution tranquille: tout paraît possible et tout paraît facile. La souscription au capital-actions de la Société se fait presque dans l'euphorie. La Banque Canadienne Nationale souscrit 500 000$; la Banque Provinciale renchérit à un million. Les banques anglaises ne veulent pas être en reste et elles suivent allègrement. Il faut les rationner toutes à 300 000$, pour laisser de la place au public.

Les caisses populaires entrent dans la ronde et se partagent sans difficulté leur part de 5 millions. Seul le gouvernement se fait tirer l'oreille. M. Lesage, qui se paie la coquetterie de garder pour lui les Finances, s'était fixé comme objectif de souscrire 5 millions, mais de n'en verser qu'un comptant, le reste par versements annuels ou semi-annuels. Il exprime son mécontentement, mais il doit cracher le morceau. Dès l'été 1963, nous avons en banque 21 millions. Pour un homme qui a passé sa vie dans des entreprises pauvres, endettées, frôlant la faillite, il y a de quoi devenir fou.

Mais que faire avec 21 millions de dollars? La loi qui régit la SGF est restrictive. Celle-ci doit limiter ses interventions dans le secteur de la fabrication de produits et ne peut acheter que des actions ou des obligations. Jean-Louis Lévesque vient m'offrir l'Industrielle, compagnie d'assurance-vie, un placement en or pouvant s'apprécier avec le temps, mais je dois dire non. Même chose pour Nordair.

Dans le secteur secondaire, les offres d'achat ou de participation abondent, mais la plupart viennent de canards boiteux. Au cours du dernier semestre de 1963, nous examinons pas moins d'une centaine de dossiers de PME qui veulent se vendre ou emprunter. Nous en retenons au plus trois ou quatre, entre autres Forano et Volcano.

Les journaux nous harcèlent. À *La Presse* sévit

une espèce de marxiste capoté qui fait dans l'analyse économique. Il m'appelle au moins une fois par semaine pour se faire confirmer notre inaction. Chaque fois, il se livre à un réquisitoire contre l'extrême conservatisme de notre gestion. Pour lui, nous devrions avoir déjà lancé des affaires nouvelles un peu partout, surtout dans les régions sous-développées. Car on est à l'époque où il faut dégraisser Montréal pour mieux nourrir la périphérie du Québec. Ainsi en ont décidé les économistes qui font la loi dans les hautes sphères des ministères à vocation économique. Montréal est un monstre qu'il faut empêcher de profiter aux dépens des pauvres qui s'appellent Gaspésie, Abitibi, Saguenay, même Québec métropolitain qui crève de faim à côté du Parlement.

Nous sommes jugés à l'aune de nos interventions chez les pauvres. Un sous-ministre va même jusqu'à nous en faire une espèce d'obligation statutaire: c'est pour ça que la SGF aurait été créée. Au fond, tout le monde est en orbite. Une semaine, on étatise les compagnies d'électricité, la suivante, il faut lancer une sidérurgie! En même temps, le ministère de l'Éducation surgit du rapport Parent, pendant que le ministre, en grande pompe, avec diacre et sous-diacre, porte la bannière de l'opération 55.

Les quelques acquisitions, totales ou partielles, que la SGF a faites de 1963 à 1966 ont assez bien tourné: Marine Industrie, Forano, Volcano, David Lord, Tricots Lasalle, ont rapporté quelques profits ou ont pu être revendues. Après vingt-cinq ans, il est facile de se rendre compte d'une dispersion excessive. Il eût mieux valu se concentrer sur quelques secteurs. D'ailleurs, les administrations qui se sont succédées à la direction de la SGF ont fait le ménage dans tout ça, comme on doit le faire dans tout ensemble dynamique.

Là où nous avons raté notre coup, c'est quand nous avons voulu lancer de nouvelles affaires. Nous n'avons pas été téméraires, mais nous n'avons pas compris que les groupes auxquels nous nous sommes associés avaient les moyens de subir des pertes, pas nous. L'aventure des Engrais du Saint-Laurent en est l'exemple parfait. Nos trois partenaires étaient des multinationales de grande réputation: une française, une belge et une canadienne. Nous y avions investi un million chacun. Au bout d'un an, tout était flambé. Pour les multinationales, c'était déclarer en fin d'exercice un million de moins sur cinquante ou cent millions de profit; pour nous, c'était un million qu'il fallait rayer de notre capital.

Pour les premières années et en conformité avec sa loi constitutive, la SGF était une société financière et non une société de gestion (holding). Ses seuls revenus provenaient des dividendes et des intérêts reçus de ses filiales, qu'elles fussent détenues à vingt ou à cent pour cent. Une fois devenue une société d'État, par une refonte de la loi qui la régit, elle se mit à publier un bilan consolidé, lui permettant d'équilibrer les pertes d'une filiale par les profits d'une autre. Devenue le bras de l'État dans le développement industriel, elle put s'attaquer à de plus gros morceaux et jouer, comme on dit, dans les ligues majeures.

À l'été 1964, en pleine canicule, alors que je pêche la truite mouchetée dans le bassin de la Manicouagan, un agent de la Sûreté du Québec m'apporte un message. M. Lesage veut me voir le lendemain. J'interromps mes vacances et je prends l'avion pour Québec. Le projet de sidérurgie ennuie le premier ministre. Sur son pupitre deux rapports commandités par le gouvernement: le premier est une étude technique sur les différentes méthodes de production de l'acier; le second, beaucoup plus volumineux, est une étude de rentabilité sur l'implantation d'un complexe sidérurgique intégré au Québec. Il me remet le paquet et me demande de lui donner mon opinion sur toute l'affaire.

Comme journaliste, je pouvais en une heure ou deux bâtir une belle sidérurgie, toute neuve et hautement rentable. Mais comme président de la SGF je dus avouer que je n'y connaissais rien. Qu'à cela ne tienne, me fut-il répondu. Ici personne n'y connaît rien; votre opinion vaut celle des autres. Je me mis donc au régime de cent pages par jour d'un texte hautement technique, abondamment illustré de graphiques et de tableaux. C'était signé par des ingénieurs d'Europe et d'Amérique, donc ça valait son pesant de dollars.

Après avoir sué sang et eau, je me pointe à la résidence privée de M. Lesage un soir d'automne et je lui remets un texte de quelques pages qui dit à peu près ceci: le projet est trop gros pour la SGF seule; il pourrait être lancé en créant une société privée dans laquelle la SGF, le gouvernement et des intérêts privés pourraient participer. Pour constituer un conseil d'administration provisoire, je propose quelques noms: Gérard Plourde, président de United Auto Parts, Pierre Gendron, président de la Brasserie Dow, René Paré, président de la Société des artisans et de la SGF, et moi-même. Lesage désire une présence anglaise et suggère Peter N. Thompson, de Power Corporation. À quelque temps de là, nous nous retrouvons tous dans le bureau du premier ministre, qui nous donne mandat de mettre sur pied la sidérurgie, qui fera enfin sortir le Québec du sous-développement. Le gouvernement, nous confie-t-il, a décidé d'aller de l'avant. Le site de Bécancour est déjà choisi et le Trust général a reçu mandat de faire l'acquisition des terrains de la future sidérurgie intégrée.

Première démarche à faire, recruter un p-d.g. Je consulte à droite et à gauche, deux présidents de banque, le président du Trust général, Me Marcel Faribault, d'autres encore. On me suggère quelques noms d'ingénieurs qui se sont frottés à l'industrie métallurgique. Les réponses sont toutes négatives ou dubitatives. Pendant que je cherche l'oiseau rare, une société est constituée sous l'appellation de Sidbec. Le nom claque au vent comme un drapeau; il est le précurseur des innombrables appellations en bec qui porteront fièrement la syllabe terminale du Québec ici et à l'étranger.

Les membres du nouveau conseil de la nouvelle

société sidérurgique me demandent d'essayer de faire avancer les choses, sans pour autant négliger les affaires de la SGF. J'avance à pas feutrés dans une jungle où sévissent quelques carnassiers. Le président de la moribonde Dosco vient m'offrir de doter le Québec d'une sidérurgie intégrée, à condition que les contribuables en paient le prix et que sa compagnie en reste propriétaire. Après mon refus, il annonce avec fracas que Dosco installera à Contrecœur un laminoir, début d'un complexe intégré. J'apprendrai quelques années plus tard, par l'indiscrétion d'un dirigeant de la compagnie, que le geste avait été improvisé uniquement pour couper l'herbe sous le pied de Sidbec.

En février 1965, je fais un saut à Paris pour aller voir s'il serait possible de recruter quelques cadres dans les groupes français. Je rencontre quelques candidats, et je retiens un nom, Édouard-Paul Bonaure. Les gens qui le connaissent m'en disent beaucoup de bien. Caractère difficile, mais technicien compétent. Il n'a pas l'étoffe d'un président, mais sûrement celui d'un directeur technique. À première vue, nous nous plaisons et l'aventure canadienne ne lui fait pas peur. Il a déjà fait des stages en Allemagne et en Algérie, de sorte que la perspective de s'expatrier ne le rebute pas. Je retiens son nom comme seul candidat sérieux.

Je rentre à Montréal le dernier jour de février et je suis au bureau le premier mars. René Paré vient me voir pour me dire en résumé ceci: «Les administrateurs de Sidbec se sont réunis durant votre voyage et ont convenu, en l'absence de tout candidat valable, de vous offrir la présidence de la société.»

Ma première réaction en est une de surprise, puis de stupeur. Il y a à peine deux ans que je suis à la SGF. Malgré des ratés, l'affaire ne va pas trop mal. Je m'y plais et je n'ai pas envie de quitter. Je demande à réfléchir. Après un mois, nous arrivons à un compromis. Je prends la présidence de Sidbec, mais je reste à la SGF. Je partagerai mon temps entre les deux.

Fort de cette marque de confiance, je commence à recruter quelques cadres. Bonaure accepte une offre d'emploi et vient s'établir à Montréal. Louis Rochette quitte Davie Shipbuilding et prend la direction financière de la société. Je déniche à New York un directeur de marketing qui commencera à temps partiel, en attendant que la production d'acier démarre, dans quatre ou cinq ans.

De jeunes ingénieurs canadiens-français se laissent tenter par l'aventure et acceptent d'aller faire un stage dans des sidérurgies européennes en vue de venir occuper des postes de cadre. Bonaure et Rochette épluchent le rapport de rentabilité que Lesage m'a remis. C'est un travail bâclé, qui propose de fabriquer une vaste gamme de produits à petite échelle. Les coûts seraient trop élevés pour résister à la concurrence.

Il faut reprendre l'étude de marché pour trouver le créneau qui paraît le plus avantageux, puis refaire le rapport de rentabilité en fonction de l'option retenue. Une conclusion finit par se dégager: une aciérie conventionnelle, c'est-à-dire un haut fourneau d'une capacité d'un million de tonnes, convertisseur à oxygène, coulée continue, laminoirs de produits marchands et de tôles fortes. Coût: 360 millions, arrondis à 400 millions. Durée de la construction, quatre ans. Le document est soumis à quelques bureaux d'étude qui le trouvent réaliste. Il est finalement remis au gouvernement, à qui revient la décision finale. Tout ce travail s'est échelonné sur six mois, de septembre 1965 à mars 1966 environ.

À Québec, la Révolution tranquille est de plus en plus agitée. René Lévesque a quitté les Ressources naturelles et se démène, avec son copain Éric Kierans, à faire le nettoyage dans «le fouillis», comme il se plaît à le décrire, des affaires sociales et de la santé. Mais il continue à se mettre le nez partout et à jouer dans le dos de tout le monde. Le Conseil des ministres est divisé sur le projet de sidérurgie: il y a ceux qui y sont opposés, ceux qui y sont favorables à condition que l'entreprise privée s'en charge, ceux qui souhaitent une solution mixte, ceux qui veulent une sidérurgie d'État. À la sortie d'une réunion du Conseil de la SGF où j'ai fait un rapport d'étape, j'entends Jacques Parizeau dire à un collègue: «Si Lesage ne veut pas faire la sidérurgie, Lévesque va la faire sans lui.»

Car Jacques Parizeau s'agite comme une queue de veau dans les arcanes du pouvoir depuis le début du régime Lesage. Il rédige des mémoires, prépare des études, esquisse des projets, prodigue ses conseils à qui consent à l'écouter. Il veut tout savoir, tout entendre. Un jour qu'il me voit sortir du bureau du premier ministre, il me happe au passage pour me demander: «Qu'est-ce que Lesage t'a dit? — Il m'a dit qu'il fait beau.»

Le garçon — il a à peine trente ans — est brillant. Il sait tout, et ce qu'il ne sait pas, il l'invente; ce qu'il invente est aussi plausible que ce qu'il sait. Sa force réside dans son pouvoir d'affirmation. Il affirme tout avec une telle conviction que ses auditeurs finissent par le croire. Non seulement il sait, mais il laisse entendre qu'il est seul à savoir. Car il laisse planer un nuage de mystère sur ce qu'il dit et ce qu'il fait. Une seule chose l'intéresse, l'avenir de Jacques Parizeau, au-delà de ceux qui temporairement lui barrent le chemin. Sous ce rapport, on peut lui faire confiance: il ne s'oublie pas.

Le rapport Bonaure-Rochette est entre les mains de Lesage depuis plusieurs semaines, mais rien ne bouge. À bout de patience, je rédige un mémoire qui est presque une mise en demeure. Faites quelque chose ou moi je sacre mon camp. Le texte a presque le ton d'un éditorial du *Devoir*. À plus de vingt ans de distance, je trouve que l'argumentation était juste, mais que le ton était impertinent. Je comprends que Lesage ait été à la fois inquiet et offensé. Il m'envoie un émissaire pour me calmer et tout rentre dans l'ordre.

Il y avait des mois que la Chambre de commerce de Montréal me harcelait pour une causerie sur Sidbec. Je remettais l'échéance sous prétexte que le projet n'était pas mûr. Finalement je prends un engagement ferme pour le 26 avril. Le texte est modéré. Il contient toutefois une toute petite phrase qui rendra Lesage furieux. Tout est prêt, affirmais-je; nous n'attendons que le feu vert de Dieu le père qui est à Québec.

En conférence de presse, Lesage se fait harceler par les journalistes, ce que, par tempérament, il n'aime pas. Il faut dire que les journalistes, porte-étendard de la Révolution tranquille à ses débuts, commencent à s'ennuyer, parce qu'ils n'ont pas au moins un grand projet à se mettre sous la dent chaque semaine. Le gouvernement a beau continuer à s'agiter; pour eux, c'est du pareil au même. Le vent de la liberté, qui a soufflé sur la presse après la mort de Duplessis, les a rendus plus exigeants et plus audacieux. Avec Duplessis, ils se contentaient d'écrire; avec Lesage, ils posent des questions, même impertinentes.

Lesage, lui, n'a qu'une idée en tête; l'élection qui s'en vient et qui sera un triomphe. Car personne au parti libéral ne donnerait cher de la peau de Daniel Johnson. À l'automne 1965, Jean Lesage avait fait le voyage à Milan pour inaugurer une maison du Québec. Les copains du Club de la Garnison l'avaient accompagné. J'en écoute quatre qui prennent un verre au bar de l'hôtel. Ils causent de l'élection de 1966. Leur préoccupation principale porte sur le nombre de comtés qu'il faudra laisser à l'opposition; car il ne faut quand même pas l'anéantir. Je glisse quelques mots dans la conversation pour dire: Lesage va se faire battre à la prochaine élection. Éclats de rire et quolibets; est-ce possible de blasphémer de la sorte! On ne me fait même pas la charité de s'enquérir des motifs d'un diagnostic aussi sombre. Mais mon idée était faite depuis que de vieilles connaissances de l'époque de l'UCC m'assuraient que partout dans les campagnes les électeurs étaient furieux de se faire brasser par un gouvernement qui n'écoutait personne. Il n'y a pas de pire politique que celle qui vise à rendre les gens heureux contre leur gré. Lesage devait l'apprendre à ses dépens.

Au début de 1966, M. Ludger Simard, avec qui j'avais négocié l'achat de Marine Industrie et qui en avait conservé la présidence, entre à l'hôpital. Récidive d'un mal qui ne pardonne pas. Vite il faut trouver un successeur. Denrée rare à l'époque chez les Canadiens français. J'introduis dans la place un candidat, qui finit par décevoir. Il faut tout recommencer. En même temps, Paré et moi, nous nous mettons à la recherche d'un candidat à ma succession à la SGF. Assez rapidement, nous tombons d'accord sur un nom: Jean Deschamps, qui occupe le poste de sous-ministre à Québec. Il entrera en fonction au début d'avril.

La santé de M. Ludger Simard décline rapidement. Il décède le 17 avril et les obsèques ont lieu le 21, cinq jours avant l'assemblée annuelle de Marine Industrie. Les actionnaires présents élisent un conseil d'administration et le conseil doit nommer un président. L'entreprise est trop importante pour la laisser sans direction, et il n'y a personne dans la place pour prendre la succession. Arthur Simard, qui occupe le poste de président du conseil et qui est dans la maison depuis le début des années quarante, propose mon nom. Ma réaction est mitigée. Bien sûr qu'il ne faut pas laisser le fauteuil vide et, de tous les gens de l'extérieur, je suis celui qui connaît le mieux la compagnie. Mais j'ai un engagement avec Sidbec, que je ne peux pas rompre du jour au lendemain.

Par contre, à Sidbec, nous tournons en rond depuis quelques mois. Le temps des études est révolu; il faut passer à l'action. Mais les élections s'en viennent. Pas de décision avant la réélection du gouvernement, puis viendront les vacances et à l'automne, peut-être avant les Fêtes, peut-être après, une session du Parlement, de sorte que, dans la meilleure des hypothèses, il n'y aura pas de décision de prise avant six à neuf mois. Après avoir pesé le pour et le contre avec mes collègues, je finis par accepter, me disant que, si j'ai pu mener Sidbec et la SGF de front durant presque deux ans, un an comme bénévole, un an comme salarié, je peux tenir le coup pendant une autre année, cette fois avec Sidbec et MIL. Quand viendra le moment de faire un choix, je verrai à réexaminer toute l'affaire.

Que s'est-il passé dans les hautes sphères de la politique à la suite de cette situation apparemment ambiguë? Je n'en sais rien. On m'a dit que Lesage avait fait une autre colère, que Lévesque avait continué à s'agiter. Toujours est-il que le 19 mai, je reçois un coup de fil de Jean Deschamps. Un membre du conseil de Sidbec veut me voir cet après-midi. Ce n'est pas le personnage annoncé qui se pointe, mais Jean Deschamps lui-même. Les fesses serrées, il me dit que les administrateurs de Sidbec sont offusqués de mon geste. Ils estiment qu'il faut un président à plein temps et que je dois faire un choix.

Un choix? Facile à faire: c'est Marine Industrie. Pour me succéder, les administrateurs nomment Jean-Paul Gignac, ingénieur, ami personnel de René Lévesque, commissaire à Hydro-Québec. Il sera président à temps partiel durant deux ans, puis démarrera la sidérurgie la plus coûteuse du continent. Le Trésor provincial y engloutira quelque chose comme un tout petit milliard. Mais qu'à cela ne tienne, notre amour propre aura été comblé: nous avons eu notre sidérurgie.

Après coup, il est facile de distribuer des médailles et des mauvaises notes. Avec le recul, on se rend compte que tous, moi comme les autres, nous étions partis pour la gloire. La sidérurgie fut seulement une des aventures loufoques de cette Révolution tranquille, durant laquelle le meilleur et le pire se côtoyèrent constamment comme dans toutes les entreprises humaines. Ce qui avait un sens dans les années soixante deviendra stupide la décennie suivante. Au total, le gouvernement Lesage accomplit beaucoup plus de bonnes que de mauvaises choses, même si tout cela se fit dans la confusion la plus totale.

La marche vers la gloire prit fin dans la défaite la plus stupéfiante. Le 5 juin 1966, l'électorat québécois vota pour l'«underdog», le laissé pour compte.

Avec Daniel Johnson, la révolution devint plus tranquille dans les hautes sphères de la politique. Mais les groupes de pression, habitués à tout obtenir en menaçant de démolir la baraque, continuèrent à s'agiter plus que jamais. En retrait de tout ce bouillonnement social, je m'appliquerai à faire de Marine Industrie un complexe industriel rentable.

Mais la politique vint me frôler à l'automne 1969. Le tout commença par une rumeur, dont les murmures me parvenaient par des voies indirectes. Un vice-président de MIL, familier avec les piliers du Club de réforme, se mit à me taquiner. Jean Lesage venait de démissionner et les chasseurs de têtes avaient sonné le hallali. Il fallait, disait-on, un homme neuf, avec des idées claires et une poigne solide. Il paraît que mon nom circulait chez les «king makers» du parti libéral.

Durant la dernière semaine de septembre, je mets le cap sur le Kataska, club de chasse et de pêche sur la Manicouagan, pour le défoulement annuel de la chasse à l'orignal. Un bulletin de nouvelles de Radio-Canada, capté par hasard en cours de route, fait écho à la rumeur que des dirigeants du parti libéral moussent la candidature de Gérard Filion à la succession de Jean Lesage. Mon frère Omer, infatigable compagnon de toutes mes équipées, me jette un regard en coin en voulant dire: es-tu en train de perdre la tête? Je réponds par un sourire et nous parlons de l'orignal que nous allons sûrement abattre.

Début novembre, j'assiste à une assemblée du conseil d'administration de Forano, à Plessisville. Une secrétaire vient me chercher pour un appel urgent d'Ottawa. C'est Jean-Louis Gagnon qui est au bout du fil. Il me tient en substance les propos suivants: «À Ottawa, on est inquiet de ce qui se passe au Québec; Jean-Jacques Bertrand a perdu la maîtrise du pouvoir; la province s'en va à vau-l'eau. Ton nom revient constamment dans les conversations comme successeur de Lesage. Aurais-tu objection à rencontrer un ministre du gouvernement Trudeau pour en discuter? — Sûrement pas.» Et c'est ainsi que, quelques jours plus tard, je rencontre Jean Marchand au Reine-Élisabeth.

Il me tient à peu près le même langage. Il ajoute même ceci: «Nous savons que, si vous prenez la direction des affaires à Québec, nous allons nous chicaner, ça fait partie du jeu politique. Notre seul objectif, c'est d'avoir à Québec un interlocuteur valable.» De mon côté, je suis disposé à examiner l'affaire d'un peu plus près. Il est convenu que je rencontrerai quelques dirigeants du parti dans les jours suivants.

Il y a là quatre ou cinq personnes, dont une m'est familière, Jean-Louis Gagnon, l'autre connue, le sénateur Giguère, organisateur du parti fédéral, les autres me sont étrangères. Jean-Louis Gagnon est, à son habitude, loquace et convaincant; le sénateur Giguère parle peu. Un jeune blanc-bec, attaché, dit-on, au bureau de Trudeau, s'informe si mes opinions sont orthodoxes. Il mériterait une claque sur la gueule. Un autre demande si je passe l'écran. C'est Jean-Louis qui répond dans l'affirmative. Nous sommes un vendredi; Giguère fera des sondages en fin de semaine et m'en donnera le résultat par téléphone lundi soir.

De mon côté je m'informe et je réfléchis. Les candidats à la succession de Lesage sont déjà en campagne: Robert Bourassa, Claude Wagner, Pierre Laporte. Le premier est le favori de Jean Lesage, ce qui fait qu'il part avec une longueur d'avance. La moitié des délégués au congrès de janvier 1970 le sont d'office, donc redevables de leur nomination au chef démissionnaire. Ce qui fait que Bourassa a une autre longueur d'avance. Personne ne pourra le rattraper.

À la SGF, Jean Deschamps me rassure. MIL accepte de m'accorder un congé sans solde; en cas de défaite, je reprends la présidence de la compagnie. L'avouerais-je? C'est justement la défaite qui me fait peur. À soixante ans, je ne sais pas ce que c'est que de perdre et j'ai peur de mal réagir. Mais ce qui finit par remporter la décision, c'est mon âge. Trop vieux pour commencer une carrière politique. Sans expérience parlementaire ni aucune notion de l'administration publique, je devrai tout apprendre sur le tas et je ferai des gaffes.

Le lundi soir, le sénateur Giguère me donne un coup de fil comme convenu. Le résultat de son sondage est plutôt négatif. Merci du renseignement et tant mieux! Je rédige un communiqué d'un paragraphe pour dire que je suis rentré dans le milieu des affaires pour y rester. Il n'y aura pas d'aventure politique, au grand soulagement des miens.

Tout ce brouhaha dura tout au plus deux semaines. Et pourtant ce que j'en ai reçu des témoignagnes d'encouragement du petit peuple et des promesses de levée de fonds dans le monde des affaires! J'aurais pu faire la campagne la plus luxueuse de toute l'histoire du parti. Il me fallut presque un mois pour répondre personnellement à ceux et celles qui m'avaient témoigné leur confiance.

L'hydre de la politique me frôla de nouveau six mois plus tard après l'élection qui porta au pouvoir le parti libéral et Robert Bourassa, au printemps 1970. Quelques jours après l'élection, le vainqueur est invité au baptême d'un navire au chantier de Sorel. Il flotte entre ciel et terre, d'une vanité contenue et d'une indécision difficilement dissimulée. Il me voudrait, affirme-t-il, au ministère de l'Éducation. Facile de m'ouvrir un comté: Untel serait prêt à se sacrifier moyennant un job quelconque dans la fonction publique: «Je passe lundi à votre bureau et nous en reparlerons», me dit le premier ministre désigné.

Un peu penaud, il se pointe lundi pour me dire qu'il rencontre des résistances à ma nomination. «Ne t'en fais pas, je ne suis pas intéressé, ni aujourd'hui ni plus tard.»

Cette attitude d'indécision c'est déjà tout Bourassa première manière. Il est fort en économie mais faible en épine dorsale. Il ignore que le chef n'est pas respectable ni respecté s'il est incapable de décider et de se décider. Il louvoie, il tergiverse. Quelques mois plus tard, on le verra s'effondrer quand les Don Quichotte du FLQ joueront à la révolution.

Revenons à Marine Industrie en mai 1966. La

compagnie est relativement prospère. Les effectifs se maintiennent au-dessus de deux mille avec un bon carnet de commandes. M. Ludger Simard a dirigé l'entreprise avec beaucoup de sagesse. Je sens que je suis bien accueilli par les cadres, à l'exception de deux ou trois qui nourrissaient des ambitions ou qui auraient préféré un président sorti des rangs.

Marine Industrie est une entreprise difficile à mener, à cause de la fluctuation des marchés auxquels elle s'adresse. Comme disent les Anglais, c'est «feast or famine», ou, en termes bibliques, une succession de vaches grasses et de vaches maigres. La construction de wagons de chemin de fer peut facilement osciller entre deux cents et deux mille d'une année à l'autre. La construction navale est également cyclique. Seule la fabrication de groupes turbo-alternateurs, démarrée l'année avant mon arrivée, assurera à la compagnie une certaine stabilité, grâce aux macro-projets des Manic, de Churchill Falls et de la baie James.

Ce qui fait à la fois la force et la faiblesse de Marine Industrie, c'est sa main-d'œuvre. Très compétente, parce qu'il y a maintenant trente ans qu'on découpe, assemble et soude des tôles d'acier à Sorel. On en fait des navires de guerre et de commerce, des wagons, des grues, des conduites forcées. Le travail du fer et de l'acier est entré dans la vie des gens, il est devenu une tradition. Les pères l'ont appris aux fils, autant à la maison qu'au chantier. Quand un jeune est embauché, il connaît déjà les termes et les rudiments du métier.

Main-d'œuvre compétente, mais gâtée. Ce caprice remonte à la guerre, alors qu'il fallait faire vite et à n'importe quel prix. Il y eut jusqu'à six mille hommes sur le chantier, qui construisaient à la chaîne des navires pouvant à peine tenir la mer. Pour encadrer cette main-d'œuvre improvisée, Édouard Simard avait embauché d'un seul coup toute une promotion de l'École polytechnique. La guerre terminée et le métier à peu près appris, il fallut produire pour la paix et pour l'ouverture de la Voie maritime. Ce qui fait que durant une vingtaine d'années, le chantier de Sorel, malgré quelques creux temporaires, maintint un niveau d'activité élevé. Comme les contrats du gouvernement, autant pour des fins civiles que militaires, se donnaient à «cost plus», plus on flânait plus on faisait de l'argent. Plus les salaires étaient élevés, plus le patron empochait. C'était la même chose dans tous les chantiers canadiens, jusqu'au jour où les ministères reçurent instruction de procéder à des appels d'offres.

Finie l'ère des vaches grasses. Il fallut aiguiser les crayons et resserrer les coûts. Mais allez donc changer du jour au lendemain des méthodes de travail profondément ancrées dans les habitudes et consignées dans des conventions collectives! On voulut un jour former des équipes de brûleurs, d'assembleurs et de soudeurs pour les faire travailler sur des sections de coques. Cette audace nous valut quatre mois de grève. Il faut savoir que, dans un chantier maritime, on dénombre pas moins d'une quarantaine de métiers, tous jaloux de leurs prérogatives, se regardant comme chiens et chats; un électricien qui aurait l'audace de percer une tôle pour passer un fil serait traité de renégat.

Le chantier de Sorel n'était ni mieux ni pire que Vickers, Davie ou Halifax. C'était comme ça partout, y compris en Europe, sauf au Japon qui s'empara rapidement du marché mondial de la construction navale. Même aujourd'hui, il n'est pas sûr que les syndiqués des chantiers de Sorel, de Lauzon et de Montréal comprennent qu'ils ont eux-mêmes scié la branche sur laquelle ils étaient assis. Ils continuent à croire — et ce ne sont pas leurs dirigeants qui les contrediront — que les gouvernements sont seuls responsables du chômage dont ils sont victimes.

Quand je jette un regard rétrospectif sur les trois années passées à la SGF et les huit à MIL je vois une plaine légèrement vallonnée, plutôt verdoyante, un peu monotone, mais reposante. Quel contraste avec les seize années des montagnes russes du *Devoir* ! Ceinture constamment bouclée à cause des turbulences, il fallait naviguer à vue. L'image qui me vient à l'esprit est celle d'un kayac secoué par les rapides, tournant et roulant sur lui-même, avec un pagayeur prenant une bouffée d'air entre deux plongées. Il fallait être inconscient et un peu fou pour s'entêter à tenir le coup jusqu'aux eaux calmes de l'équilibre financier.

Les événements marquants de ces années, à l'exception de l'aventure de Sidbec, se passèrent à l'extérieur. Par exemple ce retour de Montebello le 18 octobre 1970. Le Conference Board of Canada avait réuni pour deux jours, comme c'était chaque année la coutume, les présidents des grandes compagnies canadiennes, plus quelques invités américains. Nous sommes en pleine crise d'octobre: le FLQ détient deux prisonniers, dont Pierre Laporte kidnappé le samedi précédent. Ce qu'il fallut en donner des explications, nous du Québec, pour faire comprendre aux autres Canadiens et aux Américains qu'après tout, ce n'était pas tellement grave, que le FLQ était formé de révolutionnaires amateurs, et le reste et le reste. Mais quand la radio nous apprit l'exécution de Pierre Laporte, plus aucune de nos laborieuses explications ne tenait. J'avais été conscrit pour ramener à Dorval un professeur de Harvard et un économiste de New York. La route me parut interminable, tellement je devais répondre à des questions auxquelles je n'avais pas d'explications. Comment faire comprendre pourquoi et comment ce peuple si paisible, si tolérant, si résigné était devenu soudainement sauvage, haineux, cruel? Faire peur au monde en enlevant un ministre, passe encore. Mais l'assassiner froidement, sans motif valable, sans grief personnel, juste parce qu'il est un symbole, simplement parce qu'il s'est adonné à jouer au ballon avec son fils un samedi après-midi. Pas d'explication.

Je dus me rabattre sur une autre tragédie qui nous avait été annoncée au même Seignory Club, sept ans plus tôt. C'était l'université McGill qui nous — c'est-à-dire deux douzaines de Québécois et autant d'Ontariens — avait réunis pour un colloque sur je ne sais plus quel sujet. Les débats sont engagés depuis vingt-quatre heures lorsqu'un messager à bout de souffle remet un papier au président. John F. Kennedy vient d'être assassiné à Dallas. Stupeur, consternation. On aurait pu couper le silence au couteau. La séance est levée, le colloque est terminé.

Alors je dis à mes amis américains qu'aucun peuple n'est à l'abri d'un accident stupide. Il ne faut pas juger les Américains sur le meurtre de Kennedy, pas plus que les Québécois sur celui de Laporte.

Ce jour-là, il me revint en mémoire la conversation que j'avais eue avec Laporte le jour où il m'annonça sa candidature dans Chambly. Je lui avais dit à peu près ceci: «Chambly est le comté voyou de la province de Québec. Les villes champignons, qui ont poussé sur son territoire depuis la guerre, ont toutes des administrations corrompues. Les députés, bleus ou rouges, ont tous eu des problèmes de crédibilité et d'intégrité. Chambly pour toi, c'est un naturel. Tu habites Saint-Lambert, le comté est libre et, dans une élection partielle, c'est gagné d'avance. Mais n'oublie pas, Chambly, c'est Chambly.» Je pressentais pour lui des moments difficiles, mais jamais ce qui lui arriva en cette journée ensoleillée d'octobre 1970.

Me suis-je senti un peu responsable de sa fin tragique? Presque. Je me suis quelques fois demandé s'il n'aurait pas renoncé à son dessein, si j'avais insisté davantage pour le retenir. Car je le connaissais bien mon Pierre Laporte, ses qualités et ses faiblesses. Il était d'une générosité sans limite, pas regardant de son temps ni de son argent; son argent et celui des autres. J'ai rarement rencontré un homme aussi insouciant sous le rapport de l'argent. Intelligent, travailleur, bon organisateur, de contact facile, il possédait les qualités d'un politicien d'avenir, de la graine de ministre. Mais il lui arriva de jouer au ballon sur la pelouse de sa propriété le jour où des voyous décidèrent de faire l'indépendance dans le sang.

La présidence de l'Association des manufacturiers canadiens me tomba dessus pour l'exercice 1971-1972, parce que le candidat désigné dut se désister au dernier moment. C'était la première fois que je me colletais avec la réalité pancanadienne. Avant cette expérience, je partageais dans l'ensemble le préjugé québécois qui consiste à croire que les Canadiens anglais se ressemblent tous. C'est en visitant les principales villes industrielles et les capitales provinciales que j'appris à ne pas confondre un wasp de Toronto avec un cow-boy de l'Alberta, que les provinces Maritimes languissent dans la déchéance de leurs industries secondaires, qu'à l'ouest de la frontière ontarienne on en veut à Toronto d'exercer une maîtrise absolue sur l'activité bancaire et la finance, qu'à Vancouver on se sent plus près de Tokyo que d'Ottawa. Je me rappelle, comme si c'était hier, cet entretien avec W.A.C. Bennett, premier ministre de Colombie-Britannique, qui prônait avec véhémence le libre-échange avec les États-Unis, parce que sa province commerçait deux fois plus avec ses voisins du Sud qu'avec le reste du Canada. Et les récriminations des Prairies pour qui le blé se vend toujours trop bon marché et les produits finis trop cher.

Mais le souvenir le plus vivace que je garde de mon passage à la présidence de l'AMC est le dîner que nous avions offert à M. Alexis Kossyguine, président du Conseil des ministres de l'URSS, à l'automne 1971. Quelque chose d'assez banal en somme que de recevoir un premier ministre, fût-il celui de l'Union des républiques socialistes soviétiques. Le pittoresque de l'affaire, c'est la conversation que j'eus avec notre invité. Pour lui, le président d'une compagnie en régime capitaliste devait être un homme très riche. Il n'arrivait pas à comprendre que je fusse président de Marine Industrie sans avoir aucun intérêt dans la compagnie. De plus, il supposait que MIL devait faire des profits énormes à vendre des groupes turbo-alternateurs à Hydro-Québec. Je n'arrivais pas à le convaincre qu'il nous arrivait de subir des pertes sur certains contrats. Le régime capitaliste tel qu'il le connaissait impliquait qu'une compagnie soit un vampire se nourrissant du sang d'un prolétariat famélique.

Le clou de la conversation porta sur les relations du Canada avec Cuba. Pour nous, lui disais-je, Cuba est un pays comme les autres, mais nos échanges commerciaux sont infimes. Comme il insistait pour avoir des chiffres, je finis par lui répondre que je ne savais pas.

— Comment? Vous êtes président de l'Association des manufacturiers canadiens et vous n'êtes pas au courant de l'importance des échanges avec Cuba?

— Non.

— Si vous étiez en URSS, vous seriez mis à la porte.

— Non, je ne serais pas mis à la porte.

— Dites-moi pourquoi vous ne seriez pas mis à la porte.

— Je ne serais pas mis à la porte, parce que je ferais comme vos fonctionnaires! Je vous mentirais!

Il éclata de rire, puis il ajouta:

— Vous feriez un bon communiste.

Onze ans dans le monde des affaires ne parvinrent pas à changer l'image que le public se faisait de moi. Pour les gens ordinaires, j'étais toujours journaliste et ancien directeur du *Devoir.* Il semble qu'un homme, ayant atteint une certaine notoriété, charrie toute sa vie un titre, une fonction, une profession à laquelle il fut associé à un certain moment. René Lévesque eut beau être ministre et premier ministre, sa tête est restée celle de l'animateur de *Point de Mire.* Quand Maurice Richard conseille l'emploi de Gracian Formula aux hommes qui désirent paraître jeunes, c'est le joueur de hockey que les gens voient et continuent d'admirer.

C'est pourquoi le métier de fabricant d'image s'est imposé comme indispensable à ceux et celles qui ambitionnent de faire carrière dans le monde du spectacle ou en politique. Créer en public ou à l'écran une première impression avantageuse n'assure pas le succès, mais protège contre l'insuccès. Le mystère dans tout cela, c'est que l'impression favorable qu'une personne peut produire n'est pas rattachée, du moins chez l'homme, à la beauté et à l'élégance. Pierre Trudeau et René Lévesque étaient loin d'être des Adonis, on peut même aller jusqu'à dire qu'ils n'étaient pas beaux et, pour René Lévesque, qu'il avait des tics énervants, et pourtant l'un et l'autre provoquaient d'inexplicables frissons chez ceux et celles, surtout chez celles, qui les écoutaient.

Quand l'apparence et la substance s'allient pour forger une personnalité forte, tant mieux. Mais quand un beau brummel porte une tête de linotte, la société risque de payer le prix de son manque de discernement.

Puis arriva le jour de la retraite. Nullement redoutée, presque désirée. Les trois dernières années avaient été pénibles. La compagnie avait subi une perte importante dans l'exécution d'un gros contrat de construction de cargos. Il fallut combler le vide par la revente à la SGF de deux filiales, Forano et Volcano, et par celle de la division de dragage à une compagnie concurrente appartenant aux intérêts Simard. Ces deux opérations de dépannage conclues, MIL se retrouva dans une situation financière avantageuse, sans dette à long terme et avec un fonds de roulement confortable.

Comme successeur, je recommandai fortement Louis Rochette, vice-président exécutif depuis quelques années. Mais le nouveau président de la SGF, Yvon Simard — aucun lien de parenté avec les familles du même nom de Sorel — se fit la grenouille qui veut se faire aussi grosse que le bœuf. Il se nomma président de MIL, tout en conservant la direction de la SGF. Quelques mois plus tard, il devait disparaître dans la brume. Cette erreur d'aiguillage fut néfaste; elle provoqua toute une série de mauvaises décisions, dont la compagnie eut du mal à se sortir. Mais c'est là une histoire qui ne me concerne pas. Je suis déjà retraité. Comme fin de carrière, ce n'était pas la gloire, mais c'était l'assurance d'une vieillesse confortable, ce pour quoi j'avais quitté le journalisme onze ans plus tôt. La ruée vers l'or s'était terminée par une honnête aisance.

9

LES PIEDS DANS LES PLATS... PÉDAGOGIQUES

Cette aventure commença en juillet 1947. La poste me livre un pli cacheté. Je suis convoqué à une assemblée des commissaires d'écoles de Saint-Bruno. Moi, commissaire? Je n'ai jamais brigué le poste. Non, mais la loi est contraignante: quiconque refuse de remplir la charge sans raison valable est passible d'une sanction qui prend la forme d'une amende.

Je me rends donc à l'assemblée et j'apprends comment les choses se sont passées. Il fallait, cette année-là, remplacer un vieux citoyen qui avait occupé le poste avec assiduité et dévouement une dizaine d'années. J'habitais Saint-Bruno depuis deux ans et, quelques mois plus tôt, j'avais été promu, si je puis m'exprimer ainsi, de secrétaire général de l'UCC à la dignité (!) de directeur au *Devoir.* Le président, qui était en même temps curé de la paroisse, avait jeté son dévolu sur ma personne. Il s'était arrangé pour que le bedeau et le jardinier soient présents à l'assemblée et qu'ils proposent mon nom comme commissaire d'écoles. Dès cet instant, j'étais menotté. Impossible de me dégager.

Ce curé, président de commission scolaire, est un exemple typique de l'époque. Une dizaine d'années plus tôt, il fallait construire une école neuve dans le village de Saint-Bruno; donc engager des pourparlers avec le Département de l'instruction publique, retenir les services d'un architecte, choisir un entrepreneur, contracter un emprunt à long terme au moyen d'une émission d'obligations. Ces démarches étaient compliquées pour des gens peu habitués aux affaires. Ils finirent par trouver une solution: demander au curé d'assumer la présidence de la commission scolaire et de se débrouiller avec toutes ces formalités. Comme de raison, leurs petits-enfants, devenus bacheliers ou docteurs en quelque science incertaine, citeront le cas comme un exemple de l'emprise du clergé sur le système d'éducation. Car c'est ainsi que s'écrit l'Histoire, quand on interprète les faits à partir des apparences.

Ce doigt dans les engrenages de la mécanique scolaire devait me conduire jusqu'à la Commission royale d'enquête sur l'enseignement, communément désignée sous le nom de commission Parent. Mais n'anticipons pas.

Le curé étant président, rien de plus naturel que de tenir l'assemblée mensuelle au presbytère, même si la Loi de l'instruction publique stipule que les réunions des commissaires doivent avoir lieu dans un endroit public. Il nous arriva, à quelques occasions, de nous réunir solennellement à la salle de l'école, notamment en 1951 pour informer les contribuables de notre intention de construire une seconde école et d'emprunter à cette fin la somme de 190 000$. Avis public affiché à la porte de l'église et au bureau de poste, annonce au prône du dimanche, rien n'y fit. Le soir dit, deux contribuables seulement osèrent se présenter pour approuver la décision des commissaires.

Après cette expérience décevante, il fut convenu que le meilleur lieu de réunion restait le presbytère. La décision n'était pas aussi désintéressée qu'on pourrait le croire. Le curé Gilles Gervais — il deviendra avec les années chanoine, puis prélat domestique — était connu dans tout le canton pour la qualité de sa cave: quelques milliers de bouteilles, toutes de fabrication domestique, harmonieusement empilées contre la muraille de pierre, étiquetées et millésimées, des blancs, des rouges, des secs, des mousseux. Les assemblées étaient remarquablement courtes, parfois même écourtées. Hantés par des désirs inavouables, les commissaires se faisaient expéditifs. Une fois le bien-être intellectuel et la santé morale des enfants assurés, les délibérations sérieuses se poursuivaient dans la cave. Heureusement que les murs du vieux presbytère sont discrets; autrement les citoyens de Saint-Bruno d'aujourd'hui apprendraient des secrets jalousement gardés sur la façon dont les affaires publiques, religieuses et profanes, étaient conduites au temps où la ville n'avait pas encore envahi leur gros village.

Mais un beau jour, il fallut mettre fin à ces pratiques clandestines. La commission scolaire de la campagne, poussée par une population nouvellement installée sur son territoire, demandait l'annexion. Il devenait urgent de recevoir quelques centaines d'enfants, organiser le ramassage dans les rangs, agrandir les écoles et retenir les services de plusieurs institutrices. Cette fusion ne se faisait pas sans opposition. Les adversaires eurent même quelques mots désagréables à l'endroit du président de la commission scolaire du village qu'ils accusaient de favoriser un parti plutôt que l'autre.

Le moment était-il venu pour le président-curé d'abandonner une charge de plus en plus lourde et exposée à la controverse? Nous eûmes une explication franche sur le sujet, pesant le pour et le contre de l'affaire. La conclusion favorisait un changement. Était-ce pour le mieux? Sûrement pas pour la tenue des assemblées. Elles devinrent rapidement arides. La hantise du bon vin cessa de troubler l'imagination des commissaires et de stimuler leur zèle. Une époque était révolue; une autre tradition venait de disparaître...

Et puisqu'il n'y avait personne d'autre prêt à assumer la charge, je fus élu président de la municipalité scolaire de Saint-Bruno-de-Montarville.

Vers le même temps se présente chez moi, à Saint-Bruno, un gros bonhomme, jovial, à la voix de stentor: je le connais bien, car c'est lui qui mène le chant aux réunions hebdomadaires du Club

Richelieu-Montréal. Gérard Matteau est secrétaire de la somnolente Association des commissions scolaires du diocèse de Saint-Jean. Il veut relancer l'association et vient me prier d'en assumer la présidence. Nous convoquons un congrès et je suis élu président. Cette première démarche me conduira à la vice-présidence de la Fédération provinciale, dont le président était nul autre que l'étrange Paul Desrochers, qui fera plus tard une inexplicable carrière comme organisateur du Parti libéral et, à partir de 1970, comme garde-chiourne de Robert Bourassa. Pour le moment, il se livre à la pratique d'une inoffensive mythomanie, par exemple de se prétendre compagnon d'armes et ami intime de Paul Sauvé durant la guerre 1939-1945, alors que je devrai les présenter l'un à l'autre au moment d'une rencontre impromptue.

Il est bon de rappeler ici que c'est l'Association des commissions scolaires du diocèse de Saint-Jean qui est à l'origine du mouvement de régionalisation de l'enseignement secondaire. Le besoin était particulièrement pressant sur la rive sud, où l'explosion démographique faisait éclater les structures traditionnelles: conseils municipaux, commissions scolaires, fabriques. Les agglomérations en pleine expansion étaient trop petites pour dispenser seules toutes les options d'un enseignement secondaire de qualité. Il fallait les grouper, mais la loi régissant l'enseignement public était en retard sur les besoins de la population.

C'est en 1958 que nous tentâmes de procéder à un regroupement sous l'empire d'un article de la loi autorisant la formation d'une corporation d'écoles primaires-complémentaires de comté ou de partie de comté! Les commissions scolaires qui adhérèrent au mouvement dès le départ furent celles de ville Jacques-Cartier, Saint-Bruno, Saint-Basile-le-Grand, ville Lemoyne, Laflèche, peut-être une ou deux autres. Le premier président fut Jos-Louis Chamberland, président de Jacques-Cartier. Sous le régime de Duplessis, le projet ne pouvait qu'avorter. Quelques démarches auprès du Département de l'instruction publique n'arrivèrent pas à faire avancer le dossier.

Battu ou démissionnaire à Jacques-Cartier, Jos-Louis Chamberland dut quitter et fut remplacé par un M. Lessard, président à Laflèche, battu et démissionnaire à son tour. C'est finalement à moi qu'échoua la tâche de tenir en vie un projet souhaité par la population, mais méprisé en hauts lieux. Je tiens à mentionner que le Comité catholique, malgré les réticences des autorités du Département, s'était montré très favorable à notre projet. Il fallut attendre l'avènement d'un nouveau gouvernement et un amendement à la loi pour mettre sur pied la première commission scolaire régionale de la province de Québec. C'est en juillet 1962 que la commission scolaire régionale de Chambly tint sa première assemblée. Les commissions adhérentes étaient alors Boucherville, Greenfield Park, Jacques-Cartier, Laflèche, Saint-Basile-le-Grand, Saint-Bruno, Saint-Hubert et ville Lemoyne.

Deux décisions importantes furent prises sous ma présidence, la construction d'une école et l'engagement d'un directeur général. J'avais remarqué

Bernard Jasmin à une séance publique de la commission Parent. Il avait présenté et défendu un mémoire fort intelligent pour le compte des professeurs d'écoles normales. J'estimais qu'il possédait les qualités voulues pour définir le régime pédagogique d'une institution qui était appelée à innover. Mais je n'aurai pas eu le temps de le bien connaître. Il était en fonction depuis quelques mois seulement quand je quittai la présidence.

Pourquoi partir? À l'époque, je suis encore directeur du *Devoir*, mais à la veille de passer à la SGF, je suis vice-président de la commission Parent, maire de Saint-Bruno et président de la Commission scolaire, vice-président du Conseil des arts du Canada, et probablement actif dans quelques autres bricoles de même nature, la plupart à titre gracieux. J'estime en outre qu'il peut surgir une apparence de conflit d'intérêts entre ma fonction à la commission Parent et mes deux postes de président de commission scolaire.

J'aurai donc quitté depuis plus de six mois, quand je lirai dans les journaux que les commissaires de Chambly ont donné mon nom à l'école qui ouvre ses portes en septembre. Trop tard pour protester, je devrai, comme Duplessis au sujet de son pont, subir les quolibets de mes amis et les critiques de mes ennemis. Qu'à cela ne tienne, j'aurai accompli quelque chose de valable pour le progrès de l'éducation.

J'ai beaucoup écrit, vers la fin des années cinquante, sur les questions scolaires, surtout dans *Le Devoir*, mais j'ai aussi publié en 1960, une brochure,

Les Confidences d'un commissaire d'écoles, tirée à 15 000 exemplaires, chiffre énorme pour l'époque. C'est probablement cette activité journalistique, reflet d'une expérience pratique, qui inspira au ministre de la Jeunesse, Paul Gérin-Lajoie, l'idée de m'inviter à faire partie de la Commission royale d'enquête sur l'enseignement.

C'est au début de mars 1961 que je reçois un coup de fil de Paul Gérin-Lajoie, m'invitant à le rencontrer à l'hôtel Windsor. La loi instituant une commission royale d'enquête sur l'enseignement vient d'être votée et il est à la recherche de commissaires. Il mentionne quelques noms comme candidats possibles, dont le mien. Difficile de refuser, mais je crains qu'avec une brochette d'intellectuels les discussions soient longues et laborieuses. Je suis prêt à me sacrifier, mais à la condition d'assumer la présidence. L'idée ne paraît pas lui sourire. Bien sûr que, d'après lui, je ferais un bon président, expéditif, peut-être un peu trop. Mais l'éducation, c'est une affaire délicate, où l'Église occupe une place prépondérante. Il songe plutôt à un clerc comme président, histoire de faire accepter plus facilement certains chambardements apparemment inévitables.

Si ma mémoire est fidèle, ce premier entretien se conclut sur l'accord suivant: cherchez votre président; quand vous l'aurez trouvé, on se reparlera et je prendrai une décision. Les choses ne traînent pas en longueur. Quelques jours plus tard, Gérin-Lajoie m'informe qu'il a joint en Espagne, où il se remet d'un malaise cardiaque, Monseigneur Alphonse-Marie

Parent, ancien recteur de l'université Laval, qui accepte la présidence. Il ajoute que je serai vice-président, donc habilité à agir en l'absence du président. Comme monseigneur Parent est fragile, je serai peut-être appelé à le remplacer assez souvent. Je connais de réputation seulement l'ancien recteur de Laval, mais c'est assez pour me convaincre d'accepter. Après tout, cela ne peut pas durer plus que deux ans. Alors allons-y! En fait l'exercice dura cinq ans. Avec le recul du temps, je donne raison à Gérin-Lajoie pour le choix du président. Il fallait la patience et l'autorité d'un clerc pour mener l'entreprise à bonne fin.

Monseigneur Parent est à peine rentré au pays que les commissionnaires se réunissent pour prêter serment et se mettre au travail. Le groupe était formé de Mgr Alphonse-Marie Parent, président, Gérard Filion, vice-président, Jeanne Lapointe, Paul Larocque, John McIlhone, David Munroe, Guy Rocher, Sœur Laurent de Rome, et Arthur Tremblay, commissaire adjoint. Huit commissaires en titre plus un adjoint, ça fait plutôt lourd. Mais il paraît que tous les groupes doivent être représentés: les trois niveaux d'enseignement, le monde des affaires, les protestants et les catholiques, la population française et la population anglaise. Cinq universitaires sur neuf, cela annonce des discussions hautement philosophiques avec beaucoup de distinctions et de nuances.

Pour commencer, il fallut remonter au déluge, c'est-à-dire refaire l'historique de tout le système d'éducation depuis ses origines lointaines du Bas-

Canada, du Canada-Uni et de la Confédération. Guy Houle, conseiller juridique de la Commission, se fit historien pour la circonstance et s'en tira haut la main.

Une fois située dans le temps, la Commission dut se trouver une niche dans l'espace. Avec toute la pompe que requiert une visite royale, les commissaires se déplacèrent de ville en ville pour entendre l'éloge ou la réprobation du régime scolaire alors en vigueur. Rimouski à l'est et Hull à l'ouest, Chicoutimi au nord et Sherbrooke au sud, plus un nombre indéterminé de villes moyennes situées dans l'entre-quatre, vinrent réclamer, qui une université, qui une école d'agriculture, qui l'exécution sommaire du surintendant de l'Instruction publique, qui une école anglaise pour trois familles à la retraite. Les Jésuites réclamaient rien de moins que deux universités, une pour Sainte-Marie, l'autre pour Loyola. La suggestion de régler le problème en fusionnant les deux projets pour en faire une université bilingue eut l'effet d'une pierre qui tombe dans la mare aux grenouilles. Tout, tout, sauf ça.

Combien de mémoires nous fallut-il lire et annoter avant d'entendre les auteurs nous en exposer le bien-fondé et répondre à nos questions? À vol d'oiseau, je dirais plus de trois cents. La plupart étaient remarquablement rédigés et présentés. Il faut dire que l'industrie de la fabrication de mémoires connut cette année-là une ère de prospérité sans précédent. Plusieurs experts en science universelle en firent leurs choux gras.

De son côté, Gérin-Lajoie s'impatientait, avec beaucoup de civilité d'ailleurs. Il avait hâte de devenir plus et mieux que ministre de la Jeunesse. Je suppose qu'il devait se sentir un peu coincé. Son chef, Jean Lesage, n'avait-il pas proclamé qu'il n'y aurait pas de ministère de l'Éducation tant qu'il serait premier ministre? Si pour une fois Jean Lesage devait tenir parole! À quelques occasions, Gérin-Lajoie nous invita à casser la croûte au Cercle universitaire de Québec pour s'enquérir de nos progrès. Il nous demandait, sans nous demander, tout en demandant, d'être un peu plus expéditifs.

La patience de Mgr Parent était sans limite: il nous laissait disserter à perte de vue sur les hypothèses les plus hypothétiques d'un système d'éducation idéal pour une société pluraliste aux plans religieux et linguistique. Puis il fallut bien un jour livrer un premier ballot de marchandises. Deux ans après la constitution de la Commission, soit en avril 1963, le premier tome du rapport de la Commission royale d'enquête sur l'enseignement dans la province de Québec fut rendu public. Après cinq chapitres de préliminaires, comme pour excuser notre audace, nous recommandions deux choses: un ministère de l'Éducation et un Conseil supérieur de l'éducation.

Notre insolence fut favorablement reçue dans le public et avec réserve dans les hautes sphères de l'éducation et de la politique. Il fallut sûrement à Gérin-Lajoie toute l'astuce et toute la puissance de persuasion dont il était capable, pour faire accepter à son chef et à ses collègues une recommandation aussi audacieuse, fût-elle issue d'une commission royale présidée par un prélat.

Certains ont affirmé que les évêques menèrent un combat d'arrière-garde contre un projet qui les écartait de la direction pédagogique du système scolaire québécois. Ce que j'en sais me vient uniquement d'une rencontre avec l'archevêque de Montréal, le cardinal Léger. Le projet de loi créant un ministère de l'Éducation était-il déjà déposé devant l'Assemblée législative? Je ne m'en souviens pas. De toute façon, je reçois un coup de fil de Gérin-Lajoie, qui me dit à peu près ceci: l'archevêque de Montréal aimerait vous rencontrer pour entendre votre point de vue sur le projet d'un ministère de l'Éducation. Il est disposé à vous recevoir immédiatement, si vous êtes disponible.

Sans tarder, je me rends à l'archevêché et le cardinal me reçoit tout de suite. Nous causons évidemment du rapport Parent et de la clef de voûte de toute la réforme qui s'annonce, soit le ministère de l'Éducation. Le cardinal pose beaucoup de questions mais n'exprime aucune opinion. Il veut connaître les motifs qui ont amené la Commission à proposer une réforme aussi radicale. Est-il inquiet? Il fronce souvent les sourcils. Est-il hostile? Apparemment pas. Je le sens plutôt préoccupé par les conséquences qui découleront de la position que prendront les évêques. S'ils se montrent favorables au projet, on les accusera d'avoir trahi. S'ils sont hostiles, on dira qu'ils veulent tout régenter. La rencontre dure une demi-heure et je retourne à mes affaires. C'est tout ce que je sais, donc presque rien, des tractations qui, à ce qu'on dit, eurent lieu à l'époque entre le gouvernement, c'est-à-dire Jean Lesage et Paul Gérin-Lajoie, et l'épiscopat québécois.

Le gros morceau lâché, la Commission se remet au travail. À l'exception toutefois de son vice-président qui commence à décrocher. Car au moment de la publication du premier tome, j'ai déjà quitté *Le Devoir*, je ne suis plus président de la Commission scolaire de Saint-Bruno ni de la Commission régionale de Chambly.

Je consacre tout mon temps au lancement de la Société générale de financement. En 1964, je demande au ministre d'être relevé de ma fonction de commissaire. Pour des motifs obscurs, il me suggère de rester membre de la Commission et il offre la vice-présidence à M. David C. Munroe, ce à quoi j'acquiesce. Mais j'assisterai rarement aux réunions et je ne participerai d'aucune façon à la rédaction des quatre tomes qui paraîtront par la suite.

Grâce à l'école buissonnière que je pratiquai durant presque trois ans, je possède une liberté d'esprit me rendant plus apte à porter quelques jugements de valeur sur les réformes formulées dans les quatre derniers tomes du rapport. Pas pour m'en dissocier certes; les ayant signés, j'en assume l'entière responsabilité. Mais je ne me sens pas émotivement lié par des recommandations que je n'ai pas contribué à élaborer.

Une remarque préliminaire s'impose. À maintes reprises, au cours des délibérations et de la rédaction des textes, nous nous disions: ce que nous proposons, c'est un programme de réformes pour vingt-cinq ans à venir. Il faudra que le ministère procède avec prudence, par le biais d'expériences dans certains milieux, dans certains types d'institutions, de manière à soumettre nos théories à l'épreuve de la réalité. Il faudra aussi tenir compte des différences entre les régions, respecter les mentalités, s'ajuster aux besoins et aux moyens des milieux. Nous étions tous conscients, à des degrés divers cependant, qu'il est plus facile de changer les lois que de faire évoluer les mentalités et d'habituer les gens à des modes nouveaux d'agir. L'éducation est une matière délicate, car elle touche à ce qu'il y a de plus profond chez l'homme, son esprit et son cœur. Il faut innover, mais dans la continuité.

Avons-nous assez insisté dans le rapport sur la prudence et la patience qu'il fallait mettre à faire évoluer le système, sans le soumettre à une révolution traumatisante? J'ai des doutes; mais l'aurions-nous fait qu'il est probable que nous n'aurions pas été écoutés.

Car, à Québec, on était pressé. Et cela pour plusieurs raisons. D'abord les besoins étaient immenses. Depuis la Confédération, l'instruction publique était plafonnée au primaire et, par tolérance, un peu audelà. Elle était dispensée par les commissions scolaires. Les besoins de la population avaient contraint le gouvernement provincial à mettre sur pied un réseau d'écoles dites professionnelles relevant du ministère de la Jeunesse. D'autres ministères, l'Agriculture, les Forêts, les Pêcheries, finançaient des institutions, les unes privées, les autres publiques, répondant à leurs besoins. Aux niveaux collégial et universitaire, l'État n'avait rien à dire ni à faire, sauf verser avec parcimonie des subventions d'appoint.

Il était donc urgent, non seulement de mettre un peu d'ordre dans tout cela, mais surtout d'investir massivement dans la promotion des talents des jeunes, sans égard aux moyens de leurs parents et à leur milieu de vie. La gratuité scolaire jusqu'aux portes de l'université était devenue un objectif politique et un espoir de la population. On comprend dès lors l'empressement du nouveau ministre de l'Éducation à réaliser rapidement un objectif que personne ne remettait en question. Il était loin le temps de mon enfance où on disait couramment qu'on en savait toujours assez pour être habitant.

Paul Gérin-Lajoie était probablement animé d'un sentiment légèrement égoïste, encore que légitime, de passer à l'Histoire pour le ministre qui aurait doté le Québec d'un régime d'instruction publique moderne. Car, il ne faut pas l'oublier, la concurrence était vive à l'intérieur du ministère Lesage. René Lévesque avait volé la vedette avec l'électricité, et il s'apprêtait à faire du tapage avec les affaires sociales. Pierre Laporte avait emboîté le pas à l'opération 55, en lançant un projet extravagant de regroupement municipal. Lui aussi était parti en grandes pompes dans le bled québécois pour convaincre les arriérés de la campagne de créer de grosses municipalités avec gros services et petites taxes. Les culs-terreux l'avaient écouté avec respect et étaient retournés à leurs vaches. Quinze ans plus tard, un ministre plus circonspect fera voter une loi pour ressusciter sous une forme différente les conseils de comté qu'on avait laissé dépérir. En les appelant municipalités régionales de comtés, on donna l'impression de tailler dans du neuf, alors qu'on ne faisait que raccommoder un tissu usagé.

Vite et bien, c'est connu, ne vont pas nécessairement de pair. C'est ce qui se produisit dans la réforme des structures et des programmes. Très vite, on fut à court de cadres administratifs, de directeurs pédagogiques, d'enseignants. On puisa à pleines mains dans tout ce qui sortait des facultés universitaires. Je me rappelle avoir visité quelques collèges vers la fin des années soixante. Impossible de distinguer les enseignants des étudiants. À peu près tous du même âge, tous débraillés, tous barbus, sauf les filles et encore. De vrais maisons de fous. N'importe qui enseignait n'importe quoi, n'importe comment. Tout le monde contestait tout le monde: les collégiens contestaient les enseignants, les enseignants les directeurs, les directeurs les administrateurs, les administrateurs le ministère. Les résultats pédagogiques étaient nuls? Pouah! On remonte les notes de tout le monde.

Je caricature évidemment, mais à partir de personnages et de situations qui ont vraiment existé. Moi qui ai gardé mes racines terriennes et dont presque tous les neveux et arrière-neveux vivent encore à la campagne, je puis affirmer que ce qui a fait battre

Lesage en 1966, Bertrand en 1970, Bourassa en 1976, c'est le traumatisme créé dans la population par toutes les folies qui se sont vécues dans les écoles pendant vingt ans.

Disons que c'était ni mieux ni pire dans les écoles qu'ailleurs. Nous vivions dans une société sauvage, où les ouvriers de la construction saccageaient le chantier de la baie James, où les médecins désertaient les hôpitaux, où des enseignants polissons bousculaient le premier ministre, où des cultivateurs enragés épandaient du fumier sur la route transcanadienne, où les policiers montréalais se mutinaient et contraignaient le président du Comité exécutif à aller leur faire des excuses, où quelques voyous kidnappaient un diplomate et assassinaient un ministre.

Durant pratiquement vingt ans, soit de 1960 à 1980, la société québécoise a vécu «sur la brosse». À tous les niveaux, on s'enivrait, au propre et au figuré. On réinventait la roue, on réparait ce qui n'était pas brisé, on démolissait ce qui n'était pas fini de construire. Et au-dessus de tout ce gâchis, des gouvernements faibles, hésitants, froussards: un Daniel Johnson, affaibli par la maladie, habile à balayer la poussière sous le tapis, un Jean-Jacques Bertrand redondant et gaffeur, un Robert Bourassa en culottes courtes, finassant avec tout le monde pour finalement se retrouver avec tout le monde sur le dos. Dans une société partie sur la «baloune», pas surprenant que l'école se soit livrée à sa part de folies. Mais revenons au rapport Parent.

Il contient des chapitres remarquables sur les

finalités de l'enseignement, sur la formation des maîtres, sur les droits et devoirs des enseignants et des parents, sur l'orientation des élèves, bref, sur une foule de sujets sur lesquels les vues du rapport Parent resteront longtemps d'actualité.

Par contre, je trouve que la Commission s'est donné un mal de chien à faire le tour de questions secondaires ou qui n'étaient pas de son ressort. Le rapport consacre presque tout un volume au financement de l'enseignement, illustré de savants tableaux projetant les coûts du système pour des décennies à venir. Tout cela a dû rapporter gros aux économistes, démographes, statisticiens et autres foreurs de puits, mais l'encre était à peine séchée sur le papier que déjà leurs projections se révélaient erronées. L'aspect financier de l'enseignement aurait pu être expédié en dix pages, en affirmant simplement que les pouvoirs publics avaient l'obligation de l'assumer.

Il y a une réforme à laquelle j'ai donné mon accord et qui tend avec le temps à se révéler fausse. C'est la fameuse polyvalente. Ce que nous en avons construit des passerelles, des escaliers montants et descendants, des troncs communs, des options. Nous étions tous d'accord pour glorifier les métiers, pour valoriser le travail manuel, pour sortir les élèves moins doués pour les spéculations abstraites du ghetto des écoles de métiers. En mélangeant sur le même campus toutes les vocations et toutes les aptitudes, il n'y aurait plus des bons et des mauvais, des grosses «bolles» et des cruches: tous égaux avec des dons différents.

Il paraît que c'est le phénomène contraire qui s'est produit. Les manuels se sont sentis méprisés par les intellectuels et ont aspiré à se hisser, eux aussi, à la dignité de collets blancs. Les options professionnelles ont été graduellement désertées, au point qu'elles ont fini par ne plus représenter que dix pour cent des effectifs de certaines régionales. À la suite de ce dérapage, il fallut revenir aux bonnes vieilles écoles de métiers où les gars et les filles doués d'une intelligence des mains sont heureux de se retrouver ensemble.

L'ancien système était anarchique; on y trouvait toutes sortes d'institutions nullement reliées entre elles et relevant d'autorités diverses. Comme cela se produit souvent, on passa d'un extrême à l'autre. Dans la foulée du rapport Parent, on mit sur pied un système d'une logique cartésienne: le primaire, le secondaire, l'institut (plus tard appelé collège ou cegep), l'université. Un seul moule, assoupli par des options. Comme le cours classique faisait obstacle, on l'envoya à la décharge. Le grec, le latin, les humanités classiques, dehors. Au programme, Michel Tremblay supplanta Aristophane, et «Moi, mes souliers ont beaucoup voyagé» prit la place de l'*Odyssée*. Enfin, nous aussi, nous avions nos classiques.

Je ne suis pas un nostalgique du cours classique, tel que je l'ai suivi et subi. Mais je crois qu'un peuple de culture latine ne peut pas évacuer, sans dommage pour son équilibre culturel, toute la richesse contenue dans les grands auteurs grecs et latins et les classiques français. D'une indigestion de grammaire

Ragon, nous sommes passés à une famine de grandes œuvres. J'avais imaginé que l'on pourrait garder, à côté du système cartésien du secondaire-collégial, une forme d'institution inspirée du collège classique et qui aurait, alimentée d'humanités anciennes et modernes, fait le pont entre le primaire et l'université. De cette façon, on aurait sauvé du naufrage un certain nombre d'institutions centenaires, qui auraient maintenu chez nous la présence d'une culture désintéressée. Au lieu de cela, nos vieux collèges classiques ont dû se transformer en de minables écoles secondaires ou en de prétentieux cégeps, parfois écartelés entre les deux, quand ils n'ont pas été tout simplement remis à des vandales qui ont organisé des bacchanales dans les chapelles et des latrines dans les parloirs. C'est, paraît-il, le prix qu'il fallait payer pour devenir «in».

Mais je reviens à la question: eût-il été possible d'aller moins vite? La marge de manœuvre était étroite. On allait lentement, et alors on se trouvait aux prises avec un système bâtard, plus difficile à faire fonctionner que celui qu'on voulait remplacer. Ou bien on y allait à toute vapeur, et alors on bousculait tout le monde au risque de créer l'anarchie.

À plus de vingt ans de distance, je me demande s'il n'aurait pas été préférable de créer le cadre juridique du nouveau système, quitte à laisser aux gens et aux institutions le temps de s'adapter. Après tout, ce n'aurait pas été catastrophique si les commissions scolaires de l'arrière-pays de Rimouski avaient mis cinq ou même dix ans à se regrouper, pas plus que c'aurait été la fin du monde si les collèges classiques, aptes à le faire, avaient continué à conduire leurs diplômés au seuil de l'université. La population se serait graduellement habituée au changement; elle aurait eu le sentiment d'être respectée et de faire elle-même son choix. Avec un peu moins d'empressement, nous aurions peut-être fait l'économie de quelques crises particulièrement traumatisantes.

Ce qui m'a toujours agacé chaque fois que j'ai eu à participer à des discussions sur l'éducation, c'est d'entendre les gens ramener constamment le problème à Montréal. Est-il question de religion, de langue, de démocratie, de financement? Tout de suite c'est le cas de Montréal qui fait surface. Ce qu'on en a imaginé des solutions au problème des écoles montréalaises. Depuis le début du siècle avec le projet d'une commission scolaire de religion juive jusqu'à la dernière trouvaille de juristes grassement payés pour échafauder des systèmes, tous les projets ont dû être jetés aux ordures, pour la raison toute simple que le statut scolaire de Montréal est enchâssé dans la Constitution. Pour le modifier, il faut un amendement à l'Acte de l'Amérique du Nord britannique, et la population protestante de Montréal n'y consentira probablement jamais. Il y a trente ans que je le répète: la seule solution au problème scolaire de Montréal, c'est la création d'un troisième réseau d'écoles non confessionnelles où seraient inscrits les écoliers dont les parents ne veulent d'un enseignement ni catholique ni protestant.

En dehors de Montréal et de Québec, les commissions scolaires sont communes en droit, c'est-à-dire qu'elles doivent ouvrir leurs portes à tous sans distinction de religion. Par contre, une minorité religieuse, protestante ou catholique, a le droit de se déclarer dissidente et de former une corporation de syndics d'écoles. Cette corporation est confessionnelle et ses écoles ne peuvent recevoir que les élèves de la confession qui a fait dissidence.

Je veux bien que Montréal soit le cœur, pour ne pas dire le nombril de la province, et que les problèmes scolaires de Montréal sont importants, mais il n'empêche qu'il existe en dehors de Montréal quelques centaines de commissions scolaires démocratiquement administrées et habiles à résoudre des problèmes causés par la langue et la religion. Alors, qu'on cesse de nous casser les oreilles avec la question scolaire de Montréal et de vouloir chambarder encore une fois tout le système pour résoudre un problème local.

Le caractère spécifique de Montréal ira s'accentuant dans les générations à venir, car les Montréalais de vieille souche, promus à un niveau de bien-être plus élevé, émigreront de plus en plus vers les banlieues, laissant le centre-ville aux immigrants. Le même phénomène a fait que plusieurs grandes villes américaines, Washington, Atlanta, Chicago, Cleveland, ont élu des maires de couleur au cours de la dernière décennie. Il n'est pas impensable que Montréal emboîte le pas d'ici une ou deux générations, ce qui compliquera d'autant le problème scolaire montréalais, sans pour autant modifier la composition linguistique et ethnique du reste de la province.

Mais laissons là toutes ces spéculations et revenons au rapport Parent. Après en avoir dit un peu de mal, surtout de la façon dont il a été mis en place, convenons qu'il s'agit d'un document lucide, généreux et courageux.

Document lucide, car il cerne dans tous les recoins les problèmes que la Commission avait mandat de résoudre. Même quand il est inutilement long et prolixe, il reste clair dans son analyse. C'est un modèle du genre.

Généreux, car il propose un système d'éducation apte à conduire chaque enfant du Québec jusqu'au niveau que lui permet son talent. Gratuit pour tous, disponible dans toutes les régions, attentif au besoins des minorités, il propose des structures ouvertes à tous, contribuables, parents, enseignants, enfants. Chacun y a sa place et son rôle à jouer.

Courageux, car il ne craint pas de rompre avec des habitudes, des structures, des formes de pensée, des façons d'agir vénérables mais dépassées par l'évolution de la société. Il en a fallu du courage à son président, Monseigneur Parent, à sœur Laurent de Rome (devenue sœur Ghislaine Roquet), perçus à tort ou à raison comme cautions des autorités catholiques, et à David C. Munroe, représentant l'élément protestant, pour proposer un virage lourd de conséquences pour l'avenir des confessions religieuses, dont ils étaient censés protéger les droits, sinon les intérêts. Si, durant les premiers mois de notre mandat, nous avions fait un tour de table pour sonder l'opinion de chacun des huit membres sur la nécessité d'un ministère, la consultation aurait donné tout au plus deux votes favorables, les autres opposés ou indécis. C'est après avoir tourné les questions dans tous les sens, scruté les faits, évalué les besoins, pesé le poids financier d'une réforme à la fois nécessaire et radicale, que nous nous sommes tous ralliés à la solution d'un ministère tempéré par un Conseil supérieur de l'éducation. Cette étape franchie, il ne pouvait plus être question de retourner en arrière: le reste allait de soi.

Personnellement, j'ai gardé un souvenir chaleureux des collègues avec lesquels j'ai été associé avec assiduité de 1961 à 1963. Pour le reste du mandat, je n'ai pu que regretter d'avoir été forcé de m'absenter si souvent.

10

... ET QUIBUSDAM ALIIS

Pic de La Mirandole avait la prétention de tout savoir, et même quelque chose de plus. Il affirmait pouvoir discuter «de omni re scibili, et quibusdam aliis». J'en suis à cent lieues au plan de la connaissance, mais je lui ressemble un peu pour avoir touché à beaucoup de choses. Ce sont les circonstances qui l'ont voulu, plutôt qu'un calcul ou une ambition de ma part. C'est ainsi que je me suis retrouvé à la mairie de Saint-Bruno-de-Montarville le premier février 1960.

Vers la mi-janvier, je reçois, à l'heure du souper, un coup de fil d'un ami. Il demande s'il peut venir me voir avec quelques copains.«Bien sûr, je vous attends à huit heures.» Je dis à ma femme: «Marcel Dulude vient me voir avec des amis. Qu'est-ce qu'il peut bien me vouloir? — Voyons, c'est simple, ils viennent te demander de te présenter à la mairie pour l'élection du premier février. — Ah, oui? Qu'est-ce que t'en penses? — Veux, veux pas, tu vas être obligé d'y aller.»

Au rendez-vous, les notables de la vieille population de Saint-Bruno: Dulude, Grisé, Benoit, Caillé, et quelques autres dont j'oublie probablement les noms. Ernest Dulude est un ancien maire; Lionel H. Grisé et Ernest Benoit ont déjà siégé au conseil. Saint-Bruno est passé, en quelques années, de petit à gros village, de gros village à petite ville. Des jeunes ménages, venus d'un peu partout mais surtout de Montréal, ont acheté des maisons et ont commencé à s'agiter pour obtenir dans une banlieue les mêmes services que dans la Métropole. Plus zélés que compétents, ils ont bousculé la vieille population, se sont emparés du conseil, se sont chicanés comme des gamins. Les spéculateurs et les constructeurs ont tiré habilement parti de leur ignorance et de leurs divisions pour faire accepter des projets de constructions domiciliaires anarchiques. Encore quelques années et Saint-Bruno serait devenue une foire d'empoigne où les plus rusés auraient décroché la timbale. Il était urgent de mettre un terme au vandalisme d'un des plus beaux coins de la région montréalaise.

Après le boniment d'usage du porte-parole de la délégation, je me hasarde à dire, manière de me faire prier:

— Voyons, ce n'est pas si compliqué que ça que d'être maire de Saint-Bruno. N'importe qui peut faire ça!

Et Marcel Dulude de répondre:

— C'est justement pour ça qu'on vient vous chercher.

Tous d'ajouter en chœur:

— Si vous vous présentez, vous n'aurez pas d'adversaire.

C'est là qu'ils se trompaient. Il y eut un adversaire, mais il fut écrasé, sauvant de justesse son dépôt, comme on disait à l'époque.

Je n'avais jamais assisté à une réunion d'un conseil de village ou de ville. Je n'avais jamais lu la loi des cités et villes. Il me fallut tout apprendre et vite.

Je n'étais pas maire depuis une semaine que s'abat sur la région de Montréal une pluie abondante et persistante. Les égouts débordent de partout. En compagnie de l'ingénieur qui a fait les plans pour le compte des constructeurs de maisons, je fais le tour de la ville et j'en apprends de belles: des tuyaux de dix-huit pouces se déchargent dans des douze pouces, l'eau des toits se déverse dans les égouts sanitaires, construits uniquement pour l'évacuation des eaux usées.

Il est dix heures du soir quand un résident de la rue Seigneuriale me donne un coup de fil:

— Monsieur Filion, venez voir ma maison.

Je m'emmène en moins de cinq minutes et qu'est-ce que je vois! Un sous-sol inondé avec des meubles qui se baladent et un piano aux trois quarts submergé. Sa maison est précisément située au point où l'égout de dix-huit pouces se déverse dans un douze pouces.

Tout le quartier est inondé. Un mélange d'eau

de pluie et d'eaux usées dévale dans les rues, pénètre dans les sous-sols par les entrées de garage. Pour le moment, je ne peux faire plus que sympathiser avec les gens et leur promettre de corriger le gâchis. Mais au fond de moi-même, je me demande ce que je suis venu faire dans cette galère.

À la première assemblée du nouveau conseil, j'annonce un premier train de réformes. Dorénavant, seule la ville sera responsable de l'ouverture de rues et de l'installation de tous les services. Le coût de ces travaux sera financé par un emprunt décrété par règlement et amorti sur vingt ans au moyen d'une taxe d'améliorations locales. En outre, le développement de la ville se fera à partir du centre et graduellement de maison en maison et de rue en rue.

Chez les spéculateurs, qui avaient acheté des terres dans tous les rangs, ce fut la panique. Auparavant, ils avaient beau jeu d'acheter une terre n'importe où, de bâtir quelques maisons desservies par une fosse septique et un puits artésien, avec une rue à peine ébauchée, puis de tout basculer à la ville quand les acheteurs devenaient exigeants et que leur profit était encaissé. Ils allaient recommencer le même manège dans une autre ville. Il fut un temps où plus de la moitié des terres de Saint-Bruno étaient la propriété de compagnies avec adresse en Suisse ou à Toronto.

Bien servi par un directeur général incorruptible, le conseil résiste aux pressions. Un spéculateur me fait offrir, par personne interposée, une somme rondelette pour la bibliothèque municipale que je viens de fonder. Rien à faire. Un second vient se lamenter à mes genoux. «Monsieur Filion, il y a trois moments importants dans la vie d'un homme, la naissance, la mort et la banqueroute, je suis rendu au dernier.» Je lui rétorque: «Si vous faites une spéculation ruineuse à la Bourse, demanderez-vous à la ville de vous sortir du trou?» Je reste inflexible.

Il faut faire adopter à la douzaine des règlements qui constituent la base même d'une administration municipale: règlements de zonage, d'urbanisme, de construction, de police, de circulation, et le reste. Il faut bousculer les gens et déraciner de vieilles habitudes. La vieille population se demande si elle n'a pas fait un mauvais choix: la nouvelle trouve que nous n'allons pas assez vite.

Le mandat est de deux ans: nous nous retrouvons vite devant un électorat qui a mauvais poil. À la mairie, j'obtiens un deuxième mandat, cette fois de trois ans, sans opposition. C'est une chance, car n'importe quel candidat m'aurait défait. Dans les quartiers, une opposition mal organisée réussit à faire élire quatre conseillers sur six. Me voilà dans l'opposition. Tant pis pour moi, j'aurais dû être plus prudent, bousculer moins de gens.

L'opposition circonstancielle est loin d'être homogène. Dès que je sens qu'il y a des frictions entre ses membres, je m'arrange pour leur donner la chance de se chicaner. Sous prétexte d'affaires à l'extérieur, je m'absente de quelques assemblées. Quand je sens que la scission est irrémédiablement consommée, je reprends en main les affaires. Le plus agité perdra son siège pour s'être fait élire sous un faux nom et en donnant une fausse adresse. La paix sera revenue pour le reste du mandat et pour le suivant.

Saint-Bruno-de-Montarville est sûrement un des coins les plus pittoresques de la plaine de Montréal. Les collines montérégiennes sont généralement abruptes, difficiles à escalader et à contourner. Le mont Royal est un joyau certes, mais drôlement encombrant. Le mont Saint-Bruno, escarpé sur son flanc nord-est est tout en douceur sur le flanc opposé. C'est sans effort qu'on y accède par La Rabastalière, chemin tortueux probablement tracé par les bêtes sauvages habiles à ménager leurs efforts, amélioré par les premiers colons venus des seigneuries avoisinantes pour faire moudre leur grain au seul moulin banal mû par l'eau sur la rive sud.

L'histoire raconte que le seigneur Pierre Boucher de Boucherville mandata trois de ses censitaires en décembre 1710 pour aller prendre possession de la seigneurie de Montarville, qui venait de lui être concédée par Louis XIV. Les trois émissaires traversèrent les forêts, escaladèrent la montagne et abattirent des arbres en bordure du lac seigneurial en signe de prise de possession. Boucher de la Bruyère, héritier de Montarville, fit construire un moulin de pierre, équipé d'une roue à aubes et d'une moulange de pierre. C'est de toute la région que les colons venaient faire moudre leur grain. Plus tard, un moulin à cardes fut construit à la décharge du lac du Moulin, et finalement un moulin à scie à la sortie de l'étang du village. Les cinq lacs de la montagne, en plus de servir de réservoir d'eau potable, alimentèrent durant plusieurs générations trois industries complémentaires à l'agriculture de la région. À mon arrivée à Saint-Bruno en 1945, de vieux citoyens me firent voir les vestiges de sentiers que suivaient autrefois les colons pour pénétrer dans la montagne, notamment le chemin de la Pirogue, tracé à flanc de coteau par les cultivateurs de Sainte-Julie.

La ville de Saint-Bruno s'étale paresseusement sur le flanc sud-ouest de la colline, abritée des vents violents du nord et de l'est, bien exposée aux rayons du soleil et aux chauds vents du sud-ouest. Bien desservie par quatre autoroutes qui la contournent, à moins de douze kilomètres de chacun des quatre ponts conduisant à Montréal, elle est l'archétype de la banlieue équilibrée, avec un peu d'industrie, beaucoup de commerces, de bons services, des quartiers cossus et d'autres modestes, entourée d'une zone verte, des parcs à profusion, principalement celui du Mont-Saint-Bruno.

Je l'écris sans forfanterie, parce que c'est la vérité; la ville était au bord de la catastrophe et de l'anarchie quand j'en pris la direction en 1960. Huit ans plus tard, elle était devenue un modèle du genre: propre, paisible, ordonnée. Elle ne sera jamais une grosse banlieue, parce que son territoire est relativement restreint et que le parc du Mont-Saint-Bruno couvre un bon tiers de sa superficie. Elle ne dépassera probablement jamais les quarante mille habitants, soit une agglomération à l'échelle humaine.

Encore une fois, je dois répondre à la même question. Pourquoi quitter quand le temps est au beau fixe?

Comme le père Chapdelaine, je suis pris de la bougeotte. Lui, il cherchait des arbres à abattre, de la terre à défricher. Moi, je m'ennuie dans les situations de tout repos, dans les affaires qui ne font pas de vagues. La dernière année de mon troisième mandat, je me traînais les pieds à l'hôtel de ville; présider une assemblée était devenu une corvée. Aucun imprévu, aucune contestation, aucune manifestation d'impatience ni autour de la table des délibérations, ni dans la salle presque vide, ni dans la population. Je sentais que j'étais en train de devenir une sorte de monument qu'on respecte parce qu'il est là, et que personne n'a l'idée de déplacer. Un peu plus, on m'aurait gravé quelque part: ci-gît un maire qui ne peut être battu. Pour éviter de devenir un objet de curiosité, un piège à touristes, je tirai ma révérence.

Il est arrivé à quelques jeunes de me demander ce qu'il faut faire pour entamer une carrière politique. Ma réponse est qu'il n'y a pas de recette magique. Mais une des voies par lesquelles on peut, avec un peu de chance et beaucoup de persévérance, accéder aux honneurs et aux responsabilités d'une carrière politique, se décrit comme suit: Vers la trentaine, fais-toi élire conseiller municipal; au bout de quelques années, hisse-toi à la mairie; vers la quarantaine, tente ta chance au provincial ou au fédéral; si tu as du talent et le bon parti de ton côté, tu deviendras peut-être ministre et, pourquoi, pas premier ministre.

Il faut faire la distinction entre la politique et la politologie. La première est à la fois un art et un métier; la deuxième, une science. La politique s'apprend par les pieds en faisant du porte-à-porte et par les mains en donnant des milliers de poignées; aussi par les yeux en retenant les figures et en plaçant un nom sur chacune. La politique s'apprend aussi en écoutant les doléances, les regrets, les attentes des petites gens. C'est pourquoi, il est fort utile d'avoir fait de la politique municipale avant d'aspirer à de plus hauts honneurs, car elle se situe au niveau des besoins les plus élémentaires d'une collectivité: aqueduc, égouts, rues, trottoirs, terrains de jeux, parcs, protection contre l'incendie et le vol.

Le soir de ma première élection, un jeune reporter de Radio-Canada me posa la question classique: Quelle est votre philosophie de l'administration municipale? Je n'ai pas de philosophie; tout ce que je propose de faire, c'est de construire un réseau d'aqueducs, un système d'égouts, rendre les rues carrossables, aménager des parcs, tout en exerçant une surveillance budgétaire sévère. À ses yeux, je devais paraître un maire médiocre pour ne pas avoir de philosophie.

La politicologie est le produit de la distillation de la politique. Dans mon enfance, les habitants du rang tiraient eux-mêmes d'un moût de blé fermenté derrière le poêle de cuisine une bagosse imbuvable, qui égayait les grandes festivités de l'année: le jour de l'An, Pâques, les boucheries, les corvées, les noces. L'esprit de blé venait au secours de l'esprit tout court. Les politicologues ont mis dans une marmite les habitudes, les mœurs, les pratiques en vigueur avant, pendant et après les élections, ont fait bouillir à feu chaud et ont précieusement recueilli par refroidissement la quintessence de cette fermentation. Cette sublimation, additionnée d'un soupçon de poudre de perlimpinpin, leur permet de déceler à distance les motifs secrets qui font agir les politiciens les plus obtus. C'est comme les critiques littéraires qui découvrent dans les œuvres qu'ils analysent des joyaux que les auteurs n'avaient pas soupçonnés.

C'est à leur programme qu'on reconnaît les politiciens vaniteux et bavards. Plus ils en remettent, plus il faut se méfier. Car la politique n'est pas un voyage organisé, avec horaire strict et visites de cathédrales, de musées, de music-halls, de restaurants, plus la tour Eiffel comme prime, le tout pour un forfait. Ce qui compte en politique, c'est l'orientation. Il faut savoir de quel côté on se dirige. Les moyens? Affaire de circonstances. Si la route est verglacée, on prend le train. Si on est pressé, on saute dans le Concorde. Il y en a même qui font de l'auto-stop et s'en tirent assez bien. Durant ses deux premiers mandats, Robert Bourassa conduisait la locomotive et il se cassa la gueule; depuis 1985, il se tient dans la «cabouse» et le convoi roule sur du velours.

La politique est un métier, qui ne doit jamais devenir un gagne-pain. Elle doit toujours comporter une part de gratuité, de service public. Depuis que les maires, les conseillers, les commissaires d'écoles touchent une indemnité, dans certains cas nettement rondouillarde, leur compétence n'est pas tellement supérieure à celle de leurs devanciers qui travaillaient pour des prunes. Beaucoup s'accrochent à leur poste comme la gale à la peau d'un pauvre homme. Quand le sort d'une élection interrompt brusquement leur carrière, c'est la catastrophe. Vaut mieux se garder une poire pour la soif et savoir tirer sa révérence avant de recevoir une botte au derrière.

Qu'est-ce qui me valut l'honneur de recevoir un coup de fil de John Diefenbaker en 1962, pour me proposer la vice-présidence du Conseil des arts du Canada? Le geste, j'en étais sûr, n'était pas gratuit: il avait sûrement une idée derrière la tête. Mais qui la lui avait soufflée à l'oreille? Probablement Clément Brown, correspondant du *Devoir* à Ottawa, qui se tenait près des bleus et qui se préparait à venir attraper une dégelée dans un comité montréalais où il était inconnu. Sans trop mûrir ma décision, j'acceptai le poste. C'est comme ça que je me retrouvai dans une fonction pour laquelle je n'avais pas une compétence évidente. Mais au moins autant que le président, courtier en valeurs mobilières retraité, quelque peu béotien, dont le seul mérite était d'être un important percepteur de fonds pour le parti conservateur.

Hormis son président et peut-être son vice-président, le Conseil groupait une vingtaine de Canadiens tout à fait remarquables, voire célèbres, notamment Sir Ernest MacMillan, Raoul Jobin, Luc

Lacoursière, Marcel Faribault, Sam Steinberg, pour mentionner quelques noms seulement. L'équipe de direction était solide, de sorte que les réunions trimestrielles n'étaient jamais une corvée. Les dossiers étaient bien préparés, solidement documentés. Les demandes tendant vers l'infini et les fonds disponibles se rapprochant du point zéro, il fallait user de diplomatie pour décevoir de nombreux talents qui méritaient mieux qu'une fin de non-recevoir. C'est généralement Sam Steinberg qui avait le mot de la fin en répétant: «We are not here to subsidize mediocrity.»

Deux ans plus tard, je devais dire à Maurice Lamontagne, devenu entre-temps ministre tuteur du Conseil des arts, que je n'étais nullement intéressé à m'incruster dans une fonction pour laquelle une multitude de Canadiens étaient mieux préparés que moi. Ce qui ne m'empêche pas d'avoir gardé un souvenir agréable de mon passage dans cet aréopage des arts et des lettres.

J'en dirai autant de la Société royale du Canada, dont je présidai, vers 1975, l'Académie des lettres et des sciences humaines. Milieu très raffiné, formé aux trois quarts d'universitaires, gens pas pressés, amateurs d'élégantes discussions, bref tout le contraire de ce que je suis. Rien ne m'ennuie plus qu'une délibération qui ne conduit pas à l'action. Il faut que les choses avancent dans le temps et dans l'espace, autrement je décroche.

La Société royale du Canada, qui doit sa fondation à un gouverneur général et qui fut à l'origine la créature du gouvernement canadien, est une académie de gueux. Alors que toutes les académies nationales des pays civilisés sont richement dotées, la canadienne est presque indigente. Durant les quelques années que j'ai siégé à son conseil, nous avions fait des démarches pressantes auprès du premier ministre, Pierre E. Trudeau, lui-même académicien, pour que le gouvernement canadien se décide à doter la SRC de fonds assez abondants pour lui permettre de remplir sa mission. Tout ce que nous avions réussi à arracher, c'est la promesse de quelques contrats de recherche. À la pièce, comme un sous-traitant, un «petit chaudron», comme on disait autrefois en forêt. Comme la SRC est indigente et que ses membres sont astreints à une cotisation annuelle, la tentation est grande de gonfler ses effectifs. Les trois académies qui la composent doivent compter quelque chose comme un millier de membres, inflation qui, comme pour la monnaie, en fait chuter la valeur.

Je n'ai jamais trop bien compris quels mérites m'avaient valu l'honneur d'être admis dans la SRC. Je n'ai aucune œuvre littéraire à mon crédit. Je n'ai rien écrit de gratuit. Je ne me suis livré à aucun travail de recherche. Les trois ou quatre mille articles que j'ai publiés, les deux ou trois cents conférences que j'ai égrenées le long du chemin, tout cela peut représenter en mots trente ou quarante ouvrages, mais en qualité qu'est-ce que c'est? Le journalisme n'est pas la littérature. Il n'en est pas non plus un sous-produit. Il est un genre à part. Les forts en lettres ne font pas nécessairement de bons journalistes, pas plus que les bons journalistes ne doivent être tenus pour des écrivains.

Qu'importe, j'ai été, je suis et je resterai ma vie durant un membre de la Société royale du Canada.

Autant en dire un mot tout de suite, même si la fonction m'échut beaucoup plus tard, soit en 1983. C'est le président sortant, Aimé Gagné, qui vint me voir par une journée d'été radieuse pour s'informer si j'accepterais, au cas où elle me serait offerte, la présidence du Conseil de presse du Québec. Bien entendu, je n'étais pas le seul candidat pressenti, mais on voulait s'assurer d'avance de l'acceptation de celui qui serait désigné.

La visite d'Aimé Gagné fit surgir du fond de ma mémoire une rencontre à laquelle j'avais participé en 1958 ou 1959. Il y avait été question de créer un organisme regroupant les associations de journalistes et d'éditeurs, et habilité à définir et à appliquer un code d'éthique régissant le journalisme. Nous étions peu nombreux, au plus cinq ou six, mais je ne me rappelle qu'un participant, Lionel Bertrand, directeur de *La Voix des Mille Îles,* hebdomadaire de Saint-Jérôme, qui devait, quelques années plus tard, faire partie du ministère Lesage.

Ce n'est que quinze ans plus tard, soit en 1973, que le Conseil de presse fut fondé. Aimé Gagné en était le deuxième président et son deuxième mandat, non renouvelable, venait à échéance en octobre 1983. C'est pourquoi il venait me dire que mon nom, parmi d'autres, avait été retenu par le comité de sélection. Ma réponse fut fort simple: je ne sollicite pas le poste, mais s'il m'est offert, je l'accepterai sans hésitation.

Ce n'est pas le lieu d'expliquer ici la raison d'être du Conseil de presse, sa constitution, son fonctionnement, ses objectifs. Je préfère en décrire la vie interne, les joies et les déceptions qu'il réserve à ceux et à celles qui y collaborent. C'est déjà merveilleux d'arriver à faire travailler ensemble des personnes que tout paraît diviser. Les journalistes, c'est connu, sont naturellement soupçonneux, sceptiques, ombrageux. Ils se croient, non sans raison, les seuls habilités à décider de la sorte d'information que le public a le droit de connaître. Se disant des professionnels de l'information, ils réclament une très large autonomie dans le choix et la présentation de la nouvelle.

Mais le journaliste n'est pas un professionnel autonome comme l'avocat dans son étude ou le médecin dans son cabinet. De même que le chirurgien est obligé de pratiquer ses interventions dans un hôpital, ainsi le journaliste a besoin d'un média pour s'exprimer. Or ce média, journal, poste de radio ou de télévision, a un propriétaire, un directeur, des cadres, des installations physiques. Le journaliste est forcé d'en tenir compte, c'est-à-dire d'accepter certaines contraintes.

D'autre part, les éditeurs n'acceptent pas facilement de partager leur autorité avec les professionnels de l'information. Ils estiment être les seuls aptes à juger ce qui convient ou non de publier et la forme que cette information doit prendre. Réunir autour d'une table et faire travailler ensemble des gens habitués à tirer au renard tient presque du prodige. Et pourtant c'est ce que réussit à faire depuis 1973 le Conseil de presse.

Pas sans difficulté cependant. Les dix-neuf personnes qui le forment, six journalistes, six éditeurs, sept, dont le président, issues du public, forment un éventail de toutes tendances et de tous milieux. Beaucoup, surtout les représentants du public, ne connaissent du journalisme que ce qu'ils lisent ou captent sur les ondes. Ils véhiculent facilement les préjugés qui ont cours dans le public contre la presse.

Établir un code d'éthique est relativement facile: il s'agit d'aligner quelques principes généraux et de formuler de bonnes intentions. Mais l'interpréter et le mettre en vigueur c'est une autre paire de manches. Ce qu'il en a fallu des heures et des heures de discussions ardues, mais toujours polies, pour aboutir à des jugements à la fois raisonnables et conséquents. Pas toujours facile de tirer une ligne entre ce qui est un fait et ce qui exprime une opinion. Jusqu'où peut-on censurer le vocabulaire d'un éditorialiste qui se veut délibérément polémiste? L'ironie est de mise certes, mais le sarcasme? Même l'ironie n'est pas toujours comprise, à tel point que certains ont suggéré d'introduire dans la langue écrite un point d'ironie, comme il existe un point d'interrogation et un point d'exclamation.

Il m'est arrivé à quelques reprises de me dissocier de décisions qui me paraissaient plus inspirées par un esprit de censure que par une recherche des bonnes manières, en appelant à mon secours nul autre que le Christ lui-même qui n'hésita pas à traiter les pharisiens de «race de vipères» et de «sépulcres blanchis». Si Lui pouvait se permettre un tel excès de langage sans blesser la vérité, pourquoi serait-il interdit à un journaliste de notre temps de traiter Camillien Houde de fripouille?

Ce que le Conseil de presse s'efforce de défendre, la plupart du temps avec bonheur, quelques fois avec un excès de zèle, c'est que l'exactitude de l'information est quelque chose de sacré, mais que les opinions, même excessives, même exprimées avec violence, sont un acquis de la vie démocratique. Il appartient aux tribunaux correctionnels et non à un conseil de presse de sanctionner ceux qui s'aventurent trop loin.

Le Conseil de presse devait être la dernière fonction publique que j'aurai assumée. À soixante-dix-huit ans, il était temps, comme le veut l'expression consacrée, d'accrocher mes patins.

11

RECULER VERS L'AVENIR [1]

Quand on commence à gravir le dernier raidillon de sa vie, on s'interroge: ai-je réussi? Ai-je échoué? Aurais-je pu faire mieux? Questions oiseuses. Pour y répondre, il faudrait comparer sa vie avec un modèle. Or il n'existe pas de modèle. Chaque vie est unique; aucune ne ressemble à une autre.

Essayer de se rappeler ce qu'on s'était proposé de devenir, quand on avait la fraîcheur et la naïveté de la jeunesse? Exercice futile. Qui est assez prétentieux pour se croire capable de décrire avec exactitude les rêves qu'il faisait à dix ans, les projets qu'il échafaudait à quinze ans, les exigences qu'il formulait

---

1. Le passé n'est pas derrière mais devant soi, car on le voit et on le connaît. L'avenir, cet inconnu, est derrière soi, parce qu'on ne le voit pas. Voilà pourquoi je dis que nous reculons vers l'avenir.

à vingt ans? Une fois entré dans la vraie vie, on est tout surpris de se buter à des résistances. On croit que les gens ne comprennent pas, alors que c'est l'inverse qui est vrai. Petit à petit, on se résigne à faire, non pas ce qu'on voudrait, mais ce qu'on peut. C'est ce qui m'est arrivé. C'est pourquoi j'estime que ma carrière ne fut ni un succès ni un échec. Elle fut ce qu'elle fut, tout simplement.

Aussi ai-je atteint l'âge de la retraite dans un état de grande sérénité. Pour plusieurs, cette étape met à rude épreuve leur santé et leur équilibre psychologique. Ce fut pour moi un moment de relaxation. Enfin, je ferais ce qui me plairait. Tout en restant actif, je ne me laisserais plus bousculer par les événements. Je devais rapidement déchanter.

Ce fut d'abord le démon de la politique qui vint me tenter une dernière fois. Ma mise à la retraite avait fait l'objet d'un entrefilet dans les journaux de Montréal. Au même moment, le gouvernement Trudeau, minoritaire depuis 1972, estimait le temps propice à une élection générale, qui lui redonnerait une majorité à la Chambre des communes. Je me prépare pour une excursion de pêche dans quelques jours, quand un appel téléphonique d'Ottawa me ramène sur terre. Au bout du fil, c'est nul autre que Marc Lalonde, qui me tient les propos suivants: «Je lis dans les journaux que vous venez de prendre votre retraite. Vous êtes encore solide, avec beaucoup d'expérience. Nous sommes à la recherche d'un candidat dans le comté de Chambly. Je rencontre Trudeau demain matin. Je lui en parle. Si vous acceptez, je ne vois pas de problème. Vous pourriez rendre de grands services à Ottawa.» Ah! Merde! Sacrifier une partie de pêche pour une campagne électorale, c'est pas rigolo. Comme je ne veux pas couper les ponts brutalement, je réponds: «Laisse-moi vingt-quatre heures pour y penser. Quand tu verras Trudeau demain matin, fais-lui le message suivant: si par hasard j'acceptais votre proposition, ce serait à la condition expresse de ne pas avoir de ministère. La plupart des candidats ambitionnent un portefeuille. Moi, c'est le contraire, je n'en veux pas. Rappelle-moi demain à la même heure.»

Ma décision fut facile à prendre et ne parut pas étonner Marc Lalonde. Je n'eus même pas la curiosité de m'enquérir du sentiment de Trudeau. La pêche à la ligne l'avait emporté sur la ligne du parti.

Cette répugnance pour l'action politique appelle une explication. En fait, je n'ai jamais méprisé ni la politique ni les politiciens. Ce sont les circonstances qui m'ont détourné de cette forme d'engagement. Quand j'avais l'âge de commencer une carrière, je n'en avais pas les moyens; quand j'en eus les moyens, il était trop tard.

Il m'aurait fallu choisir entre ma famille et la politique. Quand on a une douzaine de bouches à nourrir, il faut être prudent. Si on possède du bien de famille, si on est à la tête d'une entreprise prospère, si on est bien engagé dans l'exercice d'une profession, on peut faire le saut. Mais si on est simple salarié, sans assurance de retrouver éventuellement un poste au moins équivalent à celui qu'on quitte, la prudence s'impose. C'est elle qui m'a toujours guidé. Plus tard, vers la fin de ma carrière, quand j'avais les moyens de survivre à une défaite, je n'avais plus le goût de tenter l'aventure.

Avais-je ce qu'il faut pour réussir en politique? Je n'en suis pas certain. De tempérament un peu trop prompt, porté à prendre des décisions rapides, pas très accommodant avec les adversaires, enclin à renverser les obstacles plutôt qu'à les contourner, j'aurais pu réussir dans des circonstances exceptionnelles, dans une situation de crise où il faut agir vite et ferme; mais la gestion au jour le jour des affaires publiques m'aurait profondément ennuyé. Partout où je suis passé, surtout au *Devoir*, c'est dans des situations désespérées que j'ai donné mon plein rendement. Le dos au mur, j'arrivais à me dégager par des manœuvres auxquelles personne dans mon entourage n'avait pensé. La crise surmontée, je redevenais un gestionnaire moyen, déployant des ressources ordinaires, porté à déléguer à des subalternes les affaires de routine, sans exercer sur leurs actes une surveillance suffisante. En politique, un tel laisser-aller aurait alimenté l'adversaire d'intarissables sujets de scandale.

À l'époque où l'État gérait de haut les affaires publiques, la politique était un art, fait d'un habile dosage d'éloquence, de flair, de démagogie. Avec l'intrusion des services publics dans l'intimité des foyers et dans la vie privée des citoyens, la politique est devenue une science pour laquelle on se prépare et qu'on approfondit à l'usage. On fait carrière en politiqu comme en droit, en médecine, en journalisme. On commence au bas de l'échelle, puis, avec un peu de talent et beaucoup de persévérance, on finit, la chance aidant, par atteindre le sommet. Les impatients se cassent la gueule.

Si je scrute le fond de ma mémoire, j'ai l'impression de faire remonter à la surface une conviction qui m'a toujours habité, à savoir que, dans certaines circonstances, on peut faire évoluer la société plus rapidement du dehors que du dedans de la politique. À la direction du *Devoir* durant l'ère duplessiste, j'ai probablement été plus utile au Québec que si j'avais été député d'opposition et même, *horresco referens*, ministre. Les hommes et les femmes politiques qui ont été, comme on dit, au pouvoir, ont pour la plupart été surpris et frustrés du peu de pouvoir qu'ils possédaient. Les lois, les règlements administratifs, la tradition, la résistance quand ce n'est pas la mauvaise volonté des fonctionnaires, le jeu des influences, la curiosité malsaine (?) des journalistes, tout cela fait que les réformes, qu'on croyait faciles, se font au compte-gouttes.

Tandis que si vous le prenez de haut et de loin, confortablement installé dans votre tour d'ivoire, il est facile, par quelques traits de plume, de façonner la société à l'image que vous vous en faites. N'empêche que vos dires, même prétentieux, finissent par créer un courant d'opinion capable de faire bouger les choses.

L'affaire politique classée, je commence à me détendre. La vie est belle: pas de problèmes d'argent, de famille ou de santé. Je prends une année sabbatique, après quoi j'accepterai, selon les circonstances, du temps partiel, une ou des fonctions pas trop contraignantes, juste pour me tenir alerte et garder contact avec le milieu des affaires. Mais la catastrophe me guette au tournant de la route.

L'affaire commence comme un fait divers dans les quotidiens torontois. Les dirigeants de petites compagnies de dragage répondent devant les assises à des accusations de complot à propos d'un contrat quelque part dans un port des Grands Lacs. Affaire banale, qui n'intéresse que la presse locale. Mais nous sommes aux lendemains du scandale du Watergate. Policiers et journalistes rêvent confusément à une heure de notoriété, en éventant un quelconque scandale.

L'inspecteur Stamler de la Gendarmerie royale est de ceux-là. Il faut que son enquête, jusque-là sans éclat, prenne une dimension nationale, et pourquoi pas, mondiale. Par quels moyens réussit-il à arracher des témoignages plus ou moins crédibles impliquant des membres de la famille Simard, ainsi que le président et le vice-président exécutif de Marine Industrie? On ne le saura jamais. Mais Stamler manœuvre pour donner à l'affaire un éclat sans précédent. Des indiscrétions commencent à couler dans les journaux montréalais. Des gens haut placés seraient impliqués dans une conspiration à l'échelle nationale. L'affaire ontarienne ne serait que la pointe de l'iceberg. Tous les dirigeants de toutes les compagnies de dragage comploteraient depuis de nombreuses années pour frauder les ministères fédéraux en s'entendant pour fixer les prix.

Stamler convoque à Toronto les principaux quotidiens du pays pour leur révéler les dessous de la plus vicieuse conspiration du siècle. Le même jour, dans tous les journaux du Canada, une manchette énorme: une douzaine de compagnies et autant de dirigeants sont accusés d'avoir comploté pour frauder le gouvernement fédéral de plusieurs millions de dollars. Évidemment, mon nom n'est pas le dernier sur la liste.

L'acte d'accusation stipule que, entre le 15 et le 21 juin 1971, j'ai participé à une série d'assemblées au siège social de MIL, au cours desquelles des arrangements auraient été conclus avec des concurrents pour les écarter, moyennant compensation financière. C'est ce qu'affirme le témoin de la couronne, lui-même coconspirateur, et impliqué dans l'affaire des Grands Lacs.

Allez donc savoir ce que vous avez fait entre le 15 et le 21 juin 1971, quand vous n'avez jamais mis par écrit votre emploi du temps. Bien sûr qu'il y eut à cette époque quelques assemblées pour former un consortium public en vue de répondre à un appel d'offres pour le creusage du chenal de l'île d'Orléans. C'est d'ailleurs comme consortium que la soumission fut présentée, au vu et au su des autorités. Mais il ne fut jamais question, en ma présence du moins, d'acheter les concurrents, comme on dit dans le métier. J'ai beau me creuser la tête, je ne trouve rien. Mon avocat insiste: cherchez, fouillez dans vos papiers, vous finirez par découvrir quelques indices. Toujours rien, ni dans ma mémoire, ni dans mes papiers.

Subitement, le miracle se produit. Dans ma tête, un éclair. Chaque année, à la mi-juin, je prends dix jours de vacances pour aller taquiner la truite au Kataska, club de chasse et de pêche dans le bassin de la Manicouagan que j'ai fondé en 1962 et dont je suis toujours le président. Le livre de bord du club est dans un classeur à portée de ma main. Je l'ouvre et je lis: «12-22 juin: premier séjour au club avec ma femme, ma fille Claudine et son amie, la secrétaire, Mlle Prud'homme. La pêche a été bonne, etc.»

À partir de cette trouvaille quasi miraculeuse, je retrace dans les archives de MIL les achats d'essence faits à l'aller le 12 juin et au retour le 22. Les procès-verbaux indiquent que j'ai présidé sur les lieux l'assemblée annuelle du club le 21 juin, le jour même où les soumissions sont ouvertes à Ottawa.

Les membres, dont la présence est attestée par le procès-verbal, viennent témoigner de m'avoir vu à huit cents kilomètres de Montréal durant les dix jours précédant l'assemblée annuelle.

Quatre ans et trois mois après l'éclatement du scandale du siècle, un jury de Toronto prononce mon acquittement, celui du vice-président de MIL, ainsi que de la plupart des accusés. Une fois que la Cour d'appel aura cassé quelques verdicts et que la Cour suprême aura nié à la couronne son droit d'appel, il ne restera que deux coupables, qui auraient été disposés à reconnaître leurs méfaits dès le départ. Mais l'ambition d'un inspecteur de la GRC et l'arrogance de l'avocat de la couronne n'auraient pas été comblées. Il leur fallait un scandale monstre pour les sortir de l'anonymat et leur donner l'auréole de grands justiciers.

C'est d'ailleurs à la même époque que la GRC allumait des incendies criminels, cambriolait la permanence du Parti québécois, etc. Cette police, qu'on prenait pour infaillible et incorruptible, était infiltrée par des éléments louches, qui se croyaient tout permis.

Une fois l'affaire classée, un journaliste du *Financial Post* posa une colle au procureur de la couronne. Est-ce qu'au fond il n'y avait pas eu un peu d'exagération dans cette affaire? Imperturbable, le savant avocat répondit qu'il fallait donner une leçon aux hommes d'affaires. Drôle de façon de concevoir la justice comme une machine à faire peur aux gens.

Quelles conclusions tirer de cette aventure? D'abord que les journalistes se laissent facilement manipuler, dès lors qu'ils reniflent une matière fécale. La merde, il y en a quelques-uns qui aiment ça et qui ne sont jamais rassasiés.

Durant les seize ans que j'ai dirigé *Le Devoir*, je reçus, comme tous les journalistes d'ailleurs, des confidences, des dénonciations, des révélations présumément du plus haut intérêt public. Après enquête, je découvrais que les faits étaient presque toujours erronés, exagérés ou faussement interprétés. Même s'il y avait matière à scandale, je refusais de m'en servir, s'ils m'étaient fournis par une personne coupable de déloyauté ou soupçonnée d'exercer une vengeance.

Les grands scandales que nous fîmes éclater furent tous documentés par des archives publiques: le gaz naturel, la tolérance dans le service policier de Montréal. Aucune allégation qui n'ait été corroborée par des documents officiels.

Deuxième constatation: un accusé doit prouver son innocence. Notre régime de droit affirme qu'un prévenu doit être tenu pour innocent jusqu'à ce que le ministère public ait prouvé sa culpabilité hors de tout doute raisonnable. Prescription généreuse, mais étrangère à la perception que le public se fait de la justice. Dès qu'une affaire scandaleuse éclate, les gens ordinaires sont prompts à tirer leur conclusion: il n'y a pas de fumée sans feu; la police a sûrement fait une enquête sérieuse, autrement... Le mal vient de ce qu'il n'existe aucun recours contre un policier qui a bâclé une enquête ou un procureur en mal de notoriété. L'affaire est renvoyée? Tant pis! On s'attaque à la suivante, sans égard au mal qu'on a pu faire à une personne injustement accusée. Et puis, un acquittement n'a jamais dans les médias le même retentissement qu'une accusation. Il en reste toujours quelque chose.

Troisième constatation: on fait rapidement le tri entre les vrais amis et les autres. De ce point de vue, la mise en accusation est un bienfait. Elle vous débarrasse d'un tas de gens encombrants. Ce n'est pas un vide qui se fait autour de vous, mais un grand nettoyage. Les amis qui vous restent valent la peine d'être gardés.

Enfin! Cette dernière aventure se termine plutôt bien. À soixante-dix ans, je recommence à vivre.

À cet âge, on regarde instinctivement dans le rétroviseur; on prend plaisir à mesurer le chemin parcouru, pour exprimer sa satisfaction ou sa déception. La tentation est grande de dresser son propre bilan, surtout pour en gonfler l'actif. Je tâcherai de ne pas tomber dans cette manie. Je laisserai à d'autres, qui pourraient avoir cette curiosité, la tâche de le faire. Je me propose plutôt d'essayer de mesurer l'évolution de la société dans laquelle j'ai vécu.

Je suis né au dix-neuvième siècle. Entendons-nous. Pour moi, les siècles n'ont pas forcément cent ans et ne commencent pas par des zéros. Le dix-huitième va de la mort de Louis XIV à la Révolution de 1789. Le dix-neuvième prend fin avec la guerre de 1914. Avant, on vivait et on pensait d'une certaine façon; après ce fut différent.

Né au dix-neuvième siècle, j'ai connu deux modes de vie. Ma mère avait coupé le blé à la faucille et portait à son petit doigt gauche la cicatrice de ses maladresses. J'ai vu battre au fléau. J'ai vu rouir le lin. Les manières dataient de l'ancien régime. Tutoyer ses parents, ses oncles et tantes, les étrangers était le summum de l'impolitesse. En allant à l'école ou en en revenant, il fallait saluer les personnes rencontrées, et pas n'importe comment, en enlevant son chapeau et en disant tout haut: bonjour monsieur, bonjour madame. Les morts étaient mis sur les planches, recouverts d'un drap blanc; on les plaçait dans le cercueil au moment du départ pour l'église. Il n'y avait de relations qu'avec le voisinage. L'inconnu commençait là où finissait le rang ou la paroisse.

Une première trouée se produisit avec ce qu'on appelle encore la Grande Guerre. C'était en effet la première fois dans l'histoire de l'humanité que des hommes des cinq continents s'affrontaient sur les champs de bataille. Auparavant les guerres étaient tout au plus continentales ou coloniales. Européenne d'abord, la Grande Guerre dégénéra rapidement en conflit mondial. Elle fut aussi une guerre technologique. Elle s'appropria rapidement les inventions qui dataient du siècle précédent: l'automobile, l'avion, les gaz, les dirigeables. Les uniformes panachés furent vite remplacés par le kaki ou le bleu horizon; les chevaux, par les tanks; les éclaireurs, par les avions de reconnaissance. Les combats singuliers eurent lieu dans le ciel. Rien de nouveau dans tout cela, sauf que, pour la première fois dans l'histoire, les savants des deux côtés furent mis massivement au service de l'art militaire.

Cette course à la découverte d'instruments de destruction s'amplifia avec la seconde guerre, au point qu'on peut attribuer aux deux conflits une partie des moyens de production, des biens de consommation et des services sophistiqués dont jouissent aujourd'hui les pays développés. Où l'humanité en serait-elle sans ces deux guerres? Nul ne le sait, et toute spéculation sur le sujet serait oiseuse. Ce qui est certain, c'est que les habitudes, les mœurs, les croyances, les façons de penser des populations ont subi de profondes modifications, plus radicales et plus rapides qu'à l'époque des Croisades ou à celle de la Renaissance.

Pour la société canadienne-française, le changement fut radical. Durant les trois siècles précédents, elle fut presque complètement isolée du reste du continent par la langue, de l'Europe par la distance. Elle avait développé une manière de vivre différente à la fois du pays d'origine et du reste du continent. Elle se disait formée de Canadiens pour se distinguer et des Français et des Anglais, même si ces derniers habitaient à côté d'elle depuis quelques générations. Cet isolement eut pour effet d'endormir ses résistances naturelles. Comme les Hurons qui avaient été décimés par la petite vérole attrapée des Blancs venus les convertir, ainsi la société canadienne-française contracta les maladies sociales des autres avant d'avoir développé des anticorps lui permettant de résister.

Le peuple le plus prolifique de la terre tomba au dernier rang de la natalité. Le divorce ravagea les familles. Les vieux furent balancés à la sauvette dans l'urgence des hôpitaux. Les enfants, qui, par nécessité autant que par conviction, restaient naguère ignorants mais éduqués, devinrent instruits sans éducation. Voilà pour l'aspect négatif des changements.

Mais il y eut des gains importants: accroissement rapide des subsistances et meilleure répartition des avoirs collectifs; protection contre les coups du sort: chômage, maladie, accidents; promotion de la femme, même si ce progrès eut pour effet, faute de soutien appropriée, la dislocation des couples et l'abandon des enfants; mobilité des travailleurs dans le temps et dans l'espace; prolifération des moyens de connaissance et de culture: télévision, spectacles, théâtre, cinéma. À dix ans, un enfant a vu plus de choses que son grand-père durant toute sa vie. On n'en finirait pas d'énumérer tout ce que la technologie a apporté au plaisir, au confort, à la connaissance, au loisir de l'homme contemporain. Le pays de cocagne sortait de l'imagination des anciens; il est à portée de la main de la présente génération.

Cette surabondance de bien-être nous est arrivée un peu à notre insu, sans nous y être préparés. Aussi a-t-elle bouleversé nos façons de penser et d'agir et a tout uniformisé. Plus de différence entre la ville et la campagne, entre le village et les rangs. Tous sont informés en même temps de tout ce qui se passe sur la planète. Le seuil de pauvreté est délimité par le poste de télévision en blanc et noir, par la voiture vieille de plus de cinq ans, par la caisse de bière hebdomadaire, par des vacances à balconville. La gêne est devenue de la pauvreté, la pauvreté de la misère. On est misérable de ce qui faisait le bonheur de nos grands-parents. Les jeunes couples choisissent entre un premier enfant ou une maison en banlieue, un deuxième enfant ou un voyage en Europe. Au-delà de ce nombre, ce serait une extravagance, presque un scandale. Il ne leur vient pas à l'idée que, le jour où ils seront devenus vieux, gâteux ou grabataires, il n'y aura plus personne pour les soigner ni à domicile ni en institution.

Que deviendront dans le village global de demain ces petits six millions de Canadiens de langue française et de culture mi-européenne mi-américaine? Continueront-ils à résister et à marquer de leur empreinte le nord-est du continent? Arriveront-ils à se reproduire en assez grand nombre pour imposer leur langue et leur manière de vivre aux vagues d'affamés et de terrorisés qui frappent à leur porte? Après 1760, ils devaient graduellement disparaître. À la suite de la rébellion de 1837-1838, ils entendirent prononcer leur arrêt de mort. L'entrée dans la Confédération en 1867 devait leur porter le coup de grâce. Il serait amusant de faire le relevé de tous les actes de décès qui ont été rédigés à leur sujet, autant par leurs propres prophètes que par leurs dominateurs. On en ferait un amusant sottisier. Ils ont commencé par grignoter le sol; puis ils ont pris pied dans les professions et la politique; maintenant ce sont les affaires qu'ils envahissent. Maîtres chez eux, et un peu aussi chez les autres. Pourquoi pas? Les autres ont été assez longtemps maîtres ici. Échange de bons procédés. Est-ce à dire qu'ils seront encore là à la fin des temps? De nature plutôt optimiste, je suis prêt à opter pour l'affirmative. Peut-être moins nombreux, mais plus puissants, plus déterminés.

Me voilà qui discours sur des affaires qui ne me regardent pas. Mon affaire à moi, c'est ce qui va m'arriver demain, dans un an, dans cinq, dix ou quinze ans. Je n'en sais rien, et c'est tant mieux, car cette ignorance me stimule à faire des projets, comme si la fin ne devait jamais se produire.

Vers l'âge de dix ans, j'étais persuadé que je mourrais jeune. À quatre-vingts ans, je garde la même conviction. Avec les années, je me suis rendu compte que la seule façon de ne pas mourir, c'est de vieillir: quand on arrête de vieillir, on meurt. C'est pourquoi il n'est pas désagréable de vieillir.

Puis je ne mourrai pas tout à fait, puisque je ne suis qu'un maillon de la chaîne qui commence avec l'arrivée de mon ancêtre à Québec vers 1660 et qui semble vouloir se prolonger encore longtemps.

Antoine Filion était originaire de Paris. Sa descendance se répandit sur la côte de Beaupré, l'île d'Orléans, le pays de Charlevoix. Mon grand-père, navigateur, s'établit à Rimouski où mon père est né. Même cheminement du côté maternel. Les Simard, dont je descends, viennent de Charlevoix et se sont enracinés sur la rive sud, il y a quatre ou cinq générations.

Je suis le cadet d'une famille de dix-sept enfants. Quatre filles sont décédées de maladies infantiles; les autres ont vécu très très longtemps. Quatre de mes frères et trois de mes sœurs ont dépassé largement les quatre-vingt-dix ans, et ce n'est pas fini. Sans être présomptueux, je suis confiant que mes gènes me permettront de tenir le coup encore un bon moment.

Famille très dispersée et très unie. À une certaine époque, quatre frères vivaient dans le nord de l'Ontario, une sœur missionnaire en Chine, une autre en France, une troisième aux États-Unis, deux frères à

Montréal, le reste à ou près de L'Isle-Verte. Pourtant nous trouvions le moyen de nous rencontrer, aussi nombreux et aussi souvent que possible. Jamais de chicane, jamais de dispute. Malheur à l'étranger qui aurait touché à l'un des treize: il aurait eu les douze autres sur le dos.

Seul instruit (?) de la famille, on ne m'a jamais fait de faveur. J'en aurais éprouvé de la gêne et eux, de l'humiliation. Fiers du petit dernier? Sûrement, mais sans jamais le dire et sans jamais en tirer de gloriole.

Ma femme, Françoise Servêtre, née à Anticosti d'un père français et d'une mère canadienne, possède toutes les qualités qu'il fallait pour vivre cinquante-deux ans à mes côtés: douceur, patience, générosité!

Neuf enfants normaux, qui se débrouillent bien sans l'aide du paternel. Cinq fils dans les affaires où ils font leur chemin, les uns à leur compte, les autres comme cadres dans de grandes entreprises. Quatre filles, dont trois qui ont alterné entre la maternité et le travail, deux qui enseignent à l'université. Réunion obligatoire au moins quatre fois par année, pour faire la fête.

Quatorze petits-enfants et une arrière-petite-fille. Pas de drogue, pas d'alcool, pas de fugues, bref des adolescents presque anormaux.

Comme mes enfants ne se sont jamais prévalus de leur père pour faire leur chemin dans la vie, il n'y a pas de raison pour que je me serve d'eux pour me glorifier. À chacun ses mérites.

Heureux et fier? Oui, mais sans suffisance. Une

vie avec plus de succès que de revers, plus de bons que de mauvais moments. Sûrement pas un triomphe, mais peut-être une sorte de réussite.

Saint-Bruno-de-Montarville,
décembre 1987 — août 1988.

TABLE DES MATIÈRES

Typographie et mise en pages sur micro-ordinateur:
MacGRAPH, Montréal.

Achevé d'imprimer en avril 1989 sur les presses de
l'imprimerie Gagné, Louiseville, Québec.